A COMPANHIA

Obras do autor publicadas pela Editora Record

Eu S/A
A companhia

MAX BARRY

A COMPANHIA

Tradução de
RICARDO SILVEIRA

EDITORA RECORD
RIO DE JANEIRO • SÃO PAULO
2008

CIP-Brasil. Catalogação-na-fonte
Sindicato Nacional dos Editores de Livros, RJ.

Barry, Max
B288c A companhia / Max Barry; tradução Ricardo Silveira.
– Rio de Janeiro: Record, 2008.

Tradução de: Company
ISBN 978-85-01-07724-0

1. Capitalismo – Ficção. 2. Ficção australiana. I. Silveira, Ricardo. II. Título.

CDD – 813
07-3778 CDU – 821.111(73)-3

Título original em inglês:
COMPANY

Capa: Estúdio Insólito

Direitos exclusivos de publicação em língua portuguesa somente para o Brasil adquiridos pela
EDITORA RECORD LTDA.
Rua Argentina 171 – Rio de Janeiro, RJ – 20921-380 – Tel.: 2585-2000
que se reserva a propriedade literária desta tradução

Impresso no Brasil

ISBN 978-85-01-07724-0

PEDIDOS PELO REEMBOLSO POSTAL
Caixa Postal 23.052
Rio de Janeiro, RJ – 20922-970

EDITORA AFILIADA

Para a Hewlett-Packard

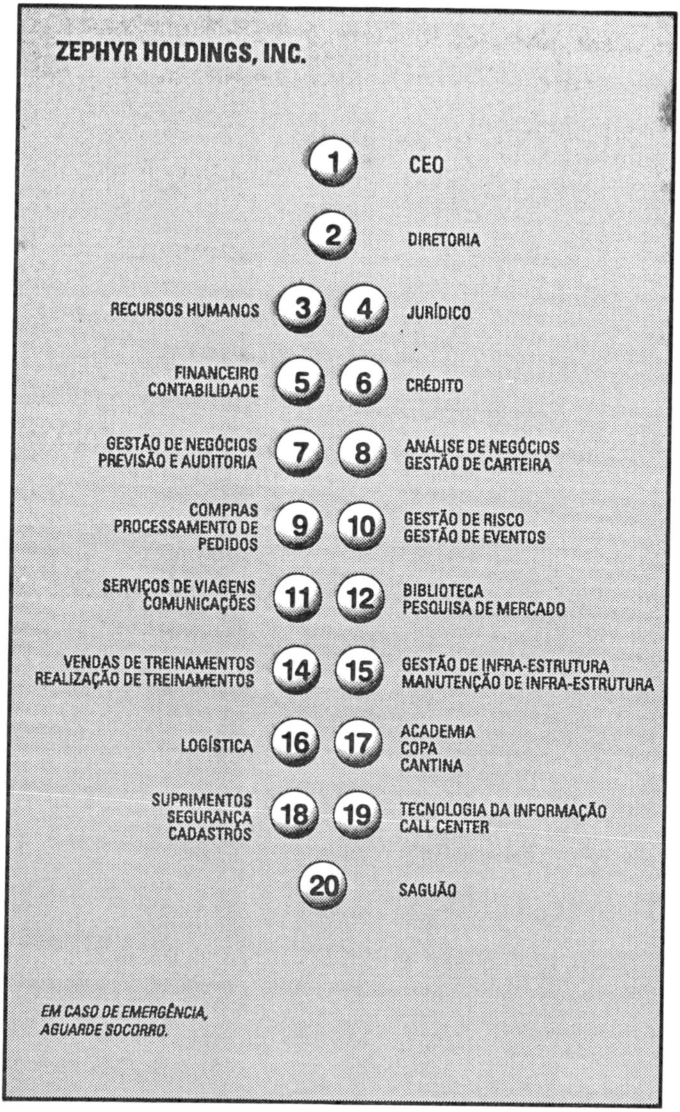

ZEPHYR HOLDINGS, INC.
1 CEO
2 DIRETORIA
RECURSOS HUMANOS 3
4 JURÍDICO
FINANCEIRO
CONTABILIDADE 5
6 CRÉDITO
GESTÃO DE NEGÓCIOS
PREVISÃO E AUDITORIA 7
8 ANÁLISE DE NEGÓCIOS
GESTÃO DE CARTEIRA
COMPRAS
PROCESSAMENTO DE
PEDIDOS 9
10 GESTÃO DE RISCO
GESTÃO DE EVENTOS
SERVIÇOS DE VIAGENS
COMUNICAÇÕES 11
12 BIBLIOTECA
PESQUISA DE MERCADO
VENDAS DE TREINAMENTOS
REALIZAÇÃO DE TREINAMENTOS 14
15 GESTÃO DE INFRA-ESTRUTURA
MANUTENÇÃO DE INFRA-ESTRUTURA
LOGÍSTICA 16
17 ACADEMIA
COPA
CANTINA
SUPRIMENTOS
SEGURANÇA
CADASTROS 18
19 TECNOLOGIA DA INFORMAÇÃO
CALL CENTER
20 SAGUÃO
EM CASO DE EMERGÊNCIA,
AGUARDE SOCORRO.

DEPT. DE VENDAS DE TREINAMENTOS

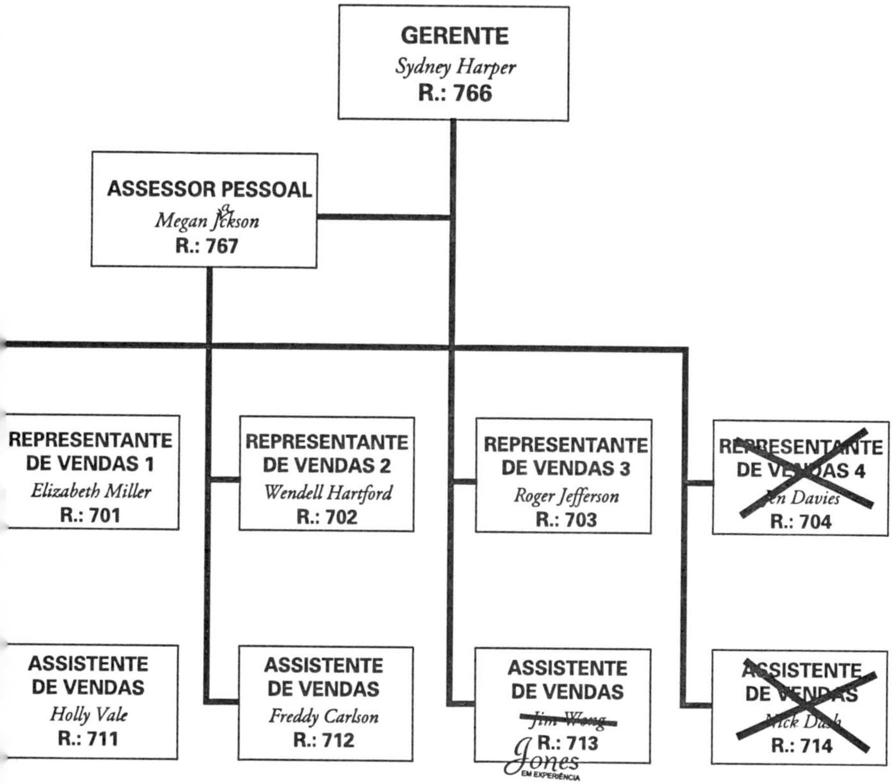

T 3 / 2: AGOSTO

SEGUNDA-FEIRA DE MANHÃ e há menos uma rosquinha do que deveria.

Os observadores mais astutos percebem prontamente a quantidade reduzida mas ficam em silêncio porque dizer "Ei, são só sete rosquinhas?", trairia sua experiência com as rosquinhas. Não é bom para a carreira de ninguém ser conhecido como alguém capaz de notar a diferença entre sete e oito rosquinhas com uma simples olhadela. Todos deliberadamente evitam mencionar a falta de uma rosquinha, até que Roger aparece e vê o prato vazio.

— Onde está a minha rosquinha? — pergunta Roger.

Elizabeth toca a boca com um pedaço de papel toalha.

— Eu só peguei uma. — Roger olha para ela. — O que foi?

— Você respondeu na defensiva. Eu perguntei onde estava a minha rosquinha. Você me diz quantas pegou. O que isso significa?

— Significa que eu peguei uma rosquinha — responde Elizabeth, depressa.

— Mas eu não perguntei quantas rosquinhas você pegou. Naturalmente eu presumiria que você pegou uma. Mas ao se dar o trabalho de verbalizar uma coisa dessas, você transmite, deliberadamente ou não, a idéia de que é uma situação discutível.

Elizabeth coloca as mãos nos quadris. Ela tem cabelos castanhos na altura dos ombros que parecem ter sido cortados à navalha e uma boca que poderia ter sido usada para fazer o corte. Elizabeth é esperta, impiedosa e emocionalmente abalada; ou seja, é representante de vendas. Se o seu cérebro fosse uma pessoa, teria cicatrizes, tatuagens e um olho a menos. Se você a visse vindo na sua direção, atravessaria a rua.

— Você quer me perguntar alguma coisa, Roger? Você quer me perguntar se eu peguei a sua rosquinha?

Roger dá de ombros e começa a encher seu copinho de café.

— Não estou nem aí para uma rosquinha. Só queria saber por que alguém achou que precisava pegar duas.

— Não acho que alguém tenha pegado duas. O pessoal da copa deve ter mandado uma a menos.

— É isso aí — diz Holly.

Roger olha para ela. Holly é assistente de vendas e por isso não tem direito de se intrometer no assunto. Freddy, também assistente de vendas, está, sabiamente, de bico calado. Mas, por sua vez, está de boca cheia, mastigando a sua rosquinha. Demora um pouco a engolir, com receio de fazer um barulho indiscreto.

Holly murcha ante o olhar de Roger.

— Roger, nós vimos o pessoal da Copa servindo. Estávamos aqui na hora — diz Elizabeth.

— Oh — diz Roger. — Oh, me desculpem. Não percebi que vocês estavam fazendo cerco às rosquinhas.

— Não estávamos *fazendo cerco às rosquinhas*. Estávamos aqui por acaso.

— Quer saber? Não faz diferença. — Roger pega um saquinho de açúcar e o sacode como se o saquinho precisasse de uma boa lição: *vap-vap-vap-vap*. — Só acho interessante que as rosquinhas sejam tão importantes para algumas pessoas que elas fiquem por aqui, fazendo cerco, aguardando sua chegada. Nem sabia que as rosquinhas eram a razão pela qual a gente vem para cá todo dia. Desculpem! Pensei que a idéia fosse valorizar o patrimônio dos acionistas.

— Roger, que tal falar com o pessoal da Copa antes de sair acusando as pessoas? — diz Elizabeth, saindo. Holly vai atrás dela como se fosse uma rêmora.

Roger a observa sair, achando engraçado.

— Só a Elizabeth para ficar chateada por causa de uma rosquinha.

Freddy engole e diz:

— Pois é!

O prédio da Zephyr Holdings encaixa-se no meio dos arranha-céus da Madison Street, em Seattle, como um tijolão cinza. É destituído de quaisquer adereços que o distingam dos demais. Alguém pode até argumentar que ele tenha um certo charme neutro, despojado, mas só se a pessoa estiver disposta a aplicar a mesma lógica às penitenciárias e aos Volvos da década de 1970. Ele foi projetado por um comitê: só se conseguiu entrar num acordo quanto ao fato de que deveria ser retangular, precisava ter janelas e não poderia cair.

No topo do prédio fica o nome ZEPHYR e a logomarca da empresa, que é um polígono laranja e preto sem uma intenção definida. Laranja e preto aparecem a toda hora nos prédios da Zephyr; não dá para passar por um corredor, ir ao banheiro ou pegar um elevador sem ser lembrado de quem é o dono do pedaço. Quando se chega ao saguão, dá-se de cara com uma logomarca em cada porta de vidro; depois da entrada, há mais outras, espalhadas pelas paredes a cada metro. Um chafariz com pedras escuras e umas samambaias bem cuidadas é o único oásis sem logomarcas, mas para compensar, a mesa da recepção é praticamente uma logomarca com uma folha de controle de visitantes em cima. Mesmo sob iluminação branda e indireta, a mesa da recepção inunda as retinas das pessoas com uma explosão de laranja tal que, mesmo depois de já terem passado por lá há algum tempo, elas ainda enxergam a cor quando piscam.

De um lado do saguão fica um conjunto de poltronas confortáveis e mesas baixas, onde os visitantes podem folhear a literatura de marketing da Zephyr enquanto aguardam pela pessoa com quem vieram se encontrar. Sentado ali com as mãos no colo está o jovem Stephen Jones, cara nova no pedaço. Seus olhos brilham. O terno é vistoso. Seus cabelos castanho-claros têm tanto gel que correm o risco de pegar fogo e seus sapatos parecem espelhos pretos. É o seu primeiro dia. Até o momento, já lhe mostraram alguns vídeos de apresentação e procedimentos da empresa, um dos quais repleto de palavras de ordem tipo TRABALHO EM EQUIPE e BOAS PRÁTICAS cruzando a tela e outro com atores do final da década de 1980 falando de atendimento ao cliente. Ele agora espera a chegada de alguém do departamento de Vendas de Treinamentos que virá pegá-lo.

Acidentalmente, ele cruza os olhos com os da recepcionista provavelmente pela décima quarta vez, os dois sorriem e desviam o olhar. Ela se chama GRETEL MONADNOCK, conforme diz a plaqueta em cima da mesa, é uma moça bem jovem, de cabelos castanhos compridos e sedosos, sentada à direita da mesa. À esquerda, uma plaqueta diz EVE JANTISS, mas esta não está no momento. Stephen Jones está um pouco decepcionado com isso porque, embora Gretel seja legal, quando ele veio para a entrevista e viu Eve pela primeira vez, quase deixou cair no chão a pasta novinha em folha que trazia consigo. Seria um exagero dizer que ele aceitou um emprego na Zephyr por causa da beleza da recepcionista, mas ele ficou bastante entusiasmado durante a entrevista.

Olha para o relógio. São 11 horas. Os vídeos terminaram há 20 minutos. Ele cruza as mãos novamente sobre o colo.

— Vou ligar mais uma vez — diz Gretel. Ela lhe sorri, solidária com a espera dele. — Ah... sinto muito! Entrou no correio de voz novamente.

— Ora... pode ter aparecido alguma urgência.

— Talvez. — Ela não tem certeza, mas acha que ele está brincando. — Quem sabe?

— O que você não pode esquecer — diz Roger — é que isso é uma questão de respeito. — Ele está com um cotovelo na divisória do cubículo de Freddy, com seu corpo esbelto bloqueando a entrada. — A rosquinha por si só é irrelevante. É a falta de respeito que o roubo implica.

O telefone de Freddy toca. Ele olha para a tela do identificador de chamadas: RECEPÇÃO.

— Roger, por favor, preciso pegar o recém-formado que chegou hoje. Não param de me ligar.

— Espere um instante. Isso é importante. — Roger sabe que Freddy vai esperar. Freddy já é assistente de vendas há cinco anos. Tem presença de espírito, é criativo e cheio de idéias, contanto que isso não incomode os demais. Freddy gosta de participar. É integrado. Fica mais feliz quando se mistura com a turma. Em qualquer grupo de pessoas, aquele de quem você não se lembra é o Freddy. Ele já se entranhou tanto na Zephyr Holdings que Roger às vezes tem dificuldade para distinguir onde a empresa termina e onde Freddy começa. — Estou explicando por que quero que você vá à Copa e descubra exatamente quantas rosquinhas eles nos deram.

O desespero assoma aos olhos de Freddy.

— Se eu for pegar esse recém-formado, ele pode fazer isso. Ele é seu assistente.

Roger considera a questão durante alguns instantes.

— Ele pode não entender a necessidade de tratar com delicadeza uma situação como essa. — Isso significa dizer: *Não deixe que Elizabeth e Holly saibam.*

— Eu falo para ele. Por favor, Roger, você vai me arranjar uma encrenca com a recepção.

— Tudo bem. Tudo bem. — Roger ergue as palmas das mãos em sinal de rendição. — Vá lá pegar o seu recém-formado.

— O *seu* recém-formado.

Roger lança-lhe um olhar cortante. Mas Freddy não está faltando com o respeito, ele se dá conta, está apenas sendo minucioso.

— É isso mesmo; foi isso que eu quis dizer.

Stephen Jones ignora o *ding* do elevador, porque ele já soou diversas vezes nos últimos 25 minutos e nenhuma delas resultou no encontro dele com novos colegas. Para esticar as pernas, resolveu passear pelo saguão e ler as placas e fotografias emolduradas. A maior de todas é uma coisa imensa e brilhante com iluminação própria que fica dentro de uma caixa de vidro.

MISSÃO DA EMPRESA

A Zephyr Holdings visa construir e consolidar posições de liderança nos mercados de sua escolha, forjando proveitosas oportunidades de crescimento através do desenvolvimento de fortes relacionamentos entre unidades de negócio internas e externas e da coordenação de uma abordagem estratégica consolidada para atingir o máximo de retorno para os seus acionistas.

Não é a coisa mais enfadonha que Stephen Jones já leu na vida, mas chega perto. O estranho é que não menciona os pacotes de treinamento, cuja venda, no seu entender, é a área de atuação principal da Zephyr. Então ele se dá conta de que um homem baixinho de cabelos pretos e óculos está parado a pouca distância, olhando para ele.

— Jones?

— Isso.

Os olhos do homenzinho dão uma rápida espiadela no terno novo de Jones. Uma de suas mãos se esgueira até onde sua própria camisa está desleixadamente enfiada para dentro da calça e tenta ajeitá-la.

— Eu sou o Freddy. Prazer em conhecê-lo. — Ele estica a mão desocupada e aperta a mão do outro homem. Os olhos azuis lacrimosos de Freddy parecem imensos por trás dos óculos. — Você é mais jovem do que eu pensei.

— Tudo bem — diz Jones.

Freddy olha para os sapatos dele. Em seguida, lança um olhar na direção da mesa da recepção, para — se Jones não estiver enganado — a cadeira vazia atrás da plaqueta que diz EVE JANTISS.

— Você fuma?

— Não.

— Eu fumo — diz, em tom de desculpas. — Por aqui.

— O departamento é bom. — Freddy dá uma tragada no cigarro. O dia está bonito: as nuvens estão altas, sopra uma leve brisa e a torre cinza da Zephyr até parece emitir calor refletido do painel de janelas de vidro fumê. Os olhos de Freddy acompanham um conversível azul vindo devagar com o trânsito na direção deles e em seguida se desviam para Jones. — Quero dizer, depois que você se acostuma às coisas.

— Estou preparado para uma adaptação rápida — diz Jones, lançando mão de uma frase que lhe veio bem a calhar nas entrevistas.

— Você é assistente de vendas do Roger. Precisa processar os pedidos, preparar as cotações, entregar os formulários de despesas, esse tipo de coisa.

— Como ele é?

— Roger? Ah... legal. — O olhar de Freddy muda.

— Ah! — diz Jones. — Então... não é?

Freddy olha o entorno.

— Não. Sinto muito.

Jones dá uma risadinha contida.

— Bem, eu não pretendo ser assistente de vendas para sempre.

Freddy não diz nada. Jones se dá conta de que Freddy talvez tenha sido sempre um assistente de vendas.

— O Roger tem uma tarefa para você, na verdade. Ele quer que você pergunte à Copa quantas rosquinhas eles mandaram para o nosso departamento hoje de manhã. — Em resposta à expressão de Jones, ele acrescenta rápido: — É o seguinte: nós ganhamos lanche de manhã; tem dia que é fruta, tem dia que é biscoito e, de vez em quando, *raramente*, rosquinhas. Hoje de manhã houve um incidente.

— Tudo bem. Claro. — Jones assente com um gesto da cabeça. Pode não ser uma tarefa glamourosa, nem fazer muito sentido, mas é sua primeira tarefa no mundo dos negócios de verdade e, pelo amor de Deus, ele vai executá-la direito. — Então, onde fica a Copa?

Freddy não responde. Jones segue seu olhar até interceptar um Audi esportivo azul-escuro entrando no estacionamento da Zephyr. A maior parte da garagem da firma fica no subsolo, mas há algumas privilegiadas vagas no térreo, e o Audi entra com toda a confiança numa delas. A porta do motorista se abre e sai um par de pernas. Passado um breve momento, Jones registra que as pernas estão conectadas a um alguém. O alguém é Eve Jantiss.

Até parece que ela está dando uma passadinha rápida na Zephyr antes de prosseguir para o lançamento exclusivo de uma nova boate. Seus cabelos compridos, castanho-claros, destacam-se revoltos por sobre os bronzeados ombros descobertos. Duas delicadas tirinhas parecem não cumprir função alguma na sustentação de um tremelicante vestidinho roxo; há mais forças misteriosas envolvidas. Seus lábios parecem enormes almofadas, resultado de uma linhagem que provavelmente inclui nacionalidades das quais Jones jamais ouviu falar, e seus fluídicos olhos castanhos parecem dizer: *Sexo? Ora, mas que idéia interessante!* Nas noites que decorreram entre a sua entrevista e este momento, Jones chegou a pensar se não estaria, em sua cabeça, imaginando uma Eve Jantiss mais atraente do que ela era na realidade. Agora percebe: não.

— Bom dia! — diz ela, passando por eles ao som dos saltos altos no soalho.

— Oi! — diz Jones, enquanto Freddy solta algo como:

— B'dia!

Jones se vira e vê Freddy praticamente babando de amor. Seu olhar está cravado na nuca de Eve, sem passear de alto a baixo pelo corpo dela. Jones tem uma sensação súbita de sordidez. Ele só a estava conferindo; a paixão de Freddy é pura.

Quando as portas de correr lhes tolhem a visão de Eve, ou pelo menos a turvam um pouco, Jones fala:

— A recepcionista tem um carro esporte?

— O quê? — diz Freddy. — Você acha que ela não merece?

Os sapatos sociais de Jones rangem enquanto ele e Freddy cruzam o saguão. Parece que ele está regendo uma orquestra de camundongos, e ele percebe os olhares das duas recepcionistas, Eve e Gretel, pairando sobre si.

— É ele — diz Gretel para Eve. — O nome dele é Jones.

— Ah! — Eve sorri. — Seja bem-vindo ao *Titanic*, Jones.

Humor da empresa! Jones já tinha ouvido falar disso. Ele gostaria de responder à altura, mas está acanhado demais por causa dos sapatos. E fecha a questão com um:

— Obrigado.

Eles chegam à bateria de elevadores atrás da recepção e Freddy aperta o botão para *subir*.

— Dizem que ela é amante de Daniel Klausman. — Klausman é o CEO da Zephyr. — Mas isso é só porque ela quase nunca está na recepção.

Jones pisca.

— Para onde ela vai?

— Não sei. Mas amante dele é que ela *não* é. Ela não faz esse tipo. — As portas do elevador se fecham. — Enfim, a copa fica no 17º. Depois que você terminar, suba para o 14º.

— Você quer dizer *desça* para o 14º — diz Jones, mas no momento em que as palavras lhe saíam da boca ele avista o painel dos botões. Os andares estão numerados de cima para baixo: o 1º andar fica no topo do painel e tem CEO marcado ao lado, enquanto o 20º, do Térreo, fica embaixo.

Freddy solta uma risadinha contida.

— Numeração invertida. Todo mundo se atrapalha no início. Mas logo você se acostuma.

— Tudo bem. — Jones fica olhando os números mudarem... 20... 19... 18, enquanto seu corpo percebe que ele está subindo. É uma sensação incômoda.

— Dizem que isso é motivacional — diz Freddy. — À medida que você vai passando para departamentos mais importantes, você vai subindo de nível.

Jones olha para o painel dos botões.

— O que há de errado com o departamento de TI?

— Ah, por favor! — diz Freddy. — Tem gente lá que nem usa terno.

No 14º andar, Elizabeth está se apaixonando. É isso que faz dela uma representante de vendas tão boa... e também um poço de emoções: ela se apaixona pelos clientes. Fica difícil dar uma noção exata de quão árduo é ser um vendedor, de como é extenuante todo aquele puxa-saquismo. Vender é uma questão de relacionamentos, e é preciso cultivar os clientes com amor e carinho, como se faz com repolhos no inverno, mesmo quando o cliente é um maníaco egocêntrico que você tem vontade de acertar na cara. Existe alguma coisa errada com uma pessoa que resolve ser representante de vendas, ou, se não for o caso, vai existir alguma coisa errada depois de seis meses.

Elizabeth não se fia nas costumeiras fachadas de amizade e ilusões de intimidade: ela forma vínculos de verdade. Para Elizabeth, cada cliente novo que tem pela frente é um belíssimo desconhecido com quem vai se encontrar numa boate. Enquanto dançam, ela vai ficando tonta com a gama de possibilidades. Se ele não gosta dos produtos que ela lhe oferece, ela morre. Se ele fala de pedidos volumosos, ela pensa logo em ir morar com ele.

Os casos de amor de Elizabeth são puramente internos: ninguém mais sabe deles. Mas são reais o suficiente para ela, razão pela qual ela fica tão estressada: no momento, está envolvida em 18 relacionamentos duradouros, que vão e voltam e lhe tiram o sono, e na última quinta-feira ela avistou um novo alguém do outro lado de uma sala de reuniões lotada.

Ao telefone agora, um cliente está tentando reduzir um pedido já feito. Na semana anterior, ela lhe vendera 200 horas de treinamento de pessoal, mas agora ele está querendo dar para trás. Sentada no seu cubículo, de costas para os outros dois representantes de vendas, com o telefone ficando escorregadio na sua mão, ela morde os lábios. *Por que ele não se permite?*, lamenta-se. *O que há de errado comigo?*

— Não é nada de mais, Liz — diz o cliente. — Eu verifiquei a nossa programação e descobri que não precisamos fazer tanta coisa de uma vez só. Vamos ficar com o pacote, sim, mas vamos só reduzir os números.

— Mas nós falamos de 200 horas. Era disso que eu achei que estávamos falando.

— E estávamos, Liz, mas acontece que precisei mudar de idéia.

— Eu... — sua garganta se fecha. Ela luta para manter a voz firme. Homens não gostam de mulheres carentes, que se penduram neles. Ela leu isso num daqueles livros de relacionamentos que ela faz passar por manual de venda. Os homens gostam de ser desafiados, contanto que... contanto que!... você não os desrespeite. Você deve apresentar o desafio ao mesmo tempo que deixa implícito que ele é capaz de vencê-lo. — Mas Bob, nós tínhamos um compromisso aí. Você não é desses caras que faz promessas e depois não cumpre. Você é uma rocha. É isso que eu adoro em você. Eu *conto* com isso em você. Você sabe do que estou falando.

Um suspiro ao telefone. O coração de Elizabeth se anima.

— Tudo bem. Tudo bem. Vamos ficar com as 200 horas. Mas é mais do que precisamos, Liz.

— Eu sei disso, Bob. Você é maravilhoso.

— Ora, você sempre foi legal comigo... — Elizabeth sente-se distanciar. Bob está sob controle. E vai ficando menos interessante a cada segundo. Os pensamentos dela se voltam para o homem que viu na sala de reuniões. Era baixinho e gorducho; pelo jeito dos sovacos da camisa dele, tinha um problema de sudorese. Ela morde o lábio, sonhando. E pensa se ele não estaria interessado em algum treinamento.

O departamento de Vendas de Treinamentos tem oito funcionários: três representantes de vendas, três assistentes, um gerente e um assessor. Cada representante tem um assistente de vendas. Elizabeth tem Holly, que é uma loura jovem e atlética, conhecida em vários andares por sua obsessão com a academia de ginástica no prédio da empresa e pela falta de um mínimo de senso de humor que se possa detectar. Roger tem, ou está recebendo, Jones. O terceiro representante é Wendell, um grandalhão que leva o resto do departamento à loucura pigarreando antes de falar qualquer coisa que seja, e também quando menos se espera.

Como qualquer outro departamento dentro da Zephyr, o Vendas de Treinamentos fica num andar aberto, o que significa que todos trabalham em um conjunto de cubículos espalhados por toda a extensão do pavimento menos o gerente, que tem um escritório com uma parede de vidro interna sobre a qual há venezianas permanentemente fechadas. Esse arranjo dos lugares em planta corrida, explicam diversos memorandos distribuídos por toda a empresa, aprimora o trabalho em equipe e estimula a produtividade. Exceto para os gerentes, isto é, cuja produtividade tende a ser estimulada por — e os memorandos não dizem isso, mas não há como fugir à conclusão — escritórios de quina com vistas maravilhosas.

O conjunto de cubículos do departamento de Vendas de Treinamentos é separado em dois módulos por uma divisória com dois metros de altura, num dos quais ficam os representantes de vendas e, no outro, os assistentes. Para um olhar despercebido, as duas metades parecem idênticas, mas para quem está por dentro, o lado dos representantes tem um brilho sutil, fluorescente. Esse brilho é status. Os ocupantes deste desfrutam números muito melhores: seus salários têm seis dígitos, suas quotas, sete e seu handicap no golfe fica em um dígito apenas.

Na última reorganização do escritório, discutiu-se a possibilidade de cada representante sentar ao lado do seu ou da sua assistente, por uma questão de eficiência. Elizabeth e Wendell fizeram um lobby tamanho que conseguiram desmantelar a proposta no mesmo dia. De forma que os assistentes precisam fazer muito exercício. E chamam a parede entre os cubículos de Divisória de Berlim.

Wendell pára na mesa de Roger, cruza os braços e solta uma tossidela que significa que ele vai falar.

— Roger, me dói ter de trazer uma coisa dessas à tona, mas você estacionou na minha vaga novamente.

Roger levanta um dedo. Está falando com a Copa ao telefone, esperando a ligação ser transferida da divisão de Lanches e Sobremesas. Mas não seria sábio deixar que Wendell, um representante de vendas como ele, ficasse sabendo disso, de forma que ele diz:

— Eu recomendo o pacote completo, que lhe dá todos os benefícios a um custo total mais baixo. Sim... claro. Excelente! Vou mandar fechar agora mesmo. — E desliga. Wendell está ali de pé ao seu lado, obstruindo a luz fluorescente. — O que foi?

— O seu carro, apesar das conversas que tivemos antes, está na minha vaga novamente.

Roger leva os dedos à crista do nariz.

— Wendell, não há vagas marcadas na garagem do segundo subsolo. Vale quem chega primeiro, mais bem vestido. Você não tem vaga marcada, nenhum de nós tem.

Wendell enfia a mão no bolso do paletó. *Arram!* Isso é ele pigarreando antes de falar.

— Foi o que você falou da última vez. Mas eu fui pegar com o pessoal da Gestão de Infra-Estrutura um mapa da distribuição de vagas. E gostaria de chamar a sua atenção para esta *aqui*, onde o seu automóvel se encontra no momento. Você vai ver que diz DEPARTAMENTO DE VENDAS DE TREINAMENTOS — RV 2. Pois este sou eu, Roger. A sua vaga é a do lado. — Ele crava o dedo no papel, em cima de uma vaga dois metros mais longe do elevador.

Roger descarta o mapa com um gesto. Trabalha como representante de vendas há seis semanas apenas; antes, era cliente. Mas é talentosíssimo, o que deixa Wendell nervoso. Ele esbanja autoconfiança, do fundo dos seus penetrantes olhos castanho-escuros. Seu cabelo é, obviamente, coisa de executivo. Ultimamente, Wendell vem trabalhando 90 minutos extras, sem almoçar. Elizabeth também foi afetada; agora vive na rua em visita a clientes. Mas isso é porque ficar perto do Roger lhe dá vontade de estrangulá-lo pela gravata.

— A Gestão de Infra-Estrutura não tem autoridade para designar vagas na garagem. Isso cabe a cada gerente de departamento. No nosso caso, a Sydney não comunicou sistema algum; portanto, cada qual faz como quer.

Wendell hesita um pouco, sem saber exatamente como equiparar as forças do departamento de Gestão da Infra-Estrutura com as dos gerentes de departamento.

— Na falta de uma decisão da Sydney, seguimos as determinações da Gestão de Infra-Estrutura, com certeza.

— Se é isso que você pensa, leve o argumento para a Sydney — diz Roger. — Até lá, cada qual faz como quiser.

— Se é *cada qual faz como quiser* — diz Wendell, elevando o tom de voz —, *por que você sempre pára na mesma vaga?* Você nunca pega a da Sydney ou a da Elizabeth. Todo mundo sempre pára na mesma vaga todo dia, só que *você sempre pára na minha.*

— Isso é apenas uma coincidência. — Roger deixa esse absurdo pairando no ar durante alguns instantes. — Mas eu vou lhe dizer uma coisa. Vou tentar não parar na abre aspas sua fecha aspas vaga se você disser por que pegou a minha rosquinha.

— Eu não peguei a porcaria da sua rosquinha. Não mude de assunto.

— Você achou que seria uma forma de vingança? Sério, só estou querendo saber.

— Não faço idéia do que possa ter acontecido com a sua rosquinha, Roger, e não estou aqui para discutir isso. Pare de estacionar na minha vaga. Ou, então, quem vai falar com a Sydney sou *eu*. — Wendell vai embora esbaforido para a sua mesa, que fica ao lado e compartilha uma divisória baixa com a de Roger. Quando estão ambos sentados, podem se ver cara a cara por cima dos seus notebooks acoplados, com o trabalho em equipe e a produtividade — para quem acredita nos memorandos — aumentando progressivamente.

Jones percorre o corredor laranja e preto acarpetado e empurra as portas de vidro que dão para o departamento de Vendas de Treinamentos. Ele pára e dá uma olhada no seu novo lar corporativo: nos cubículos, a Divisória de Berlim, os pôsteres emoldurados com propósitos motivadores (NÃO É O QUANTO VOCÊ TRABALHA, MAS COM QUANTA INTELIGÊNCIA), a máquina de café, a total ausência de luz natural. Avista Freddy, que gesticula para o outro lado da Divisória (o lado rico, Berlim Ocidental). Jones segue as instruções. Há três pessoas ali, todas ao telefone e nenhuma prestando atenção nele. Espia as plaquetas com os nomes até encontrar Roger Jefferson e aguarda perto da mesa dele. Roger fala ao telefone:

— Mas não posso mandar os formulários para o Processamento de Pedidos antes que eles sejam aprovados pelo Jurídico. Ora, diga isso para o Crédito. Enquanto eles não largarem, o Marketing não vai assinar. — Ele franze o cenho para Jones. — O que você quer?

Jones aponta para o crachá de identificação.

— Oi, sou o seu novo assistente.

Roger diz para o telefone:

— Espere aí um instante. — Cobre o bocal. — Sete ou oito?

— Sete ou oito o q...? — Jones se dá conta. — A Copa avisou que o Vendas de Treinamentos recebeu oito rosquinhas hoje de manhã.

— Tem certeza?

Jones tem. A Copa tinha um processo formal de entrega de lanches completo, inclusive com gráficos. Ao lado de Departamento de Vendas de Treinamentos havia um 8 e um sinal de confere. O pessoal estava diante do gráfico. Jones até se sentiu esquisito ao questioná-los por causa do gráfico e porque eles estavam esvaziando a área toda para dar lugar a uma firma terceirizada, e lá estava ele atrapalhando para discutir a quantidade de rosquinhas.

— Tudo bem. Bom trabalho. — Roger descobre o bocal. — Agora, olha só, a gente pode ir ao Recursos Humanos para resolver isso aí se você quiser. É isso que você está querendo?

Jones percebe que foi dispensado. Volta para Berlim Oriental, onde Freddy e uma menina com os braços gritantemente bronzeados que saltavam de dentro de um vestidinho de verão haviam empurrado suas cadeiras com rodinhas até o meio do corredor entre os cubículos.

— Olhe ele aqui — diz Freddy. — Jones, essa é a Holly. Ela é a assistente da Elizabeth.

Enquanto ela e Jones apertam-se as mãos, Holly fala:

— É verdade que você foi à Copa?

— O pessoal da Copa ligou para a Sydney e reclamou que você estava incomodando — explica Freddy. — Agora ela está uma fera.

Jones solta a mão de Holly.

— O quê? Eu só fiz o que me mandaram fazer.

— A Defesa de Nuremberg — diz Holly. — Foi isso que o *último* assistente do Roger disse.

— Pobre Jim — diz Freddy. — Eu estava começando a gostar dele também.

— É melhor eu ir falar com a Sydney. — Jones olha em torno de si procurando o escritório dela.

Freddy dá uma risada. E logo se dá conta de que Jones está falando sério.

— Jones, você não *vai falar* com a Sydney.

— Por que não?

Freddy parece não encontrar as palavras. Vira-se para Holly.

— Porque não, ora — diz ela.

Jones avista um escritório no fim do conjunto de cubículos.

— Ela está lá agora?

Freddy e Holly trocam um olhar.

— Está, mas falando sério...

— Volto num instante. — Jones passa pelo meio de Freddy e Holly, que afastam suas cadeiras para lhe dar mais espaço. O escritório de Sydney está guardado por uma mulher robusta sentada numa mesinha minúscula: Megan, a AP do departamento. Megan, Jones logo percebe, coleciona ursos de cerâmica. Há ursinhos vestidos para ir pescar, ursinhos com camisetas escritas EU TE AMO, ursinhos de chapéu e ursinhos de galochas. São dúzias, como se a mesa de Megan fosse o palco de um musical só de ursos. Há uma caixa de entrada mal-ajambrada num cantinho da mesa, com vários ursinhos encostados nela como se estivessem tentando empurrá-la para fora dali.

A porta de Sydney está fechada. Jones tenta espiar pela janelinha de vidro embutida no meio.

— Será que eu...?

Sem dizer nada, Megan o encara através de seus óculos marrons. Mais tarde Jones fica sabendo que a única razão pela qual

Megan não salta de sua cadeira e o derruba no chão a essa altura é porque ela realmente não consegue acreditar que ele de fato vai entrar direto no escritório de Sydney. Ele começa a girar a maçaneta da porta e, quando ela se dá conta do que ele está fazendo, ele já está lá dentro, fechando a porta com delicadeza.

Wendell e Elizabeth colocam a cabeça por cima da Divisória de Berlim.

— Aquela pessoa acabou mesmo de entrar no escritório da Sydney? — pergunta Wendell.

— Ele é novo — diz Freddy de forma quase inaudível. — Esse é o nosso calouro. Ainda não sabe de nada.

Ninguém diz nada durante alguns instantes. O rosto chocado de Megan se afasta da porta de Sydney, se vira para os demais funcionários e depois volta.

— Ora, essa! — diz Holly. — Corajoso, hein!

— Está é morto — diz Freddy, soltando um suspiro. — O pobre não teve nem tempo de configurar o correio de voz.

— Pena! — diz Elizabeth. — Ele é bonitinho.

— Nem me diga — diz Holly.

— Como é o nome dele?

— Jones.

— Só Jones? Ué, como Madonna?

— É o que está no crachá dele.

— Curioso — diz Elizabeth.

— Ele é tão jovem — diz Freddy. — Como é que pode saber de alguma coisa?

— *Arram!* É claro que não sabe nada. Acabou de entrar no escritório da Sydney sem hora marcada.

— Hmmm. Talvez os boatos sejam verdade — diz Elizabeth.

Todos olham para ela. Freddy fala:

— Que boatos?

— Bem... não estou dizendo que acredito, mas... tem gente dizendo que a empresa está tocando um projeto secreto. No nível 13.

Wendell solta uma bufada de descrédito. Nem existe nível 13: o botão no elevador depois do 12 é o 14. Mas já é uma piada antiga na Zephyr falar que todo mundo suspeita do longo tempo que leva para o elevador passar de um para o outro.

— Segundo os boatos... — Elizabeth baixa a voz — o Recursos Humanos está raspando em segredo células da pele dos representantes de vendas bem-sucedidos e criando clones em tonéis para serem soltos no programa de estágio.

Freddy e Holly caem na gargalhada. Wendell revira os olhos.

— Eu tenho mais o que fazer. — Sua cabeça desce de cima da Divisória de Berlim.

— Não digam que fui eu que falei — diz Elizabeth. — Verifiquem se Jones tem umbigo.

— Mmm! — diz Holly. — Talvez eu verifique mesmo.

— É melhor se apressar — diz Freddy.

Ouve-se um leve estalido e a porta de Sydney se abre. É como se os funcionários do departamento de Vendas de Treinamentos estivessem com a cabeça conectada a ela por fios invisíveis: todas se voltam ao mesmo tempo. Sete pares de olhos observam Jones saindo e caminhando até sua mesa e depois se sentando.

Freddy agüenta o máximo que consegue:

— E então?

— Hmm? O quê?

— *O que aconteceu?*

— Oh. Nós conversamos. Acho que ficou tudo esclarecido. — Jones dá de ombros. — Ela estava meio ocupada. A maior parte do tempo ficou falando ao telefone.

— Você quer dizer... — começa a dizer Holly, mas Freddy atalha:

— Com quem?

— Um tal de Seddon?

Freddy se joga para trás na cadeira.

— Blake Seddon é da *Diretoria.*

— E daí? — Jones é novo demais na Zephyr Holdings para perceber que está se armando um temporal. O prédio é hermeticamente fechado, mas a Zephyr tem seu próprio clima: na sexta-feira passada, a pressão subiu na sala de vendas por telefone; amanhã a previsão é de uma frente fria de demissões descendo do nível 2. Agora uma tormenta está ganhando força no conjunto dos cubículos.

— Alguém vai ser demitido — diz Freddy.

Holly fala:

— Você nem sabe.

— Talvez seja isso. Terceirização.

— Eles não podem nos terceirizar. Quem iria vender os treinamentos?

— Talvez a Zephyr esteja largando os treinamentos.

— Isso é loucura — diz Holly, mas com a voz trêmula. Holly está meio protegida contra a demissão porque não dá para mandar Elizabeth embora. Mas a terceirização, bomba atômica do arsenal dos Recursos Humanos, não pouparia ninguém. — Se não houvesse treinamento... — Holly desiste de concluir a frase, incapaz de expressar os horrores de um mundo sem treinamento.

Freddy levanta-se de um salto da cadeira e parte na direção de Megan, a AP. Ela confirma que Sydney vem fazendo umas ligações telefônicas com a Diretoria, mas recusa-se a lhe contar qualquer detalhe. Isso é porque ela não sabe de nada, mas como fica sentada longe de todo mundo no Vendas de Treinamentos e se sente solitária, vive dando pistas de que está sabendo de alguma coisa que não pode contar para estimular novas visitas.

— A Megan sabe de alguma coisa, mas não quer contar — diz Freddy em tom sombrio, passando direto por Berlim Oriental, sem parar. A turbulência de sua passagem joga um papel para fora da mesa de Jones, mas, em termos meteorológicos, Freddy está destroçando o carpete, derrubando computadores de cima das mesas e arrancando as cadeiras dos seus lugares num turbilhão. — Quem vai ser demitido? — pergunta Freddy a Wendell em Berlim Ocidental, à queima-roupa.

— O quê? — diz Wendell, irritado. Ele estava no zero a zero com Pauline no jogo de copas, pronto para dar a volta por cima, e teve de fechar o programa para que Freddy não visse.

— A Sydney anda falando ao telefone com o pessoal lá de cima. Sobre corte nos custos, não é? Alguma cabeça vai rolar.

— Sydney anda falando com o pessoal lá de cima?

— Foi o que a Megan disse.

— Ora, isso pode significar qualquer coisa. Não vá tirando conclusões apressadas. *Arram!*

— Ei, pessoal — chama Elizabeth do outro lado do corredor. — Vocês estão tendo problemas com a rede? Acabei de mandar um e-mail para o Wendell e ele voltou.

— Não verifiquei — diz Roger, sem olhar.

— O seu e-mail era sobre o quê? — pergunta Wendell.

— Estou vendendo rifa para o Clube Social. Quer comprar? Pode ganhar um conjunto de tacos de golfe. — Suas sobrancelhas se erguem de esperança.

— Oh. — O olhar de Wendell perde o foco. — Eu... *arram*... vou pensar nisso quando receber o seu e-mail.

— Custa um dólar cada bilhete — diz Elizabeth, arrastando-se mais para perto. — E há um monte de prêmios secundários. Quer ver?

— Estou ocupado agora, Elizabeth.

— Oh, tudo bem. Talvez mais tarde. — Ela arrasta a cadeira de volta para a frente de seu computador.

Freddy fala:

— Então, você não ouviu falar nada?

— Não. Por quê? O resto do pessoal ouviu? — Wendell olha para Roger e Elizabeth, temeroso.

— Não perguntei.

— Deixe comigo. Vou descobrir o que está acontecendo.

— Obrigado. — Freddy sabe que pode confiar nele. Wendell depende de Freddy para traduzir seus extravagantes relatórios de despesas numa linguagem que a Contabilidade aceite, uma habilidade rara e valiosa. Elizabeth e Roger têm um ciúme doentio de Wendell nesse quesito. Só este ano ele já foi anistiado de pagar multas por parar em vagas exclusivas no estacionamento, além de ter ganhado dúzias de almoços e até um terno novo, enquanto o pedido que Elizabeth fez de uma cadeira nova para o seu cubículo foi negado, levando-a a roubar uma na calada da noite do Call Center.

Freddy abandona Berlim Ocidental. Roger lhe sorri quando ele passa, o que é tão descabido que Freddy chega a ficar nervoso. Roger está discando para alguém, mas espera, com o dedo pairando no ar acima do teclado, até que Freddy tenha passado.

— Qual é o papo? — pergunta Holly.

— Ninguém sabe. Você acha que ficaríamos sabendo se fossem nos terceirizar?

— Não faço idéia... ninguém que foi terceirizado sobreviveu para contar a história.

Jones diz:

— Por que iriam mandar alguém embora? Vocês acabaram de me contratar.

Freddy olha para ele, solidarizando-se.

— Você realmente não entende esta empresa.

— As contratações estão congeladas — explica Holly. — Tecnicamente, nós não o contratamos. Você entrou pela porta dos fundos. É o seguinte: perto do fim do exercício fiscal, a Diretoria percebe que estamos estourando o orçamento, de forma que mandam congelar as contratações. Se um funcionário vai embora, os demais têm de dar conta das tarefas de quem se foi.

— Vocês tinham tempo ocioso antes? — pergunta Jones, perdidão.

Freddy solta uma gargalhada tal que chega a encostar o nariz no teclado.

— Isso aconteceu ano após ano, mas todos os departamentos perceberam que era preciso fazer as suas contratações antes do período do congelamento, de forma que todo mundo estava comprimindo um ano de gastos nos primeiros seis meses. E isso levou a Diretoria a mandar congelar *mais cedo*. Então, mais ou menos um ano e meio atrás, a coisa virou permanente.

— Permanente?

— Ora, eles não podem suspender agora — diz Freddy. — Todos os departamentos começariam a contratar feito malucos. Nós tínhamos aqui oito representantes e oito assistentes.

— Além disso — diz Holly —, a Zephyr precisa mostrar que é séria quando resolve cortar custos. Se começássemos a contratar gente de novo agora, os preços das nossas ações cairiam. Mais ainda, quero dizer.

— Bom, é isso que *eles* dizem. Na minha opinião, é só uma desculpa para encherem de trabalho o pessoal aqui das trincheiras enquanto a Diretoria ganha bônus por atingir as metas de redução de custos. Isso para não falar das algemas douradas. Você conhece as algemas douradas?

Jones confirma com um gesto de cabeça.

— Claro, o bônus que o executivo leva quando sai da empresa.

— Não, não. Isso aí é o pára-quedas dourado.

— Ah, certo. O bônus de assinatura, então.

— Esse é o aperto de mão dourado. As algemas douradas são o que eles levam por trabalharem numa empresa de moral baixo. Primeiro eles estragam a empresa toda; depois, quando fica difícil atrair pessoal de gabarito, eles passam a pagar mais para si mesmos.

— Mas isso está errado! — diz Jones, chocado. — Alguém levou esse assunto para o Daniel Klausman?

Freddy solta outra gargalhada. Até Holly sorri.

— Lembra-se de quando você começou a trabalhar aqui, Freddy, e achava que todo mundo era inteligente, queria ajudar e fazer o que fosse melhor para a empresa?

— É, e só andava de sapato engraxado.

Jones diz:

— Então, com esse congelamento, como foi que vocês me contrataram?

— Foi idéia do Freddy. Processamos o seu salário como despesas do escritório. Papel para cópia, especificamente.

— Isso me lembrou de uma coisa — diz Freddy para Holly —, você tem de xerocar todos os pedidos da Elizabeth? Porque o papel daquela máquina tem de durar até janeiro.

— *Nós* provavelmente não vamos durar até janeiro. É melhor eu sair xerocando tudo enquanto posso.

— Quer dizer que eu sou *papel para cópia*? — diz Jones.

— Não se preocupe, é só uma questão de papelada. Não afeta nada. Bem, a menos que eles cortem o nosso orçamento para material de escritório. Mas não há o que temer, é só uma questão de contabilidade criativa. Acontece o tempo todo.

Uma onda de luz vermelha varre o departamento. Por um instante, Jones acha que está desmaiando. Em seguida, acha que a energia no prédio acabou e as luzes de emergência foram acionadas. Mas são os telefones: todas as luzes de correio de voz começam a piscar de repente.

— Argh! — Freddy pega seu aparelho. — Detesto quando eles fazem isso. — Leva-o ao ouvido. — Correio de voz para todos os funcionários. Deveria haver instruções no seu telefone, Jones.

E há. Jones trava uma breve batalha com o menu do correio de voz e sagra-se vitorioso.

"Clique. Oi, é a Megan. Sydney me pediu para passar um recado. Clique. Megan, é a Sydney. Há uma mensagem do CEO depois desta. Copie para todos, obrigada. Clique. Bom dia, é a Janice... segue-se uma mensagem. Clique. Oi, Janice, há uma mensagem em seguida de Daniel Klausman. Por favor, tome as providências para que seja divulgada. Obrigada. Clique. Olá para todos, aqui é a Meredith do escritório de Daniel Klausman. Faça o favor de distribuir a seguinte mensagem para todos os funcionários. Clique."

Pausa dramática. Então: "Meredith, aqui é o Daniel Klausman. Faça-me a gentileza de transmitir esta mensagem aos meus chefes de departamento para que seja divulgada a todos os meus assalariados."

Jones dá uma piscadela de surpresa. Não acha lá uma grande idéia o CEO chamar seu pessoal de "meus assalariados". Não é o que ensinavam na escola de administração. Jones sente uma pontada de excitação por ter captado o erro, como um prodígio do xadrez que encontra uma falha em Kasparov. E dá-se a liberdade de experimentar alguns pensamentos do tipo: *Se eu fosse CEO...* Tais pensamentos o impedem de observar que talvez também não seja lá uma grande idéia ser contratado por um CEO que chama seus funcionários de "meus assalariados".

"Boa tarde a todos! Espero que tenham começado bem a semana e marcado alguns gols para a Zephyr. Quero lhes falar hoje da recente movimentação no preço das nossas ações. É importante todos compreenderem que não há razão para pânico. Preços de ações sobem e descem o tempo todo por razões que não estão relacionadas com o desempenho da empresa. O mercado pode ter uma reação exagerada a tais oscilações e transformar pequenas variações em grandes variações. Ninguém entrou em pânico lá nos últimos andares."

Jones assente para si mesmo. Não está na Zephyr Holdings há tempo suficiente para saber que é sempre uma reação exagerada do mercado a eventos não pertinentes quando os preços das ações caem. Quando sobem, é por causa do brilhantismo da diretoria, que é recompensada com opções de compras.

"Dito isto, uma queda de 18% num trimestre não é grande novidade. Para continuarmos competitivos, todos os departamentos devem continuar cortando custos. É essencial que cortemos as gorduras, que nos concentremos em nossas competências principais e que apertemos o cinto. Se fizermos isso e nos ativermos às nossas armas, tenho certeza de que evitaremos retraimentos mais significativos.

"Era o que eu tinha para lhes dizer, por ora. Não vou mais afastá-los do seu trabalho."

Freddy e Holly desligaram juntos.

— Ai! — diz Freddy.

— Isso não tem como nos afetar — diz Holly.

— Ele falou todos os departamentos.

— Mas ninguém vai ser mandado embora. Evitaremos retraimentos mais "significativos".

— É significativo se acontece com você — diz Freddy.

Sexta-feira e Jones está a caminho do banheiro quando cruza com Wendell. Jones está apertadíssimo, pois, pela primeira vez em sua vida, há café grátis numa máquina a apenas meia dúzia de metros de distância. São 4 horas da tarde e ele já tomou seis cafés. O resto do departamento está aprendendo depressa que a melhor hora para tomar café é depois de Jones, que não se importa de trocar o filtro.

Ele abre a porta externa do banheiro no exato instante em que Wendell abre a interna, de forma que os dois se encaram, cada qual com uma das mãos numa porta. Jones dá um passo atrás para deixar Wendell passar, mas Wendell não se mexe.

— *Arram!* — Ele olha à sua volta. — Jones, você não sabe o que Roger quer com esse negócio das rosquinhas, sabe?

— Não. — Jones não tem como deixar de perceber que as mãos de Wendell estão secas. Ele não ouviu o secador de ar.

— Não faço a menor idéia de quem pegou a rosquinha dele. Mas ele enfiou na cabeça que eu estou metido nessa. Acha que eu quero dar o troco porque ele pegou a minha vaga.

— Tudo bem.

— Eu marquei 1.200 horas de treinamento este mês. Mais que a Elizabeth. O Roger só conseguiu 400. Se alguém aqui tem de ficar apreensivo com a possibilidade de ser mandado embora, acho que é ele.

— É, acho que sim.

Wendell fica mexendo na maçaneta da porta.

— Então, se você ficar sabendo de alguma coisa, me conte, certo?

— Claro.

— Obrigado, Jones. Valeu mesmo. — Ele coloca uma das mãos no antebraço de Jones ao passar.

Quando Jones volta para sua mesa, com a bexiga aliviada e o antebraço lavado e secado a ar, Freddy se chega para perto.

— Você soube? A Sydney convocou uma reunião. Para discutir "mudanças organizacionais". — Ajusta os óculos. — Olhe, se for você... lembre-se de que não é nada pessoal.

— *O quê?* Por que eu seria mandado embora?

Holly olha por cima da divisória baixa.

— Jones está sendo demitido?

— Não, *se*. Estou dizendo que, se a Sydney for demitir alguém, vai ser o Jones. Você sabe, último a entrar, primeiro a sair.

— Existe essa regra de que *o último a entrar é o primeiro a sair*?

— Não — diz Holly.

Freddy dá uns tapinhas no braço de Jones. É a coisa mais esquisita que Jones já viu.

— Provavelmente ela não vai botar ninguém na rua — diz Freddy, mas fica claro que é só por causa do Jones.

Sydney, a gerente do departamento de Vendas de Treinamentos, entra na sala de reunião às 17h02. Ela é uma mulher pequenina. Tem os olhos verdes, traços de duende e nariz igual ao do coelhinho da Páscoa. Não é possível que pese mais de 15 ou 20 quilos, isso incluindo o tailleur feito sob medida. O cabelo forma um coque louro, todo certinho. Quando fala, sua voz é aguda e tensa. Quem a vê tem até vontade de pegar no colo e abraçar aquela coisinha minúscula e adorável.

Mas isso seria uma péssima idéia, porque Sydney é o cão chupando manga. Ninguém chega à gerência de um departamento de vendas por causa da beleza do nariz que tem. Gerente de Marketing, sim; vendas, não. Nas vendas, não há como se esconder por trás de folhetos maravilhosos e números muito bem manipulados. Ou você vende ou não vende, e o seu rendimento é mostrado para que todos possam ver. Para se dar bem com vendas, é preciso ter habilidade — não uma habilidade compatível com integridade moral e bem-estar emocional, mas, enfim, habilidade. Você precisa ser capaz de vender coisas para pessoas que não as querem. Você precisa conseguir vender ainda mais para as pessoas que as querem mais do que precisam. E o que é mais importante, você precisa dar um jeitinho de ficar com quotas mais baixas e clientes mais crédulos que os dos seus colegas.

Quando ainda era uma mera assistente de vendas, Sydney era uma raridade interessante. Quando seus olhinhos de elfo se estreitavam, seu nariz se enrugava e sua minúscula boquinha se encolerizava, as pessoas perdiam o rebolado. Seus discursos bombásticos sobre pessoas que não a levavam a sério eram engraçados; não dava para levá-los a sério. Mas aí ela foi promovida a representante de vendas, o que significava que ela não podia mais ser ignorada. Isso já foi menos divertido. Sydney sentia-se rancorosa em relação a praticamente todo mundo; pelo jeito, não havia quem não lhe tivesse feito alguma coisa de errado. A equipe de Vendas de Treinamentos suspeita de algum incidente doloroso no passado de Sydney, algo envolvendo meninas com desenvolvimento mais rápido que o seu no vestiário feminino no ensino médio — ou uma série de incidentes. Se Sydney fosse homem, a equipe tem certeza de que ela teria uma academia dentro de casa e seus bíceps seriam descomunais.

Como ela passou a gerente é um mistério. Mas só há duas possibilidades. Uma é que os Diretores tenham tomado suas arengas por demonstrações de ímpeto e dedicação à excelência. A outra é que soubessem tratar-se de uma psicopata paranóica, e esse é exatamente o tipo de pessoa que eles querem na gerência.

Excetuando-se o escritório de Sydney, a sala de reuniões é o único lugar no departamento com parede toda envidraçada que dá para o exterior. A essa hora do dia, o sol invade o cômodo com uma cálida luz amarelada ou com raios tórridos de perfurar as retinas, dependendo do lado da mesa em que você se sentar. Então, os assistentes ficam protegendo os olhos enquanto os representantes de vendas esquentam as costas tranqüilamente. Exceto Wendell: Wendell não se encontra em lugar nenhum.

Sydney senta-se à cabeceira da mesa, seu lugar reservado. Nem mesmo Jones, novato nessas reuniões, cometeu a tolice de se sentar ali. Hoje ela está toda de preto, dos pés à cabeça: calça preta, blusa preta de gola alta e sapatos de saltos pontiagudos e perigosamente altos. Seus trajes são variados e as cores vão desde o cinza-chumbo até o preto retinto. Freddy, o mais antigo sobrevivente da equipe de Vendas de Treinamentos, jura que um dia ela apareceu numa roupinha de ponto de malha cinza, mas ninguém acredita nele.

Os olhos verdes dela passeiam nervosamente pela mesa.

— Como vão todos?

— Muito bem. — Ninguém menciona Wendell.

Sydney trouxe alguns papéis. Alisa-os como se fossem muito importantes, como se portassem grande e terrível sabedoria.

— Todos sabem que a empresa ainda está cortando custos. Todo departamento precisa fazer mais economia. E, bem, eu andei estudando as alternativas... — ela dá de ombros. Tais alternativas, obviamente, não a impressionaram. — Estou dispensando mais alguém.

Um gemido baixinho escapa da boca de Jones. Elizabeth e Roger mantêm a calma, pelo menos por fora. Megan, a AP do departamento, está surpresa; não fazia idéia de que alguém iria para a rua. Holly e Freddy olham de relance para a cadeira vazia de Wendell.

Sydney fala:

— Bem, então é isso. É sempre difícil para o resto quando alguém se vai, mas nós precisamos nos unir para que a equipe fique ainda mais ajustada. Alguém tem mais alguma coisa?

Silêncio. Megan, achando-se a única ignorante, pergunta:

— Desculpe, mas quem foi despedido?

— Oh! Wendell.

Todos expiram coletivamente, como um colchão de ar perfurado — exceto Freddy, que aspira, espantado.

— Mas Wendell é o representante de vendas com melhor rendimento!

Sydney concentra suas feições de duende nele. Involuntariamente, Freddy se recosta na cadeira.

— O desempenho de Wendell este mês foi excelente, sim. Os resultados dele devem servir como termo de comparação para todos vocês. Mas chegou ao meu conhecimento que ele andou envolvido em algumas irregularidades no que tange ao lanche matinal. Não há necessidade de entrarmos em detalhes. Mas quero deixar uma coisa bem clara: não vou tolerar egoísmo. Isto aqui é uma equipe. Ou nos unimos, ou não vamos a lugar algum. Está claro?

A equipe resmunga que sim.

— Totalmente — diz Roger.

— Além disso — diz Sydney, ajeitando os papéis —, as comissões de todos aqueles pedidos do Wendell teriam nos feito ultrapassar em muito o orçamento.

— Oh, eu não sabia que cancelamos as comissões dos representantes que são despedidos — diz Megan. Todos congelam. Ela não faz idéia de como funciona o departamento, de forma que de vez em quando solta uma dessas, que ninguém com um módico conhecimento político ousaria dizer em voz alta.

O olhar de Sydney vagueia pela sala.

— Isto é... não, claro que não fazemos isso. Se um representante fecha um pedido, e nós auferimos a receita, então obviamente ele faz jus... veja bem, você não compreende as minúcias técnicas. O que eu quero dizer é que isto aqui é uma *equipe*. E o que importa é o que é bom para a equipe. Todos já devem ser capazes de entender isso. Será que você poderia parar de interromper a reunião, Megan?

Megan fica ruborizada.

— Desculpe.

— Obrigada. — Sydney olha para seus papéis. — Em vez de distribuir as contas de Wendell para Elizabeth e Roger, resolvi promover um assistente de vendas. — Ela se corrige: — Quero dizer, um assistente ficará encarregado das contas dele. Não se trata de uma promoção de verdade. É só até que seja suspenso o congelamento das contratações.

Freddy aspira mais um pouco de ar. Se estivesse no seu primeiro ou segundo ano no departamento de Vendas de Treinamentos, ele desprezaria a oferta, que obviamente envolve fazer o trabalho de

Wendell por um terço do salário, sem comissões, e ainda fazendo as vezes do próprio assistente. Mas já é o quinto ano de Freddy, e ele está aflito por um deslocamento vertical.

— E essa pessoa será o Jones — diz Sydney. — Vamos todos parabenizar o Jones, por favor.

Freddy emite um ruído de sufocamento. A equipe bate palmas. Elizabeth diz:

— Ah, com licença... nada pessoal, Jones, mas... Jones? O Freddy conhece essas contas, trabalha nelas com Wendell há anos.

— Ora, talvez se o Freddy fosse um pouco mais proativo, como o Jones, eu o tivesse considerado — diz Sydney. — Sinceramente, o Freddy tem muito a aprender com o Jones, como, por exemplo, vir direto a mim quando tem um problema. — Seu olhar salta de uma pessoa para outra, desafiando-as a argumentar, e ninguém menciona a reunião dois meses atrás, quando Sydney ameaçou demover o próximo que a perturbasse com trivialidades. — Freddy, você vai ajudar Jones a se familiarizar com essas contas.

Freddy diz algo parecido com *Tudo bem.*

— Muito bem. Trabalho em equipe. Esse é o negócio, pessoal. Trabalho em equipe. — Ela se levanta. — É isso.

Roger dá uma tossida na mão.

— Ah — diz Sydney —, e o Roger fica com a vaga do Wendell no estacionamento.

A Copa arrasta um monte de equipamentos pelo saguão do prédio. Fornos, louça, funcionários — tudo tem de ir embora. Gretel, a recepcionista da empresa, está sentada à sua mesa cor de laranja, fungando. O pessoal da Copa se sente tocado. Confortam-se um pouco com a demissão — embora se chame "terceirização", é devastador para o coração; são apenas nuanças diferentes da demissão — por saberem que sua falta será sentida, mesmo que apenas por uma recepcionista. É terrível ser despedido, como seus pais chegarem para você e dizerem que você tem de esvaziar o quarto e sair de casa, e é ainda pior quando a empresa segue em frente sem sequer notar a diferença. É como passar pela sua ex-família na rua e eles estarem todos rindo, felizes, a caminho do cinema. O que você realmente quer é que, logo depois da sua demissão, a empresa passe por uma rápida implosão financeira ante os acionistas, que possa ser diretamente ligada ao seu afastamento. Mas para substituir isso, alguém chorando no momento em que você sai do prédio já é bastante bom.

— Ei, pare com isso! — diz um dos funcionários da Copa. — Amanhã estaremos aí de novo, fazendo entregas. Só não trabalhamos mais no prédio.

Gretel balança a cabeça, desconsolada. Os funcionários da Copa, ou ex-funcionários, trocam alguns sorrisos meio entristecidos, meio intrigados. Colocam o equipamento no caminhão parado à porta do saguão com o motor ligado, liberam sua passagem e se afastam com as mãos nos bolsos enquanto ele se vai. Há um caminhão especial para o equipamento, pois foi comprado pela empresa que ganhou a licitação de fornecimento para a Zephyr, mas não para os funcionários. Eles o observam até que desapareça no trânsito da Madison Street. Em seguida, apertam-se as mãos, abraçam-se e vão cada qual para o seu carro. Um deles enfia a cabeça para dentro do saguão de forma a poder se despedir de Gretel.

— Amanhã a gente se vê, querida.

— Não, não — diz ela, pois sabe que jamais tornará a vê-los.

Na segunda-feira seguinte, Jones chega cedo, estaciona sua lata-velha no fundo do estacionamento dos funcionários da Zephyr e vai direto para a livraria Barnes & Noble mais próxima atrás da seção de negócios. Busca algo chamado *Sistema ômega de gestão*, que é a última moda na administração dentro de uma tradição que já se estende desde o Seis Sigma e a Qualidade Total até as práticas de fazer sangria em doentes e investir em tulipas. O SOG é o que há no momento; Jones chegou a perceber que havia um exemplar no escritório de Sydney. Então, como método para mostrar logo ao que veio, inclusive seu potencial de liderança, Jones acha melhor saber o que diz o livro de SOG para não dar mancada. E, se aprender alguma coisa no meio-tempo, tanto melhor.

Acontece que não há só um livro, mas três prateleiras cheias deles. Jones vasculha as versões resumidas, revistas, inclusive as aplicações funcionais, até que encontra uma plaquinha indicando "Para o Novo Executivo", dirige-se para o bar da livraria e pede um café com chocolate. Está folheando o livro quando a menina atrás do balcão capta o seu olhar. Ela lhe dá um sorriso e ajeita uma mecha de cabelo louro atrás da orelha. Jones se ajeita na cadeira, fica mais ereto. A menina atende a outro cliente, mas agora Jones está totalmente distraído. Quando a fila diminui dez minutos mais tarde, ele toma o resto do café de um gole só e vai para o balcão. A menina sorri.

— Oi!

— Oi! — Ele entrega o livro para ela. A menina é muito bonita.

— Tive a impressão de que você estava estudando com afinco ali sentado.

E não é que ela o estava observando?! Jones pensa que pode ter sido por causa do terno. Esse tipo de coisa nunca lhe tinha acontecido antes de comprar a primeira gravata.

— Acabei de começar no emprego. Ainda não sei dar a impressão de que estou trabalhando.

Ela ri.

— Pois me convenceu. — Ela toca o livro com o leitor óptico e dá uma espiada na capa. — *Sistema ômega de gestão: métodos consagrados para sair da pasmaceira e atingir o estrelato*. Onde você está?

— Na pasmaceira. Mas vou sair dela.

— Ambicioso, hein?! Eu bem que podia ser um pouco mais ambiciosa também. — Ela abre o livro aleatoriamente, numa página qualquer. — As empresas que exigem atestado médico em todas as circunstâncias têm 6% menos dispensas médicas que aquelas que não exigem, o que se traduz num ganho de produtividade de 0,4% para a média das empresas da Fortune 500. — Ela olha para ele com uma dúvida no olhar. — É verdade isso?

— Bom, é interessante — diz Jones. — Quem sabe com isso o pessoal pára de burlar o sistema?

— O *meu* gerente me manda trazer atestado toda vez que eu falto ao trabalho. Eu acabo ficando doente o dobro do tempo, pois tenho de pegar a porcaria do ônibus até a clínica.

— Deve ser um saco. Mas provavelmente eles computaram isso.

— Computaram isso?

Jones pigarreia.

— Quero dizer que as empresas precisam tirar o máximo proveito dos funcionários. Assim são os negócios. Quanto mais eficiente o pessoal, melhor a empresa.

— Eu gostaria de trabalhar para *você*. — Ela já não está mais sorrindo. — Puxa, você seria um *grande* chefe.

— Oh, me dê meu livro — diz ele.

Jones dá três passos para dentro do departamento de Vendas de Treinamentos antes da cabeça de Roger aparecer por cima da Divisória de Berlim.

— Jones. Jones. Posso falar com você um minuto? — Ele vai até a máquina do café. Jones vai atrás, com a pasta na mão. Roger fala baixinho: — Você ouviu falar alguma coisa da minha rosquinha?

Jones pisca.

— O quê? Tipo, onde está?

— Não. Quero saber se a Holly falou alguma coisa a respeito de quem a pegou.

— Eu pensei que o Wendell tivesse pegado.

Roger balança a cabeça.

— Esbarrei com ele sexta-feira na saída. Ele estava arrasado. Quis falar dos velhos tempos... Fiquei com a impressão de que talvez não tivesse sido ele.

— Oh! — diz Jones em tom de tristeza.

— Agora estou suspeitando da Elizabeth. Você não sabe a história, mas é exatamente o tipo de coisa que ela faria. Fique de ouvidos atentos. Holly pode deixar escapar alguma coisa. Se deixar, me avise.

— Tudo bem.

— Bom rapaz! — Roger dá-lhe uma piscadela. Olha para a jarra de café, que está vazia. — Você estava pensando em fazer café?

— Espera aí que eu vou guardar a minha pasta.

Jones vai até Berlim Oriental, sentindo-se incomodado. De repente, imagina Roger fazendo a limpa no departamento de Vendas de Treinamentos, dando um jeito de demitir um atrás do outro em busca de quem roubou sua rosquinha.

— Ora, ora — diz Freddy, sem tirar os olhos do computador —, se não é o novo *melhor* vendedor do departamento!

Jones hesita.

— Freddy, eu também estou me sentindo incomodado. Mas isso não é exatamente uma promoção, ou é? É só mais um bocado de trabalho extra sem remuneração.

— O quê? Ah, certo. Não, o que eu quero dizer é que você é mesmo o melhor vendedor.

— O quê? — Jones aproxima-se para poder enxergar a tela do Freddy. Está prestes a descobrir por que foi o último a chegar ao trabalho às oito e meia da manhã. Roger e Elizabeth estão dando um duro danado para cancelar pedidos. Na sexta-feira à tarde, os vendedores ouviram Sydney dizer: *Vou despedir os vendedores que ganham comissão demais*. Elizabeth chegou às 7h30. E quando chegou, Roger já estava trabalhando, deixando recados para seus clientes, avisando que os preços que lhes passara estavam errados, baixos *demais*; e também que o departamento de Realização de Treinamentos estaria sem condições de atender a pedidos durante alguns meses. Elizabeth pegou o telefone e, de coração partido e voz sofrida, começou a dizer baixinho para os clientes que as coisas não estavam dando muito certo; que não eram eles, era ela; que ela não estava em condição de se manter à altura das necessidades deles.

— Roger cancelou oitenta — diz Holly do outro lado do corredor. — Elizabeth cancelou trezentos. Ela conseguiu cancelar aquele pedido imenso do Marketing do mês passado. — Ela mal consegue esconder o orgulho na voz.

— Parece que você tem muito trabalho a fazer — diz Freddy. — Não vai querer deixar os outros vendedores na pior. Vai ser difícil explicar esses cancelamentos se você trouxer pedidos novos.

Os olhos de Jones ficam saltitando, desamparados, entre Freddy e Holly.

— Tudo bem — diz Freddy. — Eu vou ajudá-lo.

— Obrigado. Obrigado. — Jones solta o ar. — Mas primeiro tenho de fazer um café para o Roger.

Um belíssimo par de olhos fica observando a caminhada de Jones até a máquina do café. Pertencem a Megan, a AP. Megan está acima do peso, sua pele parece uma zona de desastre e, por mais que tente, seu cabelo dá sempre a impressão de que ela saiu de casa para o trabalho e foi pega de surpresa sem um guarda-chuva, mas seus olhos são maravilhosos. Fala-se de olhar meloso; então, o dela é lambuzado.

Uma de suas mãos está ocupada com o mouse do computador. O fio serpenteia em meio a um exército de ursinhos de cerâmica, mas não toca em nenhum deles. Na tela, Megan dá um clique num arquivo chamado JATIVIDADE.TXT. Ela rola a tela até 8/23 e digita cuidadosamente: 8:49 CAFÉ.

Megan está apaixonada. Pelos cabelos claros de Jones, pelo seu corpo esbelto, pelas suas camisas de um branco ofuscante estalando de novas — ela adora tudo, o pacote inteiro. Adora os passos que ele dá de um lugar para outro. A sua maneira de olhar clara e diretamente para as coisas — mas sem a arrogância de um gerente (ou de um representante de vendas). Ele não está tentando impressionar as pessoas o tempo inteiro, como Roger. Não lhe dá a impressão de que você fez alguma coisa errada ou está prestes a fazer, como Elizabeth. Não age de forma diferenciada conforme o interlocutor. Ele é simplesmente Jones: tranqüilo, novo e absolutamente maravilhoso.

Ela deu para imaginar situações eróticas: Jones se aproximando para pegar um grampeador emprestado e ela agarrando-o pela gravata e puxando-o para perto. Os olhos dele se arregalando de choque, enquanto seus lábios se espremem; as mãos dele tocando seu corpo, experimentando a princípio, depois com paixão crescente à medida que escalam sua mesa, derrubando os ursinhos de cerâmica (com cuidado, sem estragar nenhum), os olhos deles entrelaçados — sim! Sim!

Quando ele se senta à mesa, ela só consegue ver seu cabelo. Às vezes ele se espreguiça e ela consegue ver seus braços, talvez uma nesga do punho, e seu coração pula; nessas ocasiões, ela abre o arquivo JATIVIDADE.TXT e escreve a hora e ESPREGUIÇOU.

Ele prefere morrer a deixar que alguém descubra isso. As pessoas achariam nojento. Não compreenderiam: trata-se da sua maneira própria de estar perto dele. Ela jamais falou com ele. Ninguém se deu ao trabalho de apresentá-los; apontaram para ela apenas, como para a máquina de xerox e outras peças úteis do mobiliário. As APs não são respeitadas na Zephyr Holdings, Megan bem o sabe. São todas imigrantes ilegais que trabalham para a companhia; sua existência é tolerada, mas ninguém se dá ao trabalho de buscar proximidade. As APs podem ser trocadas como peças de Lego; basta tirar uma e colocar outra no lugar que ninguém nota a diferença. Megan já descobriu que ninguém olha para elas como deveria. Os olhares simplesmente *passam* por elas. E o maior desperdício do mundo é uma AP com olhos bonitos, porque ninguém os vê.

Há histórias — lendas, a bem da verdade — sobre o "emprego estável". O pessoal da antiga reúne os recém-formados em torno da tela de um computador e fica contando histórias sobre o passado da empresa, quando um emprego era uma coisa para a vida toda, não só para cumprir um ciclo de negócios. Naquela época, havia jantares para os funcionários que atingiam 25 anos — não riam, é isso mesmo, 25 anos! — de serviço. Naquela época, não se trocava de emprego a cada cinco minutos. Passeando pelos corredores da empresa, você reconhecia todo mundo com quem cruzava; caramba, sabia até os nomes dos filhos.

Esses recém-formados dão até risada. Emprego estável! Nunca ouviram falar. Conhecem, sim, o emprego *flexível*. Foram educados para isso nas escolas de administração; e foi também o que vivenciaram, operando uma caixa registradora ou renovando estoques nas prateleiras entre uma aula e outra. Flexibilidade é a palavra de ordem, não a estabilidade monótona, rígida, chata. Os empregos flexíveis permitem que os funcionários compartilhem os altos e baixos da empresa; bem, nem tanto os altos. Mas quando chega a hora dos maus bocados, as empresas flexíveis são as que vicejam.

Em termos comparativos, uma empresa com *empregos estáveis* está de mãos e pés atados. Os recém-formados leram os livros didáticos de administração e sabem a verdade: empregados de longa data são coisa antiga, do século passado.

O problema com os empregados, sabe, é tudo. Você precisa pagar para contratar e pagar para demitir — e ainda paga nesse ínterim. Eles precisam de cartões. Precisam de computadores. Precisam de crachás e de liberação de acesso, de telefones e ar-condicionado, bem como precisam de um lugar para sentar. Você tem de dar transporte para levá-los a reuniões da empresa fora do local de trabalho. Depois, precisa levá-los de volta para casa. Engravidam. Machucam-se. Roubam. Arrumam religiões com posturas bem rígidas quanto aos períodos em que se pode trabalhar. Quando lêem seus e-mails, abrem todos os arquivos anexados que recebem e, quando escrevem, expõem a empresa a todo tipo de responsabilidade legal. Chegam sem habilidades que prestem para alguma coisa, e depois que você os treina, vão embora. E não espere gratidão! Se não estão de licença médica, estão solicitando licença por morte de familiar. Se não estão fofocando com os colegas, estão reclamando deles. Consideram direito inalienável usar no corpo ornamentos que assustam os clientes. Falam de (Deus meu!) sindicalização. Querem aumentos. Querem que a gerência note quando fazem um bom trabalho. Querem saber o que vai acontecer na nova reorganização da empresa. E processos! Os processos! Processam por assédio sexual, por insalubridade, por discriminação em 32 sabores diferentes. Até por — pode, essa? — demissão indevida. Demissão indevida! Essas pessoas só estão aqui porque você as trouxe para o mundo corporativo! De repente, você é responsável por elas pelo *resto da vida*?

Uma empresa realmente flexível — e os livros didáticos não dizem exatamente isso, mas os recém-formados podem dizer que é isso que eles querem — não dá emprego a ninguém. Esta é a palavra de ordem da terceirização. A sedução do subcontrato. Experimente dizer essas palavras: *sem empregados*. Soa bem, não é mesmo? Forte. Saudável. Maleável. Ah, é, uma empresa sem empregados seria uma coisa maravilhosa. Os trabalhadores que assumam um pouco da pressão competitiva! Que sintam o gostinho do mercado aberto.

As histórias do pessoal da antiga são contos de fadas, sonhos de um mundo que não existe mais. Baseiam-se na premissa de que as pessoas de alguma forma precisam de um emprego. Os recém-formados são os que sabem, pois na escola ensinaram-lhes que eles não precisam.

— A primeira coisa — diz Freddy para Jones — é arranjar uma lista das suas contas. Você tem?

— Não.

— Holly arranja uma para você.

— Ei, vá arranjar um assistente seu. Eu trabalho para Elizabeth.

Freddy olha para ela.

— Você está fazendo o cabelo.

— Tem gente que faz ginástica de manhã, sabe? — A cabeça de Holly está totalmente inclinada para um lado, de forma que seu cabelo pende todo para baixo feito uma cortina. Ela o ataca com uma escova com tal vigor que Jones chega a piscar.

— Eu achava que você ia à academia *depois* do trabalho.

— E vou. — Seus olhos percorreram o corpo inteiro de Freddy com ar de crítica. — Quer saber de uma coisa? Um exerciciozinho não lhe faria mal.

— Não acho que seja o caso.

Jones fala:

— Será que podemos retomar o assunto?

Os dois olham para ele.

— Sai dessa, executivozinho! — diz Holly.

— Eu só queria...

— Tudo bem, vou imprimir a sua lista de contas. Agora, me deixe terminar de pentear o meu cabelo.

— É isso aí, garota! — Freddy manobra a cadeira de rodinhas em torno das divisórias e entra no cubículo de Jones. — Agora eu vou ligar para um dos clientes de Wendell e você fica escutando. Tente pegar algumas estratégias.

Jones aprova, entusiasmado.

— Obrigado. Está ótimo.

Freddy aperta o viva-voz.

— Alô, aqui é o Freddy Carlson do departamento de Vendas de Treinamentos da Zephyr. Semana passada vocês fizeram um pedido de 80 horas de treinamento conosco, não foi? Pois é, vamos ter de cancelar.

— Por quê? O que aconteceu?

— É para... deixe-me ver... três pessoas? Isso é ridículo. Para que vocês iriam precisar de 80 horas de treinamento para três pessoas?

— Ahn... havia uma razão. O representante de vendas, Wendell, me explicou.

— Seria o custo total de propriedade? Porque nós inventamos esses números. Não, espere aí, ele disse que nós revitalizamos a nossa linha de produtos. Nós só alteramos as fontes nos folhetos.

— Por que você quer que eu cancele o meu pedido? — O homem começa a demonstrar suspeita no tom de voz. — Vocês não têm mais vagas?

— Estou só lhe dando uma atenção especial. Falando sério, os nossos cursos são horrorosos. São sempre o mesmo pacote de aulas básicas sobre trabalho em equipe com nomes diferentes.

— Eu não encomendei nada de trabalho em equipe. Meu pedido foi de Gerenciamento de Programadores de C++ em Projetos Suscetíveis a Variações de Prazo.

— É o curso sobre trabalho em equipe. Todos são o curso sobre trabalho em equipe.

— Talvez eu devesse encomendar mais cursos, já que estão tendo tanta saída. Você tem alguma coisa sobre boas práticas de fluxo de trabalho para pequenos grupos?

Freddy congela. E aperta correndo o botão de desligar.

Jones pisca.

— Você desligou na cara dele?

— É mais difícil que eu pensei.

— Ei! — diz Holly lá de sua cadeira. — Dá uma olhadinha na impressora aí atrás. Lista de contas.

— Talvez seja por isso que eu não sou representante de vendas — diz Freddy. E dá uma mordida no próprio lábio. — Será que a gente não pode simplesmente cancelar os pedidos sem falar com ninguém? O que você acha?

— Duvido muito — diz Holly. — Aposto que tem alguma verificação depois. E balancetes também.

Jones pega o impresso. Mostra-o a Holly.

— É esta?

— É.

— Mas isso não pode estar certo.

— O que houve?

— São estes os meus clientes?

Gestão de Infra-Estrutura — Prédio

Gestão de Infra-Estrutura — Frota

Gestão de Infra-Estrutura — Interiores

Gestão de Infra-Estrutura — Compras

Gestão de Infra-Estrutura — Incêndio e Emergências

Marketing — Corporativo

Marketing — *Branding*

Marketing — Relações Públicas
Marketing — Interno
Marketing — Direto
Marketing — Operações
Marketing — Pesquisa
Manutenção de Infra-Estrutura — Controle
Manutenção de Infra-Estrutura — Compras
Manutenção de Infra-Estrutura — Equipes de Limpeza
Manutenção de Infra-Estrutura — Relatórios
Manutenção de Infra-Estrutura — Tangíveis
Manutenção de Infra-Estrutura — Climatização
Manutenção de Infra-Estrutura — Grande Porte

E assim vai por mais três páginas.

— Qual é o problema? — pergunta Holly.

— São departamentos internos.

— E daí?

— Você está me dizendo que nós vendemos pacotes de treinamento para *outros departamentos da Zephyr*?

— Você não sabia disso?

— Não. Pensei que nossos clientes fossem outras empresas.

Holly e Freddy começam a rir.

— Mas que engraçado! — diz Freddy.

— É assim que a Zephyr funciona — diz Holly. — A Gestão de Infra-Estrutura cobra do nosso departamento pelo estacionamento e pelo espaço dos escritórios. A Frota nos cobra pelos carros da empresa. Nós cobramos de outros departamentos pelos treinamentos. Ah, na verdade, é o Realização de Treinamentos que cobra. Nós só ficamos com uma comissão.

— É uma questão de alocar custos de forma eficiente — diz Freddy. — Ou algo assim.

— Mas eu achava que a Zephyr fosse uma empresa de treinamento. Achava que era isso o que nós fazíamos. Mas o que é, então, que nós fazemos?

— Você quer saber, assim, no todo? — pergunta Holly.

— É.

Ela dá de ombros. Jones fica olhando. Ela cruza os braços, na defensiva.

— Eu sei o que o nosso departamento faz. Mas a Zephyr é uma empresa grande.

Jones olha para o Freddy.

— Nem me pergunte. A empresa faz um monte de coisas, Jones.

— Qual delas envolve vender coisas para quem não trabalha neste prédio?

Freddy coça o queixo.

— Tenho certeza de que deve haver *alguma coisa.* — diz Holly.

Jones sente uma fraqueza. Ele se dá conta de que aceitou um emprego numa empresa sem saber o que ela faz.

— Eu sei quem é o nosso maior concorrente, se é que isso ajuda. A Assiduous. A Assiduous está sempre contratando os nossos ex-funcionários — diz Freddy.

Holly bufa.

— Traidores.

Jones nunca tinha ouvido falar em Assiduous.

— O que eles fazem?

Holly e Freddy entreolham-se.

— Ah, parem com isso.

— Sabe, você não pode sair por aí fazendo perguntas sobre a Assiduous — diz Freddy. — O que isso iria parecer? Além do mais, quem vai para a Assiduous vira inimigo. Não dá para telefonar e perguntar como têm passado. Você precisa proteger os segredos da empresa.

— Que segredos? Vocês não sabem nada!

— Lembra-se do Jim? — pergunta Holly para Freddy. — Fiquei triste quando ele foi embora. Gostaria de ter mantido contato com ele.

O telefone de Jones toca. Ele se estica por cima do ombro de Freddy para pegar o aparelho, mas Freddy se move mais rápido e aperta o viva-voz.

— Alô? — diz Jones.

— Oi. Fiquei sabendo que está havendo uma corrida atrás dos cursos de treinamento. Será que ainda consigo colocar o meu pedido aí, ou já é tarde demais?

Freddy franze o cenho e aproxima-se do microfone.

— É do departamento de Compras?

— Ah, é.

— A sua conta é do Roger. Por que vocês estão ligando para este número?

— Ah, desculpe. Achei que tinha ligado para o Roger.

— Não ligou, não. — Freddy encerra a ligação. Levanta-se e volta para a sua mesa.

— Isso era mesmo necessário? — pergunta Jones.

Freddy pega seu telefone.

— Quero experimentar uma coisa.

O telefone de Jones toca.

— Alô?

Freddy solta um grito. Jones o ouve em estéreo: do outro lado do corredor e do telefone.

— Roger transferiu as ligações dele. — Ele volta correndo para a mesa de Jones e começa a apertar um monte de botões.

— Ei, Jones — diz Holly —, esse negócio do que a empresa faz, não fique intrigado com isso. Eu fiquei igualzinha quando comecei a trabalhar aqui. Mas você se acostuma. É o seguinte, existe um montão de coisas na Zephyr que simplesmente não faz sentido.

Sydney foi promovida a gerente. Uma das melhores vagas do estacionamento está sempre vazia, eu disse *sempre*, mas nós não temos permissão para usá-la. No mês passado, tivemos de assistir a uma apresentação sobre redundância, que foi toda feita em PowerPoint, e um sujeito lendo o que estava em cada quadro, e depois ele nos deu cópias impressas. Eu não entendo essas coisas. Não entendo nada nesta empresa. As coisas são assim e pronto. Como aquela história dos macacos, sabe?

— Chimpanzés — diz Freddy. Ele mete o dedo no telefone de Jones. — *Arrá*. Jones, redirecionei o seu telefone para o da Elizabeth.

Holly cruza as mãos em cima da mesa.

— Os tais chimpanzés estão numa jaula, e os cientistas enfiam uma banana espetada numa vareta. Os bichos tentam pegá-la, mas assim que algum deles consegue, os cientistas eletrificam o piso, de forma que todos os chimpanzés levam um choque. E a coisa continua até que todos os chimpanzés aprendam que encostar numa banana é igual a levar um choque. Certo? Depois os cientistas tiram dali um chimpanzé e colocam outro no lugar dele. Este novo, quando vai tentar pegar a banana, toma uma surra dos demais, porque eles não querem levar choque. Entendeu?

— Que história horrível! — diz Jones.

— Os cientistas ficam trocando os chimpanzés, um de cada vez, até não ficar nenhum dos que estavam originalmente. Aí acrescentam mais um. O novo tenta pegar a banana, mas os demais caem em cima dele, como antes. Mas, veja bem, nenhum deles levou choque algum. Não sabem por que estão fazendo o que estão fazendo. Só sabem que é assim que as coisas funcionam.

— Então, eu sou o chimpanzé novo.

— Você é o chimpanzé novo. Não tente entender a empresa. Entre na onda, só isso.

Nas entranhas da empresa, um computador está prestes a ser destruído. É um computador simples, um PABX. Sua função é encaminhar telefonemas. Ele roda um software que um dia já foi límpido e funcional como uma nascente nas montanhas, mas nos últimos dez anos foi remendado, distorcido e personalizado até virar uma chaga ulcerada e purulenta cheia de ervas daninhas que agarram no pé da gente e ferozes criaturas da trevas que vivem rosnando o tempo todo. Existe uma trilha que cruza a floresta, uma trilha clara e bem aberta que, se você seguir, vai estar sempre em segurança. Mas basta dar dois passos em falso que a floresta come você vivo.

O software evita que dois telefones ativem o redirecionamento um para o outro, o que criaria uma coisa conhecida como círculo infinito, forma particularmente brutal de se acabar com um computador. Na TI, esses círculos infinitos são o equivalente a um assassinato: a morte por negligência previsível. Então, neste ponto da trilha que cruza a floresta há uma forte barreira de madeira. O que o software não consegue evitar — não mais, não depois de dez anos sendo hackeado a toda hora para atender mudanças que não acabam mais no departamento — é um circuito de redirecionamento no qual uma pessoa A (digamos, Roger) encaminha as suas chamadas para o telefone de uma pessoa B (Jones), que, por sua vez, encaminha as suas para C (Elizabeth), que encaminha as suas para A (Roger). Não há obstáculo aqui, só há uma ravina profunda, cheia de criaturas com olhinhos chispantes e dentes afiados.

Neste exato momento, uma gerente média no departamento de Serviços de Viagens está telefonando para o seu representante no de Vendas de Treinamentos. Sua idéia é encomendar algum treinamento para os seus dois funcionários de televendas. Na verdade, eles nem precisam, mas ela ficou sabendo que o departamento de Vendas de Treinamentos está tentando cancelar pedidos. Essa gerente já está na Zephyr Holdings há tempo suficiente para saber que se alguém não quer que você peça alguma coisa, é melhor você pegar o máximo disso que conseguir e guardar direitinho. Foi a mesma coisa com as cadeiras de escritório.

Seu dedo pressiona o último dígito, um seis. O telefone faz um clique ao seu ouvido. Há uma pausa. Depois as luzes do prédio se apagam.

Jones, Freddy e Holly são imersos na escuridão tão súbita e assustadoramente quanto se levassem uma bofetada. Durante dois ou três segundos, o som mais alto que se ouve é o zumbido elétrico das impressoras e copiadoras se esvaindo. O ar-condicionado, que emite um zumbido baixo e onipresente que os funcionários nunca perceberam, dá uma chacoalhada moribunda, e o silêncio se abate sobre todos como uma marquise que caiu.

Uns parcos raios de luz atravessam as venezianas do escritório de Sydney, gerando um ambiente sombrio de masmorras.

— O que está acontecendo? — pergunta Jones.

— Talvez seja um incêndio — responde Holly no meio da escuridão.

— Quem disse isso? — pergunta Megan. — Alguém falou em incêndio?

— Fogo! — grita Roger de Berlim Ocidental. — Todo mundo para os elevadores.

— Eu não disse que *estava* pegando fogo! — grita Holly, mas sua voz se perde em meio a uma discussão sobre se é seguro usar os elevadores durante um incêndio. A discussão é barulhenta porque todos têm certeza de que não é, menos Roger, que insiste. Derrubam uma cadeira. Megan, tentando sair, esbarra na própria mesa e ouve seus ursinhos se espalhando pelo chão, um pouquinho antes de alguma coisa se esmigalhar sob seus pés. As luzes piscam quando o gerador de reserva é acionado, o suficiente para Megan perceber que pisou em cima de um conjunto de mãe e filha ursas. Seus olhos se enchem de lágrimas. As trevas baixam novamente.

— Não peguem os elevadores — grita Elizabeth e, apalpando a parede para sentir o caminho, vai até a porta da escada e mexe na maçaneta. Mas ela não se mexe. Durante um segundo enlouquecido, pensa que o departamento de Gestão de Infra-Estrutura trancou a porta que dá para a escada. Então se dá conta de que possivelmente ela está só perdida no escuro. Mas logo percebe que não. Esta é a porta da escada e está de fato trancada, e eles estão todos presos. — Não tem saída.

As pessoas entram em pânico, saem esbarrando por todo canto e pisando nos ursinhos da Megan. Ela se joga de quatro no chão, histérica, tentando salvá-los todos; os ursos, é claro. Jones agarra o traseiro de Holly no escuro, mas não se dá conta: de tão bem torneado, parece o encosto de uma das cadeiras do escritório. Holly está chocada demais para falar qualquer coisa. Freddy fica desorientado e, achando que uma nesga de luz é um corredor, sai correndo para lá e esbarra na parede de vidro da sala de Sydney.

A porta dela se abre. O departamento todo se enche da luz do dia, ofuscando a todos. O contorno do corpinho minúsculo de Sydney se destaca no umbral da porta, parecendo um anjo.

— Que diabos vocês estão fazendo?

Quando a energia é restabelecida e os telefones voltam a funcionar — o que não se dá com muita rapidez —, começam a rolar recriminações. Durante o blecaute, vários departamentos descobriram que suas portas de acesso à escada estavam trancadas, o que gerou um certo antagonismo com o departamento de Gestão de

Infra-Estrutura. Há quem queira que o Departamento seja levado à polícia, ou mesmo terceirizado. Providencia-se uma chamada em conferência de emergência entre a Diretoria e todos os gerentes de departamento.

A Gestão de Infra-Estrutura protesta, dizendo que tranca as portas da escada por uma questão de segurança — poucos anos antes, uma AP tropeçou e o Jurídico teve um ataque, ou será que todos se esqueceram disso? Eles instalaram um sistema sofisticado (a um custo altíssimo) para destrancar as portas automaticamente em casos de emergência, que não funcionou por causa do blecaute. E de quem é a culpa? TI.

A atenção da Diretoria se volta para a TI. Ora essa, como um departamento deixa que um telefonema apague todo um prédio? TI se apressa em explicar como. Estão com metade do pessoal que tinham seis meses atrás e vivem sendo sobrecarregados com novos sistemas, como o abridor de portas de emergência da Gestão de Infra-Estrutura, que requer supervisão, manutenção e integração com todo o resto. Contam com 24 técnicos cada vez mais estressados, virando noite na luta para manter o suporte digital vital ao corpo da Zephyr, ao mesmo tempo que recebem telefonemas dos executivos seniores dizendo que têm certeza de haverem enviado um e-mail para alguém na semana passada, mas agora o sujeito está dizendo que não o recebeu. Num ambiente desses, as tarefas menos críticas, como simular o que ocorreria na eventualidade de uma pane elétrica no PABX, acabam sendo adiadas.

Menos críticas? *Menos críticas*? A Diretoria espera que a Informática esteja brincando. O prédio apagou! O que a Diretoria quer saber agora é se a TI tem noção exata do que houve de errado e pode prometer que nunca mais vai acontecer. Isso se pode dizer da Diretoria: eles sabem definir uma meta! A estratégia talvez esteja meio difusa, a execução, inexistente, mas a Diretoria sabe o que quer.

O departamento de TI sabe o que deu errado, até o número da linha do código que causou o estrago. E começa a explicar várias soluções possíveis. Mas entram aí várias frases complicadas, como "comutação automática em caso de falha", e a Diretoria fica irritada, pulando direto para a conclusão lógica: o pessoal da Tecnologia da Informação é um bando de idiotas que trancou as portas da escada. E tocam o barco: o departamento de TI será terceirizado até o fim da semana.

Jones folheia o *Sistema ômega de gestão* enquanto janta um prato congelado aquecido no microondas. Ele mora no quarto andar de um prédio sem elevador, com as paredes caindo aos pedaços e uma fiação de arrepiar os cabelos. Até bem pouco tempo, ele morava com Tim e Emily, colegas da Universidade de Washington. Tim era um cozinheiro incrível e Emily era toda incrível, pelo menos aos olhos de Jones, que uma noite lhe confessou seus sentimentos no corredor, à porta do banheiro. Ela disse que ele era muito legal e que gostava muito dele, mas os dois não poderiam; seria injusto com Tim. Isso foi quatro meses atrás, e depois Jones passou a se concentrar, exclusivamente, em concluir seus estudos, o que também concluiria seu período de partilha de uma vida a três. No dia da prova final, ele chegou em casa e encontrou Tim e Emily esperando por ele no sofá, de mãos dadas.

"Não lhe contamos antes", disse Tim, "porque não achamos que seria justo com você." Agora Jones mora sozinho e compra no supermercado refeições de microondas.

Ele vai para a sessão sobre enxugamento de pessoal. Uma demissão, diz o livro, é um dos eventos mais angustiantes e estressantes pelos quais você pode passar — Jones assume que "você" seja a pessoa demitida até se dar conta de que é uma referência ao gerente.

Segundo o livro, as demissões geram uma instabilidade muito grande: os funcionários param de pensar no trabalho que fazem e começam a pensar se ainda vão ter o trabalho. Em seguida, o livro passa a descrever uma gama de estratégias das quais os gerentes podem lançar mão para domar esse temor e essa incerteza, de forma a dar-lhes um contragolpe, transformando-os em fatores de motivação.

O que Jones não encontra no livro — e é algo que ele não percebe a princípio; precisa ir para a frente e para trás — é alguma menção aos funcionários dispensados. Como eles podem estar se sentindo, por exemplo, ou o que pode acontecer com eles depois. É meio nojento. É quase como se eles deixassem de existir depois de demitidos.

Q 3/3: SETEMBRO

JONES CHEGA e encontra Freddy de bobeira diante das portas de vidro da entrada principal, fumando.

— Oi, Freddy. Por que ninguém fuma aqui fora, só você?

Freddy dá de ombros.

— Eu gosto daqui. A maioria sai pelos fundos ou pela lateral. Às vezes eu também saio.

Jones dá uma espiadela através do vidro fumê. Nem Gretel nem Eve chegaram ainda, mas na mesa de Eve acumula-se uma pilha cada vez maior de flores. Jones olha para Freddy.

— O que foi?

— Você está mandando flores para a recepcionista?

Freddy dá um salto.

— Por que você está dizendo isso?

Jones solta uma risada contida.

— *O quê foi?*

— Isso quer dizer sim. É o que diz quem tem culpa no cartório; quem não quer mentir, acaba dizendo: "Por que você está dizendo isso?"

— Eu... — Freddy espera que o faxineiro, um homem de mais idade, com cabelos grisalhos e macacão azul, passe. Jones o classifica na cabeça: departamento de Manutenção de Infra-Estrutura, divisão de Limpeza, um dos seus clientes em potencial. Freddy inclina-se para perto dele, sujeitando-o ao seu hálito de cigarro. — Não me vá dizer nada para ela.

— Você mandou as flores anonimamente?

— Claro! Você já *viu* essa mulher? Ela nem fala comigo.

— Sei não. Ela parece ser legal.

Freddy balança a cabeça enfaticamente.

— Ela não pode saber.

— Se você vai mandar flores sem que ela saiba quem as mandou, para que mandar?

— Porque ela é linda.

— Tudo bem, que legal! Mas aposto que ela gostaria de saber quem lhe mandou essas flores. Devem ter lhe custado umas 50 pratas.

— Quarenta. — Ele dá de ombros. — Uma semana.

— Uma semana?

— Já estou fazendo isso há algum tempo. — Ele mudou de postura. — Por quê?

— Freddy, você tem de dizer para ela.

— Ela provavelmente vai ficar desapontada. Deve estar pensando que foi outro.

— Não, espere aí, vamos bolar um plano. Confie em mim. Ela vai ficar deslumbrada de saber que você está lhe mandando flores.

— Hmm! — Os olhos dele fitam Jones, esperançosos, depois se afastam. — Sei não.

Jones olha para o relógio.

— É melhor eu entrar. Quero pegar alguém da Diretoria antes que eles comecem a trabalhar.

Freddy dá um passo para trás, chocado.

— Diretoria?

— É. Eu quero saber o que esta empresa faz de fato.

— Você não ouviu a história do chimpanzé? Não faz diferença.

— Mas a empresa pode fazer qualquer coisa. E se for algo antiético?

Freddy olha para ele com uma expressão vazia.

— Eu me sentiria melhor se soubesse — diz Jones. — Portanto, vou conversar com a Diretoria.

Freddy balança a cabeça devagar.

— Você é tão diferente, Jones.

No nível 17 — o que vale dizer, não muito acima do térreo — o sol da manhã inunda a academia pelas janelas que vão do teto ao piso. Holly, encaixada num aparelho para trabalhar bíceps, puxou conversa com uma gerente de comunicações do Marketing Corporativo. Ela está na faixa dos 25 e tem um belo rabo-de-cavalo que balança de um lado para outro enquanto ela faz caminhada forçada na esteira. Holly está feliz com a conversa, mas está ficando com inveja do rabo-de-cavalo.

— Primeiro nós tivemos de cortar os anúncios acima dos limites — diz a gerente de comunicações. — Depois cortamos todos os anúncios. Depois disso, ficamos só com pesquisa de mercado e RP. Mas nos últimos tempos, nem isso a gente vem fazendo.

— E então, o que vocês estão fazendo?

— Nada. Não temos orçamento.

— Nada, mesmo?

— Desde junho. — A gerente de comunicações franze os olhos. — Não conte para ninguém. Até agora, ninguém notou.

— Hmm — diz Holly.

— Antes disso, nós vivíamos sob controle rígido. Recebemos três advertências por causa dos gastos num único mês. Mas agora todo mundo está num astral positivo. A moral está lá em cima.

— Mas o que vocês fazem o dia inteiro?

— Oh, ainda estamos trabalhando. Mais do que nunca. Todo dia identificamos novas formas de reduzir os gastos. Ontem mesmo lacramos as janelas da nossa sala.

— Vocês têm janelas? — Holly grita.

— *Tínhamos*. Agora estão cobertas por cartolina.

— Mas por que fizeram uma coisa dessas?

— A Gestão de Infra-Estrutura cobra por janelas. Só com isso economizamos 8% dos custos administrativos. Mas nós só começamos. Hoje vamos acabar com as mesas e cadeiras. Percebemos que não precisamos mais delas, já que não estamos fazendo nenhuma atividade de marketing. E vai ficar bem mais feng shui. Vamos colocar os computadores no chão.

— Para que vocês usam os computadores?

A gerente de comunicações arregala os olhos.

— Ei, ei! É desse tipo de pensamento que precisamos no marketing. Ótima idéia!

Holly pára de malhar.

— Se não estão fazendo marketing nenhum, vocês não ficam preocupados de serem cortados?

— Com os gastos nesse nível? Para qual empresa você trabalha? — Ela ri. O rabo-de-cavalo balança.

Jones passa o crachá pela leitora de cartões do elevador e aperta o 2, onde está escrito DIRETORIA. Ele só está na Zephyr Holdings há quatro semanas, mas já ouviu falar do nível 2. Ninguém diz ter estado lá *em pessoa*, mas todos conhecem alguém que já esteve. A crer nas histórias que ouve, quando o elevador parar e as portas se abrirem no nível 2, Jones se verá diante de verdejantes colinas, saltitantes gamos selvagens e virgens nuas dando uvas na boca dos executivos da Zephyr recostados sobre almofadões espalhados pelo salão. Quanto ao nível 1, o vastíssimo escritório de cobertura onde Daniel Klausman compõe recados falados para todos os seus funcionários e recebe visões estratégicas — esse é diferente. Ninguém diz ter estado lá.

O botão do nível 2 acende, depois apaga. Jones tenta novamente. Torna a passar o crachá. Mas o elevador não quer levá-lo para o nível 2. Do outro lado do saguão ele vê as portas deslizantes se abrindo e Gretel Monadnock entrando.

— Ei, Gretel, por que o elevador não está subindo? — pergunta.

— Ahn... — Ela coloca a bolsa em cima da gigantesca mesa cor de laranja da recepção, dá uma olhadela no imenso arranjo de flores e passa a mão pelo cabelo. Jones sente um fio de compaixão por Gretel, que provavelmente seria considerada bonita se não sentasse ao lado de Eve Jantiss. — Talvez você não tenha a liberação de segurança apropriada.

— Como é que eu consigo uma?

— Até onde você está querendo ir?

— Nível 2.

Ela fica espantada.

— Para que você quer ir lá?

— Quero falar com a Diretoria. — As portas do saguão se abrem novamente: desta vez é Freddy, depois de fumar seu cigarro. — Como eu marco uma hora com alguém da Diretoria?

Gretel olha para Freddy com ar de incerteza.

— Não, ele está falando sério — diz Freddy.

— Amm... será que eu posso dar uma resposta mais tarde? Nunca me perguntaram isso antes.

— Está brincando.

— Não está, não — diz Freddy. — Pedidos como esse você tem de enviar por intermédio do seu gerente, Jones. Não se invade a Diretoria desse jeito.

— Isso é ridículo. — Jones coloca as mãos na cintura. — Só quero saber o que a empresa faz. — Neste momento, ele avista a mesa do café para visitantes, repleta de panfletos de marketing e relatórios anuais. — *Arrá*!

— Ele está satisfeito agora — diz Freddy para Gretel. — Ei, a Eve vai chegar agora de manhã, ou não?

— Ela não costuma me dizer o que faz ou deixa de fazer.

— Oh!

— Amm... Jones? — Gretel estica a mão para tocar em Jones, que está passando com um punhado de relatórios anuais.

— Vou trazer de volta já, já. Prometo.

Ela balança a cabeça.

— Não, eu quero falar outra coisa. Eu também já quis saber o que a Zephyr faz. Sabe, nós não devemos manter contato com as pessoas que falam da empresa, mas... eu tenho anotado os nomes. — Ela fica um pouco encabulada. — É só porque ninguém fala dessas pessoas, aí eu pensei... que alguém deveria se lembrar delas. Então, passei a anotar os nomes. Tenho o nome de todo mundo que trabalhou aqui nos últimos três anos.

— Oh — diz Jones. Ele não sabe bem o que fazer com essa informação. — Isso é... muito bom.

— Na verdade, é uma coisa *mórbida* — diz Freddy, no elevador. — É algo *errado*. Que tipo de pessoa anota os nomes das pessoas que são demitidas? Parece uma lista de *óbitos*.

Jones folheia os relatórios anuais.

— "Carteira diversificada de produtos." "Cadeia de distribuição verticalmente integrada." "Mercados escolhidos." Isto não me diz nada!

— Isso é a Zephyr *Holdings*. Acho que não fabricamos nada diretamente. Só controlamos outras empresas.

— Hmm — faz Jones, sem se deixar convencer. Ele vira a página e depara com uma brilhante foto de funcionários sorrindo embaixo dos dizeres: NÃO UM EMPREGO. UM MODO DE VIDA. — Por que não há fotos de Daniel Klausman neste troço?

— Ele não gosta de sair em fotos. Não há fotos dele em lugar nenhum.

— *Nenhuma*?

Freddy dá de ombros.

— Ele não gosta de estar com gente cara a cara. Não quer dizer que não faça seu trabalho.

— Você por acaso sabe como ele é?

— Eu? Não. Mas tem gente por aí que diz que o conhece. Ei, olhe só. — Ele aponta para o painel de botões. — Não tem mais Tecnologia da Informação.

Jones percebe que no lugar do número 19, existe agora um buraco vazio.

— Eles tiram até o botão?

— Questão de segurança, acho eu.

Jones olha para ele.

— Chimpanzés — diz Freddy. — Lembre-se dos chimpanzés.

— Eu não quero ser o novo chimpanzé. — Jones fecha o relatório com estardalhaço. — Quero saber que diabo está acontecendo.

Elizabeth senta-se no toalete e fica olhando para a porta. Não há nada de especial com a porta. É por isso que está olhando para ela. Sua manhã não foi nada fácil. Ela está com o estômago embrulhado e já vomitou. Mas não são esses incômodos que a perturbam. É o pensamento de que talvez sejam sintomas. É a terceira manhã consecutiva que ela se sente mal.

Num cantinho recôndito de sua mente, Elizabeth já vem se dando conta disso há algum tempo. Agora ela enfrenta a realidade do ser, esse minúsculo zigoto de conhecimento. E balbucia: *Estou grávida*. As palavras soam-lhe estranhas. Há um invasor em seu útero.

Ela sabe quem é o pai. Fecha os olhos e leva a mão à testa. Tudo bem, ela se apaixona pelos clientes, mas não tem o hábito de dormir com eles. Interessa-se por relacionamentos, não por ficar. Só que... era o último dia do trimestre e eles estavam resolvendo detalhes enquanto comiam pizza com vinho roubados do Marketing, e ela já estava apaixonada mesmo antes de ele começar a falar numa "segunda rodada" de treinamento. Ele, o coordenador de desenvolvimento de pessoal do departamento de Previsão e Auditoria, segurou a caneta acima da linha pontilhada e, sorrindo, disse: "Selado com um beijo."

Se ele tivesse assinado primeiro, não teria havido problema algum. Ela os achava menos atraentes depois que assinavam. Teria apertado a mão dele, talvez até lhe dado um beijinho no rosto. Mas com a caneta a um centímetro do papel, a adrenalina dela assomando, e o vinho zunindo em seu cérebro, ela o beijou, beijou esse homem, que na ocasião era um cliente e pouco depois foi transferido para Vendas de Treinamentos, tornando-se seu colega, e Roger beijou-a também, e eles fizeram sexo na mesa dele com a saia dela enrolada na cintura, enquanto sua bunda amassava os formulários de pedidos. Não usaram proteção, o que parece uma idiotice agora... mas Elizabeth não quer fazer uma análise profunda disso. É solteira, tem 36 anos e estava fazendo sexo pela primeira vez em dois anos; não é totalmente inconcebível que uma pequena parte sua, secreta, que tem muito pouco a ver com vendas de pacotes de treinamentos, tenha vetado a questão da camisinha, tirando-a da pauta, assegurando assim que a decisão, bem como o próprio Roger, tenha se inserido sem uma análise mais adequada.

Perto de terminarem, ela gritou que o amava, e ele disse "eu adoro isso também", o que deveria ter sido o suficiente para ela saber que tudo ia acabar mal. Mas ela ignorou isso porque de fato o amava, pelo menos durante algum tempo, mesmo quando tudo já tinha acabado e ele puxava as calças, evitando o olhar dela.

— Não vamos contar a ninguém — disse Roger. — Eu não sou um desses sujeitos.

— Que sujeitos? — Mas ele estava assinando o pedido, e ela sentiu o amor se esvaindo, escorrendo de dentro do seu ser, mesmo enquanto uma parte essencial de Roger também o fazia. Entretanto, ela agora percebe, não escorreu uma quantidade *suficiente* dessa parte essencial de Roger.

— Ora, desses que fazem essas coisas.

— Que coisas?

Ele entregou o pedido a ela.

— Sexo com representantes de vendas.

Foi como se ele tivesse lhe dado um chute. Ela estava achando que ele ia falar de "casos" ou de "perder o controle". Concentrou-se em enfiar a blusa direito para dentro da saia e em deixar o cabelo cair por cima do rosto.

— Ah, não fique assim — disse Roger. — Ora, essa. Foi bom!

A transferência dele para Vendas de Treinamentos poucas semanas depois não teve nada a ver com ela; Elizabeth sabe disso. Ele não a está perseguindo, na esperança de endireitar as coisas. A princípio, a idéia até lhe passou pela cabeça, mas aí Roger chegou ao departamento e Sydney falou: "Esta é a Elizabeth", e ele franziu o cenho. Foi uma franzida pequena, uma ruguinha apenas, mas deixou clara a atitude dele. Ela manteve o bico calado numa saudação mais exuberante e cultivou mais uma cicatriz na alma. Mas que diferença fazia? Elizabeth já tem tantas cicatrizes na alma! O problema dela é com a rejeição; a de Roger foi apenas a primeira do dia. Se ele quer dar uma de canalha com relação a isso, tudo bem. É claro que ela não sabia exatamente quão canalha ele estava disposto a ser; mesmo assim, não vinha perdendo o sono por causa disso. Elizabeth precisa de algo mais que a petulância de um ex-amante para ficar chateada.

Como de uma gravidez. Sentada no assento do vaso, ela cerra os punhos. Roger acabou não sendo uma venda limpa; existe uma questão de suporte. Vão lhe acontecer coisas se continuar a gravidez, ela bem o sabe. A Zephyr Holdings não é exatamente uma empresa que goste de bebês. Tampouco gosta de representantes de vendas grávidas. Haverá um redirecionamento de contas. Ela vai ficar de fora dos projetos. Vai perder os clientes que tanto adora. A gerência vai discutir seu caso: Vocês souberam da novidade? Elizabeth está grávida. Que pena! Era uma boa representante.

— Eu lhe contei o meu plano? — pergunta Freddy, enquanto tirava o paletó. Ele vai pendurá-lo no cabide, mas pára e olha para Jones.

— O que foi?

— Não quero parecer mesquinho, mas você pegou o meu cabide.

— O *seu* cabide?

— Não é nada de mais — fala Freddy, mas traços de ansiedade se espalham por seu rosto. Ele alterna o pé de apoio, nervosamente. — Só que é o cabide que eu uso desde que vim para cá.

— Então, se não é nada de mais... — diz Jones, sentindo-se perverso.

As mãos de Freddy apertam o colarinho do paletó.

— Tudo bem. Eu tiro o meu paletó.

— Obrigado. — Freddy respira, aliviado. — É engraçado, sabe, não é que você se apegue exatamente a essas coisas, mas se acostuma.

Jones acha a idéia de se envolver emocionalmente com um cabide profundamente perturbadora. E torce para nunca desenvolver sentimentos pelos objetos inanimados do seu trabalho.

Freddy se encaminha para o seu cubículo e se senta.

— Enfim, o meu projeto. Na semana passada, dei entrada no cadastro de invalidez.

— Invalidez? Pelo quê?

— Estupidez.

— Estupidez?

— Pense bem. Se eu nasci estúpido, a culpa é minha? Não, eu sou só um idiota honesto e dedicado, dando o melhor de mim. E a empresa não pode demitir quem tem algum tipo de invalidez. Isso é fato.

— Uau! Esperto, hein?!

— Obrigado. — Ele sorri. — Está vendo? Você só precisa saber como se dar bem na empresa.

Jones senta-se. Está interessado em saber como a empresa funciona. Mas há algo errado com seu computador.

— Freddy... você está conseguindo se conectar à rede?

— Ahn... não. Não estou.

— Droga! Que saco!

Freddy levanta-se, lentamente.

— Wendell... no dia em que Wendell foi mandado embora, Elizabeth tentou mandar um e-mail para ele e a mensagem voltou.

— E daí?

— É o que eles fazem antes de demitir alguém. Cancelam a conta e não deixam que a pessoa... — Suas mãos dançam no ar. — Houve um incidente alguns anos atrás. Um sujeito do departamento de Relações Públicas ficou sabendo que tinha sido demitido. Então, voltou correndo para sua mesa e soltou um vídeo mostrando a chefe dele dando uma chupada na empresa toda. — Ele percebe a expressão de Jones. — Eu quero dizer que ele mandou um e-mail para a empresa toda. No vídeo eram só as duas pessoas.

— Ainda bem!

— Mas o negócio é o seguinte, isso é um sistema de aviso antecipado. Eu não estava pensando com o Wendell, nem me dei conta...

— Você acha que estão nos mandando embora?

Freddy vai bruscamente até a mesa de Megan e pega o mouse dela.

— E daí?

— A mesma coisa. — Freddy volta correndo e entra em Berlim Ocidental. Um minuto depois ele fala por cima da divisória: — Os vendedores também não. Ninguém consegue se conectar.

— Então é só um problema de rede — diz Jones.

— Não. Não. — A cabeça de Freddy surge por cima da Divisória de Berlim, seu rosto pálido e melancólico. — Aconteceu! Finalmente aconteceu! O departamento vai ser terceirizado.

O departamento de Vendas de Treinamentos não vai ser terceirizado. Em todo o prédio há gente tentando se conectar à rede sem conseguir. Todos clicam seus mouses. Apertam teclas. Acabam pegando o telefone e ligando para o atendimento de TI. As ligações percorrem toda a fiação do prédio da Zephyr até o décimo nono andar. Lá, várias fileiras de cubículos permanecem mudas e desguarnecidas. As luzes estão apagadas. As cadeiras encontram-se vazias. Nada se mexe. Em cima de mesas desocupadas, tão limpas que daria para pensar que jamais haviam sido usadas, os telefones tocam, e tocam, e tocam.

Elizabeth não veio e ninguém ousa perturbar Sydney, de forma que Roger assume o comando. Manda Freddy e Jones numa missão exploratória para verificar se todo o prédio perdeu conexão com a rede (o que seria boa notícia), ou se foi apenas Vendas de Treinamentos (muito ruim). Primeira parada é no nível 15, Gestão de Infra-Estrutura e Manutenção de Infra-Estrutura, que são ambos fazendas de cubículos cercados por escritórios de verdade — mas é claro, *todos* os andares são fazendas de cubículos cercados por escritórios de verdade. Freddy e Jones espiam por cima das divisórias. Há um bando de gente jogando paciência no computador. Uma delas lhes dá um susto por estar com o browser aberto, mas está só clicando seguidamente para recarregar a página, na qual em seguida aparece: ERRO DE REDE. *Viciada*, Freddy articula com a boca, sem emitir o som da palavra, fazendo com a mão o movimento de clicar o mouse várias vezes.

Então, Gestão de Infra-Estrutura está sem rede. Descem um andar. Logística está sem rede. Visitam o nível 17 e... bem, quem quer que sejam essas pessoas, também estão sem rede. Mal têm computadores! "Tribo perdida da Amazônia!", sussurra Freddy. O pessoal do nível 17 veste-se informalmente e todos olham para Freddy e

Jones como se nunca tivessem visto ternos antes. Freddy e Jones voltam correndo para os elevadores. Depois que se encontram a salvo, Freddy solta o ar.

— Você viu aqueles monitores? Aquele pessoal não requisita nada há um tempão.

Freddy e Jones não são os únicos exploradores fazendo ronda; pequenas equipes vasculham o prédio inteiro. Por volta do meio-dia, todos, menos a Diretoria, sabem que a rede caiu. A Diretoria continua sem saber porque ninguém no nível 2 usa computador, só os Assistentes Pessoais, e se um AP tem algum problema com computador, bem, isso não é surpresa para a Diretoria. Para eles, a capacidade de um AP de se meter num emaranhado de problemas de informática é fonte de diversão infindável. Se não é a impressora, é o mouse; e se não é nenhum dos dois, é... ah, você sabe, uma dessas coisas de software. A Diretoria sabe muito pouco de computador, mas se sente muito à vontade para dizer que a maioria dos "problemas de informática" poderia ser mais precisamente definida como "burrice dos APs". A Diretoria pode não usar computador, mas usa torradeira e microondas, e aprendeu muito bem a programar o aparelho de som do carro — digamos que não aprendeu, mas sim que o vendedor da concessionária mostrou-lhes como fazer — então, será que um computador é muito mais complicado?

Os departamentos não comunicam o problema porque um bom gerente sabe que a única razão pela qual se deve ligar para a Diretoria é para dar boas notícias. Quem liga para a Diretoria para levar um problema não tem muito futuro na Zephyr Holdings. A Diretoria não está lá para dar as mãos aos departamentos. Está lá para dispensar opções de ações. De forma que bate 3 horas da tarde antes que a notícia tenha sido divulgada.

E a única razão pela qual acaba sendo é que oito gerentes de departamento se reúnem no nível 19 e passeiam pelas mesas vazias. Não há ninguém no help desk. Nenhum técnico de rosto pálido e cabelo desgrenhado para dar suporte. Mas há vários computadores, e os gerentes espiam as telas atrás de algum problema. "Ali!", diz o de Gestão de Risco, e todos se juntam em torno de um minúsculo monitor que está em cima de uma mesa do lado de fora de uma saleta de vidro cheia de enormes gabinetes de computador na cor bege e um emaranhado de cabos coloridos. O monitor está preto, exceto por uma linha verde reluzente: 04:04 ERRO DE REDE 614.

Os gerentes se entreolham, só para o caso de alguém saber o que isso significa. Quando fica claro que ninguém tem muita certeza quanto ao que são aquelas coisas bege na saleta de vidro (muito menos para que servem), eles resolvem ligar para a Diretoria. Esta opção é viável porque comunicar problemas no departamento de outrem não é tão ruim quanto comunicar problemas no seu próprio departamento. Assim, chamam uma AP por telefone, e ela promete dar o recado assim que a Diretoria terminar a reunião. Satisfeitos, os gerentes desligam o telefone. Permanecem por ali durante alguns minutos, conversando sobre carros e pontuação de golfe — não é a toda hora que os gerentes de departamento podem ter um convívio assim —, e, relutantemente, começam a voltar para a infelicidade dos seus departamentos, para a desprezível companhia dos seus funcionários preguiçosos, que vivem lhes afanando material de escritório e fugindo da raia, e para suas metas de produtividade desanimadoramente inatingíveis.

Dezessete andares acima, a Diretoria começa a se mexer. Vão todos para o salão dos Diretores. No início, reina a confusão. Isso teria alguma coisa a ver com a terceirização da TI? Será que o novo fornecedor não está cumprindo o contrato? Mas, afinal, quem é o novo fornecedor?

Ninguém tem certeza de fato. Há uma escandalosa falta de documentação, devida, segundo suspeitas, à falta de iniciativa dos APs. Mas a Diretoria sabe que não faz sentido algum ficar nesse jogo de culpa. Sua função é identificar soluções, não culpados. Ou, pelo menos, soluções em primeiro lugar, depois culpados. Gradativamente, vem à tona o fato de que, na esteira do blecaute do mês passado, o afã de expurgar os incompetentes do departamento de TI acabou tendo mais prioridade que providenciar uma substituição plausível. A Zephyr está sem pessoal de TI.

Toma-se uma decisão súbita: todos os demitidos devem ser readmitidos imediatamente. E devem fazer a rede voltar a funcionar com urgência. Depois, quando já estiver pronto um projeto de terceirização, eles poderão ser desligados da empresa novamente.

A Diretoria relaxa. A crise acabou. A ordem é repassada ao departamento de Recursos Humanos para que seja implementada. Mas aqui ela esbarra num empecilho. Os arquivos de Recursos Humanos estão todos na rede. Sem eles, o pessoal não faz idéia de como entrar em contato com os ex-funcionários. Sequer sabe quem são. Espalha-se pelo prédio a pergunta lamuriosa: Alguém se lembra de quem trabalhava na TI? Mas ninguém sabe responder. Os departamentos da Zephyr mal se misturam nos melhores momentos; aqueles esquisitões de camiseta do departamento de TI, então, chegavam até a ser evitados. Só há uma pessoa em todo o prédio capaz de prestar à Diretoria a informação necessária: Gretel, na recepção, com sua folhinha de papel. Mas ninguém pergunta a ela.

Em Berlim Oriental, Holly retoca cuidadosamente as unhas. Pensa se conseguiria dar uma fugida até a academia; não está fazendo nada de útil aqui mesmo! Vira-se na cadeira para ver o relógio da parede e se surpreende ao ver Megan parada logo atrás dela. Holly fica sentada de costas para ela, de forma que nunca a vê chegar.

— Desculpe! — diz Megan. — Sydney perguntou se você poderia resumir os relatórios dos representantes de vendas numa página só. Ela precisa disso antes do meio-dia.

Holly inclina-se para o lado. O relógio da parede diz 11h35. Holly seria capaz de apostar uma boa grana que Sydney sabia da necessidade dessa tarefa havia alguns dias. Ela tem a impressão de que a função principal da outra é transformar tarefas rotineiras em urgentes escondendo sua existência até o último momento possível.

— Tudo bem. Obrigada.

Megan vai embora. Holly folheia rapidamente os relatórios. Uma parte dela resmunga: *Por que Sydney não pede aos próprios representantes de vendas que façam relatórios mais curtos, antes de mais nada?* Mas ela a reprime, firmemente. É o tipo de pergunta que teria feito três anos atrás, quando estava tão fresquinha na empresa quanto Jones está agora. Na época, imaginava que o conhecimento de coisas como essas viria acompanhado de degraus conquistados na escada corporativa e da compra de sapatos e blusas cada vez mais requintados. Hoje, Holly não tem o conhecimento nem os degraus. Tem, sim, uma ruga permanente na testa, a fama de antipática e uma fixação cada vez maior pela academia. Ela adora as regras simples e imutáveis da academia: se você correr, sua bunda vai ficar mais durinha. Se malhar, os músculos vão aumentar. Que diferença da vida que leva no departamento de Vendas de Treinamentos!

Ela se arrasta até terminar o resumo e está pronta para apertar o botão IMPRIMIR, quando Jones e Freddy chegam de volta da expedição. Ela se endireita na cadeira.

— E aí?

Freddy balança a cabeça.

— A rede está fora do ar em todo canto. Então, é um problema de TI, graças a Deus. O que você está fazendo?

— O de sempre. Desperdiçando a minha vida.

Freddy deixa-se cair na cadeira. Jones olha à sua volta.

— Talvez agora seja uma boa hora para falar com Sydney.

— Ahh! — fala Freddy. E para Holly: — O Jones está obcecado pela idéia de descobrir qual é a *verdadeira área de atuação* da empresa.

— Oh, eu resolvi isso para você, Jones. Trata-se de uma grande experiência psicológica para ver quanta angústia e sofrimento os seres humanos são capazes de agüentar antes de se demitirem. — Ela se vira para Freddy. — O que me lembra. Você sabe que as pessoas têm reclamado com a gerência sobre o equilíbrio entre o trabalho e a vida pessoal? Pois bem, eles concordaram em fazer uma reunião com todo o pessoal da empresa para tratar disso na segunda-feira. Às 7h30 da manhã.

Freddy começa a rir. Ele esfrega os olhos.

— O que você acha pior: que eles façam isso de propósito ou que simplesmente não tenham a menor idéia?

Holly balança a cabeça.

— Acho que de repente o Wendell teve sorte. Vocês souberam que ele conseguiu emprego na Assiduous?

Jones dá um pulo.

— Quem lhe disse isso?

— Uma das meninas na academia. Por quê?

— Você não acha suspeito isso de todo mundo que sai da Zephyr acabar parando na Assiduous?

— Nem *todo mundo.*

— Diga o nome de uma pessoa que tenha saído com quem você ainda mantém contato.

— Amm...

— *Eu* acho — diz Jones — que essa empresa Assiduous não existe. É só uma desculpa. Uma razão para evitar que vocês mantenham contato com as pessoas que saíram.

Holly fica assustada.

— Por que eles fariam uma coisa dessas?

— Porque — diz Freddy, baixando o tom de voz — *elas não saíram de verdade.* — E solta uma gargalhada.

— O porquê eu não sei. Mas sei que estou certo.

Freddy diz:

— E *eu* aposto que se você continuar metendo o bedelho por aí, vai acabar sendo despedido. — Para Holly, ele diz: — Um dia o

Jones simplesmente não vai aparecer, e eles vão nos dizer que ele foi embora... para a Assiduous.

— Pare com isso — diz Holly. — Você está me dando arrepios.

— Sinto muito — diz Penny, deixando-se cair numa cadeira. Penny é irmã de Jones. Ela enfia a bolsa de couro preta embaixo da mesa, levanta os óculos escuros para a testa, apóia ambas as mãos em cima da mesa e solta o ar de maneira dramática. — O tribunal esticou a sessão até as 13h15. Onde já se viu? Mas a testemunha estava gritando que tinha sido violência sexual... se o George não a tivesse cortado, ela talvez nunca tivesse aberto o bico. — Ela olha à sua volta, procurando um garçom. — Você já fez seu pedido?

Penny é oficial de justiça na vara de família. Tem sempre uma história dessas para contar, que faz Jones se sentir diminuído e inútil. Não é fácil ser o irmão mais moço de uma estrela em ascensão.

— Já. Pedi o de sempre.

Ela sorri. Desde que assumiu a função, Penny deu para usar uns conjuntinhos elegantes com colares grandes e chamativos. Jones sempre tem a impressão de que ela está brincando de vestir as roupas do armário da mãe.

— Uau, parece que a gente não se vê há um ano. Como é o emprego novo?

— É bom. Quero dizer, é ótimo. Estou começando de baixo, mas a empresa é grande e o potencial é enorme.

— É mesmo? E qual é o ramo de atividade? — Ela começa a acariciar seus brilhantes cabelos pretos presos num rabo-de-cavalo.

— Ahn... é uma holding.

— Holding de quê?

Jones dá uma olhada no seu entorno.

— Ora, são várias coisas. É uma carteira diversificada.

— Por que você não quer me contar? O que é? Pornô?

— Não. Pornô, não. — Penny olha-o fixamente até que ele solta a verdade, tática que tem funcionado desde que ele tinha 9 anos. — Para falar a verdade, eu não sei. Achei que vendia pacotes de treinamento, mas isso é só o meu departamento que faz. A empresa como um todo... não tenho a menor idéia.

— Uau! — diz Penny depois de algum tempo.

O garçom chega com seus cafés.

— Eu sei, eu sei. Vou descobrir, só que... é uma empresa grande. Eles fazem as coisas de uma forma diferente.

— E o que você faz?

Jones vacila um pouco.

— Sabe o que é? Na semana passada a rede caiu e não dá para fazer muita coisa sem ela. Então... até que eles a consertem, nós passamos a maior parte do tempo... conversando.

— Como é mesmo o nome da empresa?

— Zephyr.

— Nunca ouvi falar.

— É grande no ramo...

— Qualquer que seja o ramo em que ela atua.

— Certo.

— Stephen — diz Penny —, você está percebendo que isso é uma loucura.

— É mesmo? — diz ele, ansioso. — Porque é difícil dizer. Ninguém lá na Zephyr acha nada fora do comum.

— Ah, sem essa. Pode acreditar. Você não sabe o que a empresa faz. Isso é fora do comum.

— Bem — diz Jones, recostando-se na cadeira —, não é um tribunal de justiça. É o mundo de verdade. — Perpassa uma certa satisfação em seu tom de voz. Quando ele ainda estava estudando e Penny tinha acabado de entrar para o tribunal, ela costumava soltar despretensiosamente algumas frases como "mundo de verdade" nos jantares em família. — Talvez seja assim que funcione o mundo dos grandes negócios.

Penny fica calada alguns instantes. Então, pega o café e diz:

— Tudo bem. Pode ser que seja isso aí.

Jones solta um suspiro.

— Preciso descobrir o que está acontecendo.

— Acho que seria bom — diz Penny.

Nos níveis mais baixos da Zephyr Holdings, tudo rasteja furtivamente, como os funcionários de Suprimentos. Aquilo mais parece um zoológico: os funcionários passam o dia empanturrando de materiais que mal reconhecem uns animais que não compreendem e, quando eles terminam, os animais querem mais. O departamento de Suprimentos se considera algo como uma casa de máquinas na Zephyr Holdings e, de tempos em tempos, seus funcionários resolvem imaginar o que aconteceria se eles simplesmente fechassem as portas e parassem de abastecer a Zephyr de papel timbrado, blocos de Post-it e garrafas de água: a empresa entraria em colapso, só isso. Nos tempos de glória, Suprimentos tinha três andares inteiros e um elevador exclusivo; o pessoal da antiga chegava a colocar os pés nas mesas e a puxar as orelhas dos estagiários por conta disso. A julgar pelas suas histórias, quando um departamento pedia algum material de escritório, era isso e pronto, um pedido, e o departamento de Suprimentos atendia quando estivesse pronto para atender. Eles faziam os materiais durarem um bom tempo naquela época. E os recém-formados sabiam respeitar, eles sabiam que todo aquele aprendizado nos livros não valia uma cuspida no chão. Eram tempos áureos, é verdade, antes desses palavrões como "cortes", "racionalização" e "reorganização" serem inventados. Agora, o departamento de Suprimentos ocupa a metade de um andar de meia-pataca. Conta com um quarto do pessoal para fazer quatro vezes mais trabalho. Quando os departamentos fazem suas requisições — *requisições* —, é para entregar no mesmo dia, e o pessoal fica zangado se não for. E eles nem telefonam mais, de forma que o departamento de Suprimentos não pode mais sugerir alternativas nem dizer que vai atrasar; os pedidos agora ("5 cxs. esferográfica azul, preciso antes 10 da manhã") simplesmente aparecem nos computadores do pessoal através da rede.

Ou seja, apareciam. Desde que a rede caiu, os telefones começaram a tocar novamente. As coisas mudaram e o pessoal dos Suprimentos percebeu. Ainda é um departamento com 12 funcionários e um orçamento risível, mas pode bem ser que os dias de glória tenham voltado.

Por todo o prédio, a Zephyr Holdings está lentamente retomando a velocidade normal de funcionamento. Não porque a rede tenha sido consertada; ah, não. A ala leste do nível 19 continua um deserto desabitado. Nem um único servidor ligado! Nenhum hub consegue sobreviver às inóspitas condições do 19. Cabos de rede, sedentos, procuram avidamente por dados que jamais encontrarão. O departamento de TI está morto, entrevado, e não vai se recuperar.

Mas há trabalho por fazer, com ou sem rede. Duas semanas atrás ela caiu; logo depois, a Diretoria assegurou para toda a empresa que o problema seria corrigido em poucos dias; agora, todos estão começando a perceber que isso não vai acontecer. Começam a surgir jeitinhos por todo canto, qual grama verde depois da chuva. Na falta do e-mail, os funcionários redescobrem a arte de falar ao telefone. Estão percebendo que discussões que costumavam levar três dias e meia dúzia de e-mails podem ser resolvidas no ato pelo telefone. Os spams e os vírus, problemas que o pessoal da TI dizia não ter solução, desapareceram por completo. A praga das piadinhas enviadas por e-mail, a princípio engraçadas mas em pouco tempo não mais, foi eliminada. A pressão das correntes que deveriam ser repassadas sob o risco de os envolvidos incorrerem em catástrofes pessoais sumiu. As caixas de mensagens não vivem mais cheias de anúncios de gente querendo trocar de carro ou de bichinho de estimação.

Para transferir documentos de um lugar para outro, os funcionários agora apertam os cadarços dos sapatos e esticam as pernas. As pessoas se cruzam pelos corredores, cheias de papéis nas mãos, e cumprimentam-se alegremente. Com a cabeça zumbindo por conta do exercício súbito, elas param para conversar e rir juntas. Ninguém se dava conta da quantidade de gente que trabalhava na Zephyr. Até agora, ninguém via ninguém. Até agora, a maioria das pessoas chegava ao trabalho, sentava a bunda numa cadeira e os dois só se separavam às 17h30. Agora, os corredores parecem salas de espera de uma maternidade, cheios de vozes empolgadas e alegria. As dores lombares começaram a desaparecer. As cores estão assomando por todo canto. Os funcionários começam a se achar fisicamente mais atraentes. E ninguém mais é alvo daquelas olhadelas suspeitas quando sai do seu departamento; basta que esteja levando consigo um calhamaço de papéis quaisquer.

Rede — para que servia mesmo? Os funcionários balançam a cabeça, surpresos. Já não era sem tempo! A Zephyr Holdings pode não ser o melhor empregador do mundo, os empregados concordam; ela pode ter um departamento de Recursos Humanos bastante sádico e uma Diretoria incompetente; a área de atuação da empresa pode ser um mistério perfeito e o CEO, um excêntrico incomunicável a quem ninguém jamais viu em carne e osso — tudo isso pode ser verdade, mas pelo menos ela não tem uma rede.

T 4 / 1: OUTUBRO

FREDDY FOI LEVAR um conjunto de pastas para a Gestão de Negócio e voltou correndo; agora começa a fazer uns alongamentos.

— Alguém quer ir almoçar? Tenho sentido tanta fome ultimamente. Será que é por causa do excesso de exercícios?

— Deixe eu só terminar de imprimir isso aqui para a Sydney. — diz Holly. O computador dela é o único conectado à impressora do departamento, de forma que todos os que querem imprimir alguma coisa precisam falar com ela. Formou-se uma mancha escurecida em torno do botão de ejetar do drive de disquete e a unidade de CD está fazendo um assobio esquisito.

— Ei! — Freddy pára de se alongar. — Sabe o que a gente deveria fazer? Um bolão da morte. Todo mundo pode colocar dez pratas.

— Um o quê? — pergunta Jones.

— Está falando sério? — pergunta Holly.

— Por que não?

— Isso é doentio; é por isso que não.

— O que é um bolão da morte? — pergunta Jones.

— A gente aposta em quem vai ser o próximo a ir para a rua. Ah, vamos nessa, vai ajudar a manter o nível de interesse. Eu até deixo você escolher primeiro, Holly.

Ela hesita, depois olha para Jones.

— Ei! — diz ele.

Em seguida, Roger chega de Berlim Ocidental com um disquete na mão. Por reflexo, Holly estende a mão, mas ele não o entrega a ela.

— Estão apostando em alguma coisa, não estão?

— Um bolão da morte — diz Freddy. — Dez pratas para apostar.

— Estou dentro. — Roger abre a carteira. — Quem já foi escolhido?

— Ninguém ainda.

— Espere aí — diz Holly. — Você disse que eu poderia escolher primeiro.

— Então você vai participar?

— Eu... ué, se todo mundo participar. Escolho o Jones.

— Por que *eu*?

— Porque... não sei o motivo.

— Eu vou escolher a mim mesmo — diz Freddy. — Se me demitirem, vou ter alguma coisa para levar comigo.

— Eu escolho a Elizabeth — diz Roger.

Faz-se um silêncio incômodo. Freddy pergunta:

— Por que a Elizabeth?

Roger dá de ombros, com ar de modéstia.

— É só um chute.

A porta de Sydney se abre com um estalo. Todos voltam a cabeça. Vestida num conjunto tão escuro que mal dá para distinguir as peças, Sydney adentra Berlim Oriental e vai até a mesa de Holly.

— Aquele relatório está pronto?

— Está na impressora.

Sydney retira o relatório de Holly da bandeja e em seguida percebe Freddy e Roger congelados no ato de trocar o dinheiro de mãos.

— O que está acontecendo?

Freddy pigarreia.

— É um bolão da morte. Estamos apostando para ver quem vai ser o próximo a sair da Zephyr.

Os olhos verdes de Sydney se fixam nos de Freddy.

— Quem disse que alguém está indo embora?

— Ninguém. Não, isso é só um jogo. É só... se alguém for.

— Ah, entendi. Nesse caso, posso participar?

Freddy olha para Holly, depois para Roger, depois, desamparado, para Jones.

— Bem... talvez não seja... quero dizer, já que você pode mandar qualquer um embora, talvez não seja justo.

Sydney se surpreende.

— Você não está sugerindo que vá demitir alguém só para ganhar o seu jogo, está?

— Não! Claro que não.

— Então?

Freddy engole em seco.

— Claro. Então, tudo bem. São dez dólares.

— Parece divertido. Tudo bem, então. Tudo bem. Vou escolher o Jones.

— Na verdade... a Holly já escolheu o Jones.

O narizinho de Sydney se encrespa. Roger franze o cenho.

— E daí?

— Todo mundo tem de escolher uma pessoa diferente.

— Por que a Holly não pode escolher alguém diferente?

— É que ela já escolheu, daí que não... seria... justo.

— Ah, entendi. Entendi. Então, ora, alguém já escolheu a Holly?

— Não.

— Então eu escolho. — Sydney sorri, primeiro para Freddy, depois para Holly. Ela enfia a mão no bolso da calça escura e tira uma cédula de dinheiro. Freddy a pega como se ela fosse mordê-lo. Ninguém diz nada até Sydney ter se afastado, nem diz nada durante um bom tempo depois.

— Muito obrigada, Freddy — diz Holly.

— É só um jogo — diz Freddy. — Ela provavelmente... é só um jogo.

Jones corre atrás de Sydney. Roger volta para Berlim Ocidental. Holly bufa e diz:

— Eu vou almoçar.

— Eu vou com você — diz Freddy, levantando-se. — Espere só um segundinho...

— Eu disse que *eu* vou almoçar. — Ela vai embora.

Freddy deixa-se cair de volta na cadeira, desanimado. Olha à sua volta, sem saber direito o que fazer, e percebe que a luz vermelha do seu correio de voz está piscando. Estranho, pois não estava piscando um minuto atrás. Alguém lhe enviou uma mensagem gravada.

Ele pega o fone e aperta o botão de acesso aos recados. Uma voz profunda penetra-lhe o ouvido:

"Bom dia. Aqui é do departamento de Recursos Humanos. Recebemos o seu pedido de licença por invalidez. Queremos lhe fazer algumas perguntas. Compareça ao nível 3 assim que puder. Obrigado."

Freddy vai colocar o fone de volta no lugar mas pára, remexe com ele na mão e acaba batendo com força na base. Suas mãos tremem. O pedido de licença deveria ter desaparecido no fosso da burocracia: escorrer pelas frestas e ser processado sem uma análise adequada. Mas ele acabou atraindo a atenção dos Recursos Humanos. Caiu sob o olhar causticante da fera. De repente fingir-se de estúpido parece uma idéia bastante estúpida.

Por um segundo, Freddy pensa em ignorar a convocação — talvez possa alegar que o seu correio de voz não funcionou! Mas isso é loucura. Ninguém escapa do RH. Ele só pode enfrentar seu destino como um homem.

Decide continuar de paletó. Vestiria até uma armadura se fosse possível. Escreve alguma coisa num Post-it e o prega no monitor: FUI PARA O RH.

Desta forma, se alguma coisa acontecer com ele, os demais compreenderão. Holly vai saber. Freddy força-se a caminhar até o hall dos elevadores. Sente os olhos rasos d'água. Lá se vai o moribundo! Temos um homem morto caminhando aqui!

As portas do elevador estão se fechando quando Jones chega, e ele precisa dar um salto para a frente de forma a enfiar o braço entre elas. Mas param subitamente e invertem o sentido, revelando a silhueta minúscula mas imponente de Sydney parada de braços cruzados:

— Está com pressa?

Ele entra.

— Desculpe, não sabia que você estava aqui. — O que é uma mentira, claro, mas Jones já percebeu que não se chega a lugar algum com Sydney desrespeitando-a. Neste aspecto, ela é parecida com Roger... e, agora que ele pensa no assunto, com praticamente todo gerente que ele já conheceu até hoje. Será que isso significa que Roger vai parar na gerência? Será possível prever quem vai subir na hierarquia corporativa simplesmente escolhendo as pessoas mais desesperadas por reconhecimento público? Esse raciocínio o distrai até que Sydney pega o celular e começa a digitar números. — Oh! — Ela olha para ele, esperando alguma coisa. — Desculpe. O negócio é o seguinte, eu venho querendo saber exatamente o que a Zephyr faz. No geral, você me entende? Qual é a fonte primordial de renda da empresa? Não consegui encontrar isso em lugar algum. Não é esquisito? — Ele ri.

Sydney torna a olhar para o celular.

— É o que acontece com as engrenagens, Jones. Elas não precisam compreender a máquina inteira. Basta que girem.

— Correto. Entendo o que você está dizendo. Mas e se alguma das engrenagens *quiser* compreender a máquina inteira, e ficar tão perturbada com o fato de não conseguir que chegue a parar de girar adequadamente...

— Seria uma péssima idéia — diz Sydney, ainda sem olhar para ele.

As portas do elevador se afastam. Sydney começa a cruzar o saguão, os saltos de seus sapatos estalando apressadamente no soalho onde estão gravadas as logomarcas da Zephyr, mas Jones tem uns 25 centímetros a mais que ela e consegue acompanhá-la sem esforço.

— Mas isso não é segredo, certo? O que a empresa faz? — Eles passam pela mesa da recepção... Gretel, Eve a torre de flores de Eve... e Jones começa a suar. — Ou é?

— Claro que não. Você leu qual é a missão da empresa?

— Li, sim, mas...

— Você sabe que somos uma holding?

— Sei — diz Jones, começando a ficar frustrado —, mas isso não me diz *nada*. Veja, se não é segredo, por que você não pode simplesmente me dizer o que a Zephyr faz?

Sydney pára de andar tão subitamente que Jones quase esbarra nela. Mesmo assim, as portas do saguão se abrem. O tempo está maravilhoso lá fora e uma lufada do frescor do dia entra no saguão e bate bem no rosto de Jones.

— Jones, você não está me escutando. Não é segredo. Mas essa pergunta revela uma falta de foco. Pense bem: O que vai acontecer com esta empresa se todos os funcionários quiserem compreender o nosso direcionamento estratégico? Se quiserem ficar adivinhando os motivos das decisões da Diretoria? Não podemos tocar uma empresa com 800 CEOs. Não é sua função, nem minha, nem do *zelador* — neste ponto, ela faz um gesto na direção de um homem com um esfregão na mão, encostado ao balcão da recepção batendo papo com Eve Jantiss — elaborar a estratégia corporativa. Se você não consegue entender isso, não pode trabalhar em equipe.

Tal acusação, Jones sabe, é repleta de malícia. Ele já viu os pôsteres motivacionais.

— Tudo bem? — Seus aguçados olhos verdes olham bem para os dele.

— Tudo bem — diz ele, e antes que as palavras tenham saído totalmente dos lábios dele, Sydney já passou pelas portas do saguão. E Jones caminha, desanimado, de volta em direção ao hall dos elevadores. De repente, lembra-se de alguma coisa e desvia o seu percurso para a mesa da recepção. Eve Jantiss e o zelador o olham com algum interesse, mas a pergunta de Jones é dirigida a Gretel. — Você descobriu como eu posso marcar uma hora com a Diretoria?

— Descobri, sim. A resposta é que não pode.

— Não posso — diz Jones, com pesar.

— Sugeriram que você fale com o seu gerente. Se não der certo, use a caixa de sugestões. Você sabe da caixa de sugestões?

— Então, vamos ver. — Jones tamborila com os dedos sobre o balcão. — Não posso chegar ao nível 2 sem hora marcada. Não posso marcar hora porque preciso falar com Sydney. E Sydney *poderia* responder à minha pergunta, mas me demitiria simplesmente por perguntar. Será que entendi direito? — Jones ouve sua voz aumentar de volume. Ninguém lhe responde: nem Gretel, nem a belíssima Eve Jantiss, nem o grisalho zelador. — O que você acha que aconteceria se eu acampasse no estacionamento até alguém da Diretoria chegar? Eles têm vagas marcadas, não é mesmo? O que aconteceria se eu fosse lá e me sentasse em cima de um BMW?

— Acho que eles chamariam a Segurança — diz Gretel.

— Ah, claro! E enquanto os guardas estivessem me arrastando dali, eles provavelmente me dariam um sermão sobre as vias apropriadas. Entrementes, ninguém nesta empresa tem a menor idéia *do que ela faz*!

O zelador fala:

— A missão da empresa está escrita bem ali naquela parede, filho.

— *Ssssss*! — diz Jones, o que é exatamente o som do ar passando entre seus dentes crispados. De repente ele percebe uma coisa: do outro lado do saguão, a porta da escada está entreaberta, presa pelo carrinho de materiais de limpeza do zelador. As portas que dão para a escada costumam ficar trancadas: Jones sabe disso por causa do blecaute de agosto. Seus olhos saltam da porta para o zelador. Ele começa a andar em direção a ela.

Chega a cobrir a maior parte da distância antes que alguém reaja. É Eve que parece a primeira a se dar conta do que ele pretende fazer.

— Aonde você vai? — Há algo estranho em seu tom de voz, algo que não é propriamente medo nem ameaça, mas que só acirra a determinação de Jones. Quando o zelador diz *"Ei!"*, Jones dispara a correr. Dá um chute para tirar do caminho o carrinho, que esbarra na parede e vira no chão, esparramando garrafas de plástico cheias de líquidos coloridos pela cerâmica do piso. Entrar no poço da escada é como entrar num congelador; ali faz bem uns dez graus a menos que no saguão, o lugar é cheio de ecos e tem cheiro de cimento. Ao passar, Jones puxa a porta, que faz aquele *clique* satisfatório dizendo-lhe que o zelador vai levar uns bons minutos buscando a chave para tornar a abri-la. Então ele começa a subir ligeiro de dois em dois os degraus de concreto. Engraçado! Ele não *sente* que está destruindo a própria carreira.

Freddy chega ao nível 3. É um andar tão alto no prédio que ele sente vertigem e seus joelhos chegam a tremer. Ou talvez não seja vertigem. Talvez seja a placa na frente dele:

RECURSOS HUMANOS

Tudo é diferente por aqui. A iluminação é indireta. As paredes são azul-escuras, não aquele creme onipresente. Não há pôsteres motivacionais, nenhuma logomarca laranja e preta, nenhum impresso preso nas paredes exibindo gráficos redondos. Tudo é suave, à meia-luz. À medida que vai caminhando pelo corredor, o barulho dos seus passos sendo completamente absorvidos pelo carpete, Freddy quase chega a acreditar que as paredes estão respirando.

Há uma mesa de recepção, mas não há ninguém nela. É preta, lisa e não está bagunçada. Não há telefone, nem bloco de notas, nem ursinhos de cerâmica à vista. Nenhuma campainha que você possa apertar e chamar alguém para atendê-lo. Freddy olha nervosamente para todo canto. Duas portas idênticas saem da recepção, uma à esquerda e outra à direita. Talvez seja um tipo de teste. Talvez uma leve ao Paraíso e a outra, ao Inferno. Ou, já que isto aqui é o departamento de Recursos Humanos, também ambas levem ao Inferno. Freddy morde o lábio. Acha melhor ficar onde está.

A porta à esquerda faz um clique e se abre.

— Olá? — Ele vai até a porta e espia do outro lado. Ela dá para um corredor comprido e vazio com meia dúzia de portas idênticas de cada lado.

Ele cerra os dentes, leva um pé à frente do outro e começa a percorrer o corredor. Fica meio à espera de que a porta se feche depois que ele passar — *clique* —, as luzes se apaguem e alguém (ou alguma coisa) comece a gargalhar na escuridão, mas, é claro, nada disso acontece. Ele está simplesmente andando por um corredor no departamento de Recursos Humanos. Ainda assim, precisa lutar contra a vontade incontrolável de sair correndo de volta para o hall dos elevadores.

Todas as portas estão fechadas. Nenhuma é identificada. De repente, uma à sua esquerda faz um clique, e Freddy pára. A porta se abre. Lá dentro há uma sala de reuniões escura. Mas não há mesa, somente uma cadeira de plástico no centro. Freddy entra, meio desconfiado.

— Você quer que eu me sente na cadeira? — Não há resposta, apenas o silêncio. Ele entra e se senta. E se dá conta de que está diante de um espelho enorme.

A voz vem do nada, a mesma do correio de voz.

— Seu nome — diz ela. — Diga o seu nome.

Passando pela porta da escada onde está marcado 15, Jones percebe uma certa fraqueza se apoderando de suas pernas. Quando chega à porta de número 10, elas estão tremendo a olhos vistos e sua camisa já está colada nas costas. Na 5, ele erra um degrau e decide aproveitar: meio se senta, meio cai num patamar de concreto e enche o pulmão de ar. Como se esperasse por isso, sua testa jorra suor, que Jones tenta, sem êxito algum, secar com as mangas. E se dá conta de que não vai causar uma boa impressão à Diretoria.

Lá de baixo vem um barulho que percorre todo o poço da escada. Jones se levanta. Ouve o barulho de novo (ou isso é um eco?), em seguida ele ouve vozes. Uma delas diz algo mais ou menos assim: "Para cima ou para baixo?", e a outra responde: "Só pode ser para cima." Jones imagina que deva ser a Segurança, perseguindo-o, e logo um deles grita: "*Sr. Jones, o senhor não pode andar pela escada. Precisamos levá-lo para os Recursos Humanos. O senhor está aí? Sr. Jones? É melhor resolvermos isso logo.*" Isso resolve a questão, e Jones se põe novamente de pé e retoma a subida.

Poucos minutos de esforço hercúleo mais tarde, ele está frente a frente com uma porta da escada marcada com o número 2. Os guardas da Segurança ainda estão atrás dele, mas pelo menos cinco andares abaixo. Jones estica a mão para empurrar a barra que abre a porta... e hesita. Olha para cima. Nível 2 é a Diretoria. Mas nível 1 é Daniel Klausman, o CEO. Jones pensa: *Por que aceitar o segundo melhor*? Já que veio até aqui...

Suas pernas apresentam uma objeção, mas Jones a ignora: sobe cambaleante mais um lance de degraus de concreto. E logo está diante de uma porta marcada com o número 1, sem ter mais para onde ir.

Parece-se com todas as demais portas da escada. Ele está um pouco decepcionado; meio que esperava portões dourados, nuvens macias e uma luz forte transbordante. Pois bem! Coloca as mãos na barra de metal e a empurra para baixo. *Cra-laque.* No poço da escada, aquilo ressoa como um tiro. Lá embaixo, os guardas da Segurança começam a gritar. Por causa dos ecos, é difícil distinguir as palavras, mas Jones tem a impressão de que as conseqüências que o esperam são sinistras. Já sabia disso. Só espera que não haja nenhum guarda da Segurança no nível 1. Caso ele tenha passado por tudo isso a troco de nada, ficará bastante decepcionado. Empurra a porta com o ombro para abri-la.

O vento quase o joga de cara no chão. Ele precisa se agarrar à porta para se equilibrar. É tão diferente do que ele esperava que por um segundo seu cérebro não consegue compreender; ele fica simplesmente ali parado, arfando, seus olhos se esforçando para entrar em foco. Seu primeiro pensamento idiota é: *O escritório dele é imenso*!

Jones está no telhado.

— Vocês sabem o meu nome — diz Freddy. — Foram vocês que me pediram para vir aqui.

— Diga o seu nome — repete a voz.

Ele engole em seco. Imagina que seja para ficar registrado. Qualquer que seja o registro. Ou talvez — ocorre-lhe outra idéia — seja para calibrar o equipamento. Ele já ouviu falar que, quando alguém passa por um teste de polígrafo, primeiro eles fazem perguntas simples para acertar os parâmetros. As perguntas de verdade são guardadas para depois.

— Freddy Carlson.

— Informe o seu número funcional.

— 4123488.

— Informe o seu departamento.

— Vendas de Treinamentos. Nível 14. — Ele pigarreia. — Toda essa informação está na minha requisição.

— Você tem uma incapacidade.

Freddy se mexe na cadeira. No espelho, seu reflexo também se mexe. Para ele, o reflexo tem um jeito culpado.

— Tenho.

— A sua incapacidade é a estupidez.

— Não posso evitar. Quero dizer, eu me esforcei na escola e tudo mais, só que não sou inteligente.

— Parece que há um erro na sua requisição.

— Provavelmente — diz Freddy. — Eu sou tão imbecil que deve haver um montão.

— A sua requisição diz que você é estúpido.

— Isso.

— Achamos que você quer dizer que o departamento de Recursos Humanos é estúpido.

— Ah, não. Não. Claro que não.

— Você conhece a política dos Recursos Humanos quanto à incapacidade.

— Devo... ter ouvido em algum lugar.

— Você sabe que o departamento de Recursos Humanos obedece plenamente às leis federais e estaduais.

— Ora, acredito que sim.

— Você sabe que os Recursos Humanos têm o orgulho de assegurar que a empresa Zephyr Holdings seja um empregador que oferece oportunidades iguais.

— Com certeza.

— Você sabe que nenhum funcionário da Zephyr Holdings jamais foi discriminado com base em alguma incapacidade.

— Não sabia, não, mas isso é ótimo.

— Você sabe que um funcionário que tenha uma incapacidade reconhecida limita a possibilidade que os Recursos Humanos têm de afastá-lo.

— Acho que sim — diz Freddy.

— Quanto é sete vezes três?

— Vin... — Freddy trava a boca. Mas que esperteza! A primeira pergunta dos Recursos Humanos! — Não sei direito. Não tenho uma calculadora.

— Qual é o antônimo de leste?

— Esquerda.

— Qual é a que sobe: estalactite ou estalagmite?

— Não faço idéia — diz Freddy, sinceramente.

— O trabalho em equipe é o sangue que corre nas veias da empresa, verdade ou mentira?

Freddy hesita. Parece uma pergunta capciosa. Ninguém, por mais deficiente mental que seja, deixaria de saber a posição da Zephyr quanto ao trabalho em equipe.

— Verdade.

Pausa. Quando volta a falar, a voz está mais profunda, até zangada.

— Você sabe que nenhum funcionário da Zephyr com alguma incapacidade foi discriminado por causa da incapacidade.

— Você acabou de dizer isso.

Silêncio.

— Sei — diz Freddy.

— Eles foram *transferidos.* — A voz acrescenta uma ênfase leve, porém claramente detectável. — Foram *desconsiderados.* Foram *rebaixados.* Foram para o *banco dos réus.* Mas não foram *discriminados.*

Ele engole em seco.

— Oh!

— Receberam promoções que implicam maiores responsabilidades, mas nenhum aumento salarial. Foram integrados a equipes com personalidades incompatíveis. Foram designados a participar de projetos com metas mutuamente excludentes. Foram encarregados da supervisão financeira do Clube Social. Foram incumbidos de limpar o banco de dados dos clientes. Foram encarregados de treinar os recém-formados.

— Tudo bem. Olhe só...

— Não conseguiram reconhecimento por suas conquistas. Espalharam-se boatos sobre eles e colegas não atraentes. Os monitores deles começaram a piscar. O ajuste das molas das cadeiras deles quebrou. As canetas deles começaram a sumir. Eles passaram a ter vários gerentes. Eles...

— Chega! — diz Freddy. — Entendi, tudo bem?

Faz-se uma pausa. Uma pausa para saborear o momento.

— Quanto é sete vezes três? — diz a voz.

Holly volta do almoço (uma salada que ela comeu sozinha no balcão da delicatessen local) e encontra Berlim Oriental deserta. Jones não se encontra em lugar algum e Freddy desapareceu também — *FUI PARA O RH*, diz o recado pregado no monitor dele, mas ela supõe tratar-se de uma piada. Solta um suspiro. Sente-se agitada.

Levanta-se e vai para o bebedouro. Está no finzinho de um plano aeróbico de oito semanas; é importante manter-se hidratada. Ela puxa o copinho de plástico, enche-o, joga a cabeça para trás e vai dando goles até acabar. Quando baixa o copo, tem a felicidade de encontrar Roger passando por ali, olhando para os seus peitos. Os olhos dele saltam para o rosto dela. Ele dá uma piscadela.

— Holly.

— Roger.

Ele prossegue no seu caminho. Holly larga o copo de plástico. Eis aí uma coisa com a qual ela não consegue se acostumar: a total falta de vergonha dos homens de negócios. Holly não quer ser uma chata sobre o assunto, mas não consegue compreender como é que idiotas barrigudos e fora de forma, totalmente caidões e que se acham muito mais do que são podem ter alguma esperança com relação a ela. Só que é aí que mora o perigo: dentro da empresa eles *são* importantes, ou pelo menos mais importantes que ela. Assim sendo, um gerente nojentão mas cheio de lábia lá do departamento de Processamento de Pedidos tem o direito de paquerá-la. Não a ponto de lhe passar uma cantada abertamente — isso seria um desrespeito às normas da empresa que regem relacionamentos entre os funcionários (versão resumida: não pode) —, mas isso só piora as coisas. Ela tem de fingir que é tudo na base da amizade, que são brincadeiras inofensivas, quando, se o ambiente permitisse uma resposta mais sincera, seria capaz de mandá-los para os quintos dos infernos.

Se estivesse num patamar mais elevado na escala corporativa, esse tipo de coisa não aconteceria: ela seria importante demais para que os homens ousassem paquerá-la. E se os homens fossem mais bonitos (ou, no caso do Roger, se ele não fosse um babaca absoluto), talvez ela até não se importasse. Mas todos eles acham que a melhor maneira de lidar com a pança não é gastando trinta minutos por dia na esteira, mas esticando uma fina camisa social por cima dela. (Às vezes fica uma abertura na camisa, e a barriga que ali surge empurra a gravata, que, em alguns casos, fica quase na horizontal.) Se eles optam por não sentir orgulho da própria aparência, por que se acham no direito de desfrutar a dela? Há muitas coisas que Holly não entende na Zephyr Holdings, mas as regras do jogo da paquera na empresa a deixam mais enojada que qualquer outra coisa. Não consegue aceitá-las. E agora as pessoas ficam dizendo que ela é antipática.

Holly volta para sua mesa e tira algumas folhas da sua caixa de entrada. Parece que Elizabeth passou por aqui. Quer que Holly compile um resumo do resumo que ela escreveu para Sydney algumas horas atrás. Holly sente uma enxaqueca chegando. Pensa no que aconteceria se ela simplesmente fosse embora e passasse o resto do dia na academia.

Freddy chega e desaba na cadeira. Ela olha para ele, esperando uma explicação, mas ele só fica olhando para o teclado.

— O que foi que houve?

— Você não viu o meu recado? — Ele tira o Post-it do monitor e começa a cortá-lo lentamente em tirinhas.

— Vi, mas fala sério.

Freddy não diz nada.

— Você foi mesmo ao RH? — Ela se apruma na cadeira. — Como foi? O que eles fazem? Eles têm cubículos lá também?

— Não quero falar sobre isso.

— Oh, tudo bem. Assim seja.

Freddy continua calado.

— Ah, ande, me conte *alguma coisa.*

Ele balança a cabeça.

— Então, está *bem* — diz ela, virando-se para o computador.

Jones experimenta dar alguns passos pelo telhado, deixando a porta encostar de leve no batente, de forma a não fechar e deixá-lo trancado lá fora. Está em cima de uma laje de concreto cinza suja de excremento de um milhão de pombos, muitos dos quais o observam do topo de algumas antenas e dutos de ventilação. A parte de cima de uma meia dúzia de arranha-céus que são particularmente altos ou estão localizados mais no alto da ladeira ou ambos se descortina de um dos lados, sendo cada janela uma minúscula abertura em vidro fumê para todo um mundo corporativo. Ele vai até a mureta na beira do telhado e olha para baixo, avistando o trânsito da hora do almoço se aglomerando na Primeira Avenida. A esta altitude, o silêncio é surpreendente. Jones fica só olhando enquanto o vento bate no seu cabelo e congela o suor nas suas costas.

Passa-se um minuto até que seu cérebro recomece a funcionar e lhe indique que, se for rápido, talvez consiga voltar para o nível 2 antes que a Segurança chegue. Pode retornar ao plano original, modificando-o apenas um pouco para poder perguntar à Diretoria por que diabos o escritório de Daniel Klausman fica no telhado. Volta correndo até a porta. Ali chegando, percebe que existe um elevador de serviço bem ao lado. Ouve também barulhos temerariamente altos vindo do poço da escada e puxa a porta, mas encontra dois homens suados de rosto vermelho vestindo uniformes azuis da Segurança.

— Você — diz um deles. Jones tem a sensação de que aquilo foi o começo de uma frase de duas palavras, mas não espera pelo desfecho. Bate a porta e passa o trinco. Apressa-se a tocar o botão do elevador (que é vermelho e feito de borracha) e fica esperando. — Sr. Jones — diz um dos guardas do outro lado da porta —, se o senhor não deixar o Sr. Klausman em paz imediatamente, haverá sérias repercussões.

O elevador chega. Jones entra correndo. Aperta o 2 — DIRETORIA — e, para seu grande alívio, as portas se fecham.

Ela respira fundo. Verifica os punhos da camisa e ajeita a gravata. Ergue o queixo. Ele pode estar infringindo uma série de normas da Segurança e dos Recursos Humanos, mas a empresa está engabelando seriamente os seus funcionários, de modo que Jones acha que estão quites. Espera o *ding* para que depois as portas se abram.

Mas o elevador não pára. Ele olha para cima. O mostrador diz 4, e enquanto ele está olhando muda para 5. Alarmado, ele procura o 2 novamente e percebe que não está aceso. Ele o aperta: o número se acende, mas logo se apaga. Ele tenta o 5, e o 6, depois percorre toda a coluna de botões de cima a baixo. Todos se iluminam apenas por um segundo. Ele coloca a mão nas paredes para se firmar. Por acaso o elevador estaria acelerando? Num átimo, ele se dá conta de que deve ser assim que a Zephyr se desfaz dos funcionários que não lhe servem mais: o elevador desaba com eles em queda livre até o porão.

Ele sente o elevador começar a diminuir a velocidade. Então, talvez não seja assim. O mostrador agora exibe o 11. O número desaparece e em seu lugar surge o 12. Parece que vai parar no 14: Vendas de Treinamentos. Ele arfa de desgosto. A Segurança provavelmente o espera ali, com todos os seus pertences numa caixa de papelão.

O número 12 some e o elevador pára completamente. Ocorre uma pausa curiosamente demorada. Em seguida acontecem duas coisas de uma vez só: o elevador faz *ding* e o mostrador agora exibe o 13.

Jones olha para o painel de botões, só para o caso de ele ter perdido o juízo nos últimos tempos. Mas, não. Conforme pensara, não existe botão para o 13.

As portas se abrem.

A primeira coisa que ele percebe é a iluminação. Não é fluorescente nem fere as retinas, ah não; aqui ela é branda, indireta, uma luz que vem de recantos invisíveis no teto. Segunda: o carpete não é o laranja violento de sempre, mas sim um azul suave, tranqüilizador. Terceira: o elevador dá para um corredor — até aí, não há surpresa —, mas este corredor é feito de vidro, atrás do qual Jones avista escritórios com paredes de vidro por todo canto, *escritórios com paredes*. São estas as coisas que realmente captam sua atenção. Só depois de se recuperar do choque destas coisas é que ele percebe outras menos significantes, como o grupo de pessoas paradas diante dele. À frente e no meio delas está o zelador. Ao lado dele, Eve Jantiss.

— Stephen Jones — diz o zelador —, eu sou Daniel Klausman. Seja bem-vindo ao Projeto Alfa.

— O procedimento padrão, claro, é colocá-lo imediatamente para fora do prédio. — Klausman ainda está usando seu macacão cinza, mas é o tom prateado do grisalho de seu cabelo que deixa Jones intrigado. É o que basta para convencê-lo de que este homem é realmente o CEO da Zephyr Holdings: ele tem cabelo de grande executivo. Klausman coloca a mão no braço de Jones e o conduz pelo corredor. — Espalharíamos o boato de que você foi pego roubando um computador e isso seria o seu fim. Não seria a primeira vez.

Jones lança um olhar para Eve, que lhe abre um sorriso brilhante. A visão de todos aqueles dentes reluzentes deixa-o ainda mais nervoso.

Klausman para de andar e, obedientemente, todos também param.

— Mas há alguma coisa em você, Jones. Alguma coisa especial. Percebemos logo de início, não foi? — Ele olha para Eve. Ela concorda, depois, quando Klausman se volta para o outro lado, dá uma piscada. — Mas essa coisa do telhado foi o toque final. Ninguém tinha chegado tão longe antes. Sujeitinho curioso, você! Hein? Gostamos disso, Jones. Gostamos muito disso. Teria sido interessante estudá-lo. Mas já que isso não é mais possível... vamos lhe fazer uma oferta.

— O senhor se faz passar por zelador — diz Jones. E percebe que não é lá uma grande revelação, mas ele precisa estabelecer alguns fatos com os quais todos concordem.

— Alguns executivos fazem muita fanfarra dizendo que de vez em quando trabalham na linha de frente. Você vê aqueles gerentes do McDonald's? Eles fritam hambúrgueres um dia por ano, fazendo intervalos a cada cinco minutos para ligar para o escritório, e acham que com isso estão ganhando experiência na linha de frente. Eu, Stephen Jones, vivo na linha de frente. Ninguém está mais perto dos seus funcionários que eu. — Ele sorri, como se esperasse que Jones dissesse alguma coisa em reconhecimento.

— E Eve não é exatamente uma recepcionista.

— Ela é tão recepcionista quanto eu sou zelador. — Forma-se um sorriso no canto da boca de Klausman.

— Ela *é* uma recepcionista, mas também é alguma outra coisa.

— Continue.

Jones olha à sua volta. No interior dos escritórios com paredes de vidro, ele vê bancadas de monitores, mostrando imagens de toda a empresa.

— Vocês estão observando. Tudo que acontece na empresa!

— Quase lá. Será que você vai acertar?

Ele toma fôlego. Então diz:

— A área de atuação da Zephyr Holdings... — e vacila. Se estiver errado, todos ali presentes vão morrer de rir. Eve faz que sim com a cabeça para encorajá-lo. Ele resolve: *Que se dane!* — A Zephyr é uma bancada de testes. Um laboratório, para experimentar técnicas de administração e observação de resultados. A Zephyr é uma experiência.

Ninguém ri. Klausman olha à sua volta.

— O que foi que eu disse? Hein?

— Acertou novamente — diz um dos sujeitos de terno.

Klausman abre as mãos espalmadas.

— Eu sou o Alfa e o Ômega.

Agora eles riem. Por fim, Jones também ri.

— O sistema ômega de gestão. — Ele se sente desconfortável. — Você o criou. É aqui que você testa as técnicas.

No departamento de Vendas de Treinamentos, algo terrível está acontecendo com Elizabeth: ela está achando Roger atraente. Deve ser uma piada, que seu corpo traiçoeiro cheio de hormônios da gravidez está aprontado. Mas Elizabeth não está rindo. *Roger?* Qualquer um que queira casá-la com Roger não faz idéia de como ela seja. Elizabeth está chocada com a opinião que seu corpo tem dela.

Ainda não resolveu o que vai fazer quanto à situação em que se encontra. A princípio parecia óbvio. Sua vida profissional não comporta um bebê. Mas aquela reação inicial já esmoreceu. Uma parte oculta, furtiva do seu cérebro, a parte que vetou a camisinha, está cada vez mais influente. Está penetrando na medula. Elizabeth está perdendo terreno para ela. É um processo chocante — ou seria, se não fosse tão anestesiante. Ela só vislumbra o seu poderio total em momentos como este, quando se dá conta de que está olhando para Roger lá do outro lado da passagem, boquiaberta.

Roger percebe seu olhar. Surpreso, ele pisca. Elizabeth fecha a boca rapidamente e gira a cadeira para a frente da sua mesa. Cerra os punhos. *Não, por favor, meu Deus. Isso, não!*

— Não sei por que é uma surpresa tão grande para todo mundo — diz Klausman. A mesa dele é a maior que Jones já viu na vida. Duas das paredes do escritório do homem são de vidro e passam duas nuvens flutuando baixinho pelo lado de fora. Jones tem a impressão de que o prédio está se inclinando; e se dá conta de que ele mesmo está se inclinando para a esquerda, procurando se equilibrar. — Estou simplesmente aplicando métodos científicos de investigação a um ambiente de negócios. Não esperamos que cientistas venham trabalhar com seres humanos. Eles usam laboratórios. Conduzem experimentos em condições controladas. O conceito é exatamente o mesmo.

— Mas você está praticando com seres humanos vivos — diz Jones.

— Não, não, não. A Zephyr Holdings é uma empresa totalmente artificial. Não tem clientes de verdade. Ah, espere, entendi: você está dizendo que os funcionários da empresa são gente viva. Sim, isso é verdade. Mas não os estamos machucando. Damos-lhes empregos... empregos essencialmente despropositados, sim, mas eles não sabem disso. E se você for olhar bem a fundo, a maioria dos empregos o são. Escolha um cargo qualquer numa empresa e o elimine; o pessoal restante vai dar um jeito de cobrir. É verdade. Provamos isso na Logística.

— Ainda assim... não haveria algum tipo de ética...

— A bem da verdade, os funcionários da Zephyr estão em melhores condições *porque* não precisam lidar com clientes.

— Qual é o problema com os clientes?

Klausman ri. Os homens de terno atrás de Jones soltam risadinhas.

— Perdoem o rapaz. Ele é jovem. — Ele se inclina mais para perto. — Os clientes são uma praga, Jones. Infectam as empresas com doenças. — E diz isso com toda a solenidade. — Uma empresa é um sistema. É construída para executar um pequeno conjunto de ações repetidamente, com a máxima eficiência possível. O inimigo dos sistemas é a variação, e os clientes produzem variação. Querem produtos especiais. Têm circunstâncias especiais. Querem fazer pedidos junto ao apoio pós-vendas e direcionam suas reclamações para as vendas. A conquista de que mais me orgulho, e estou sendo absolutamente sincero com você, Jones, não é o sistema ômega de gestão e a fonte de receita que ele constitui, que, a propósito, é extremamente lucrativo, mas a Zephyr. Uma empresa sem clientes. Veja só, Jones. *Uma empresa sem clientes.* No início, sabe, Jones, tentamos até simular clientes. Foi um desastre. Arrasou com o projeto. Quando tornamos a começar, cortei todos os departamentos que tinham clientes. Foi como atirar numa matilha de cães raivosos. Agora, não estou alegando que a Zephyr Holdings seja perfeita. Mas estamos chegando lá, Jones. Estamos chegando lá.

— É muita coisa de uma vez só — diz Jones.

— Eu gostaria de lhe dar alguns dias para ponderar. Mas não posso. Ou você está conosco, ou contra nós. Sinto muito.

— Você está me oferecendo um emprego? De quê?

Klausman estende as mãos com as palmas voltadas para cima e diz:

— Eu só visualizo as coisas. Eve, leve o Sr. Jones para algum lugar e passe-lhe todos os detalhes, por favor.

Eve dá uma piscadela para Klausman enquanto sai, e Klausman diz:

— Seja gentil com ele — e os dois riem, o que deixa Jones algo preocupado. Eve passa o braço pelo de Jones e o encaminha para um corredor.

— Quer pegar um pouco de sol? Umas poucas horas de vez em quando neste lugar é o máximo que eu agüento.

Jones diz alguma coisa em resposta, mas não consegue se lembrar do que, pois o seio esquerdo de Eve está roçando no seu bíceps. Quando ela estica o braço para tocar no botão do elevador, seus cabelos cor de mel roçam no rosto dele e seu aroma invade-lhe as narinas, vai direto até o cérebro e começa a mexer com os seus controles.

— Às vezes a gente espera aqui uns bons cinco minutos — diz Eve, olhando para o mostrador. — Só pára se estiver vazio. Na hora do almoço... ah, chegou; vamos. — Ela entra primeiro. Jones a segue. Nas paredes espelhadas do elevador, ele se vê ao lado de Eve, ela ao lado dele, e assim por diante até o infinito. — Devo dizer que fiquei profundamente impressionada com a velocidade com que você nos descobriu. Quase todas as pessoas que trabalham na Zephyr são burras como gado. Estou falando sério. É espantoso. Às vezes chego em casa à noite e me olho no espelho até me lembrar que não sou igual a elas. — Ela abre um sorriso.

— O que você faz? Qual é o seu cargo?

— Bem, o que você acha? Como controlamos a Zephyr Holdings?

Jones pensa. Então avista o painel dos botões e a resposta torna-se óbvia.

— Recursos Humanos. Não são um departamento de verdade. Fazem parte do Alfa.

Agora ela abre um sorriso afetado.

— Na verdade, não. Recursos Humanos é exatamente o que é. Nós lhes demos bastante liberdade para que evoluíssem por conta própria, e foi isso que aconteceu. Você tem de ler os relatórios; são fascinantes. O pessoal do RH passou mesmo a odiar as pessoas. Não, o Projeto Alfa funciona colocando agentes por toda a empresa. Nós somos só 12. A maior parte do tempo o que fazemos é apenas observar. Mas quando queremos estudar alguma coisa em particular, mexemos alguns pauzinhos por trás dos panos para fazer acontecer.

— E ninguém na Zephyr sabe?

— Correto. — Os dentes dela brilham. — Agora, se vir alguém que você conhece, aja com naturalidade.

— O quê?

As portas do elevador se abrem.

Eve começa a cruzar o saguão, seus saltos fazendo barulho no chão. Jones se apressa em acompanhá-la. Sente-se extremamente constrangido. Gretel lhe dá um sorrisinho e lhe faz um aceno, e Jones está abalado demais para corresponder direito. Será que Gretel sabe? Seu olhar capta as câmeras de segurança no canto do teto e de repente ele compreende como elas são invasivas. Há câmeras em todos os cômodos do prédio. Até agora, ele não tinha prestado atenção nelas.

As portas do saguão se afastam. Eve enfia a mão na bolsa e o belíssimo Audi conversível faz *puh-puh* e Eve joga a chave para Jones. Ele a pega no ar, assustado.

— Você sabe dirigir carro com câmbio manual, não sabe?

— Fala sério.

— Estou falando. — Ela abre a porta do carona, joga as compridas pernas para dentro do carro e tamborila com as mãos sobre o painel. — Ande logo, seu boboca.

Jones pára um instante. E pensa: *Será que eu realmente vou dirigir esse carro?* E pensa mais um pouco: *É, vou sim.*

Ele abre a porta do motorista e toma o assento. O barulho do seu corpo escorregando no couro afaga-lhe os ouvidos. Ele coloca as mãos no volante e respira fundo algumas vezes.

— Você é uma dessas pessoas que adoram carros? — pergunta Eve.

— Eu achava que não — responde Jones.

Ela ri.

— Vamos embora.

— Não estou falando ainda — diz Eve — porque você parece preocupado com o carro.

Jones passa a quarta e o carro dá um salto para a frente. O que o deixa mais impressionado é o quanto o Audi confia nele. Seu velho Toyota, atualmente estacionado no subsolo 2 do estacionamento da Zephyr, não apenas não responde aos controles como sequer os entende como um conselho a ser levado em consideração . Este carro lê cada triscada como se fosse o evangelho. Jones está tendo dificuldade para manter uma velocidade constante porque o carro escuta as batidas do coração dele através dos sapatos que ele usa para trabalhar.

— Interessante, não é? — diz Eve. — Como é preciso disciplina para operar uma máquina de alto desempenho! Você vira mais máquina. — Ela se estica ao sol. Jones quer olhar para ela, mas não confia em si mesmo o suficiente para tirar os olhos do caminho que vai percorrendo com o Audi. — Caramba, que dia lindo! Outro dia me disseram que o único lugar habitável dos Estados Unidos é a Califórnia. Mas eu não consigo compreender como alguém pode passar a vida só usando roupa de verão. — Ela desliza algo no cabelo, prendendo um rabo-de-cavalo que balança ao vento. — Pois bem, vamos falar de negócios. Você parece ser um sujeito esperto, de forma que vou poupá-lo do discurso de vendas, certo?

— Obrigado.

— Se você não entrar para o Projeto Alfa, sua carreira está acabada.

Jones dá uma pequena guinada. Um Ford branco dá uma buzinada para ele.

— Posso ficar com o discurso de vendas?

Ela ri.

— Se você entrar para o Alfa, já começa com um salário de 125 mil dólares por ano, fica na ponta de lança das práticas de gestão de negócios globais e tem uma experiência que dinheiro nenhum pode comprar. Em vez de passar os seus dias com o pessoal que faz a ponta no lápis e vive de olho no relógio, você vai brincar com os meninos grandes. Vai se divertir.

Jones arrisca uma olhadela.

— O que você quer dizer com "minha carreira está acabada"?

— O que acontece se as pessoas descobrem que a Zephyr não é de verdade?

— Acho... que o experimento acaba. Vocês teriam de fechar a empresa.

— Então, não podemos aceitar que você saia por aí contando isso para todo mundo. Tomaríamos todas as providências para evitar isso.

— Que tipo de...

— Stephen Jones era um funcionário competente e produtivo, exceto quando usava a internet para baixar zoofilia.

— Nossa Senhora!

Ela ri.

— Estou brincando. Mais ou menos. Mas você pegou a idéia. Você não iria querer nos colocar no seu CV. Pode inventar uma história qualquer para explicar a lacuna no seu histórico profissional, mas, ainda assim, é o tipo de coisa que deixa qualquer empregador desconfiado. Se tivesse de escolher entre você e alguém que misteriosamente não se encaixou nos maiores programas de aproveitamento de recém-formados que há por aí, já sei quem eu contrataria.

— E se eu simplesmente prometer que não vou contar para ninguém sobre o Projeto Alfa?

— Nós preferimos ficar do lado da segurança — diz Eve. — O que está em jogo é muito grande.

Jones não diz nada.

— Mas não se concentre no que é negativo. O importante é a oportunidade. Portanto, diga sim.

— Para o quê? Não sei o que vocês querem que eu faça.

— O mesmo que os demais. Torne-se um agente. Você fica com o seu emprego oficial, mas também toca projetos para o Alfa. Se o Klausman gostar das suas idéias, você ganha um projeto só para você. Talvez até entre na próxima edição do *Sistema ômega de gestão*. É muito gratificante. De vez em quando vamos a outras empresas apresentar o que descobrimos, moldar uma solução sob medida para as circunstâncias especiais deles. Isso é o que há de melhor. Você vai de avião para todos os cantos do país, fica em hotéis cinco estrelas, coloca tudo na conta do cliente... Estou lhe dizendo, Jones, é muito melhor que ficar preenchendo formulário de despesas dos outros.

— Mas ninguém na Zephyr saberia o que eu estou fazendo?

— Não. — Eve solta uma risadinha presa. — Não, Jones.

Ele pára num sinal vermelho e olha para ela ao seu lado. Ela está com um braço para fora do carro, olhando para ele através de óculos de sol bastante escuros, sorrindo. Apesar disso, Jones diz:

— Não sei se me sentiria à vontade de espionar os meus colegas de trabalho.

— Uhrrr! — diz Eve, como se já tivesse ouvido isso um milhão de vezes antes. — Tudo bem. Escute. Toda empresa espiona os seus funcionários. Têm câmeras de segurança. Monitoram e-mails. Os funcionários sabem que estão sendo observados. Nós só somos mais organizados neste aspecto que a maioria das empresas por aí.

— Há uma diferença entre uma câmera de segurança e se sentar ao lado de alguém fingindo ser seu colega de trabalho. — Ela não diz nada, de forma que ele acrescenta: — Você não acha?

— Sinceramente? Não. Se você vê um colega dando um trambique na empresa e conta para o seu gerente, isso é errado? É isso que estamos fazendo: estamos procurando situações improdutivas e tentando corrigi-las.

— Mas...

— Quer o discurso da ética? Porque nós temos um. Está em vídeo, toda uma oratória sobre melhoria da eficiência dos negócios, criação de empregos e construção de um país mais forte. Quando termina, você está pensando que qualquer pessoa que não goste do que estamos fazendo é comunista. Nós distribuímos esses vídeos para os nossos investidores mais religiosos. Você não é religioso, é?

— Bem, na verdade...

— É meio que uma piada. Sempre que alguém pede a fita de ética, sabemos que já resolveu investir. Só quer sentir um pouco de firmeza para ficar mais à vontade também. É isso que você aprende sobre valores, Jones: eles são o que as pessoas inventam para justificar o que fizeram. Você estudou ética dos negócios na faculdade?

— Estudei.

— Eles ensinam que o comportamento das pessoas é guiado pelos valores delas, não é isso? Uma babaquice e tanto! Quando você observa pessoas do jeito que nós fazemos, percebe que é justamente o inverso. Quer saber de uma coisa, eu acredito no Alfa, no que o Projeto faz. Acredito, mesmo. Mas será que eu me preocupo se cada coisinha que nós fazemos é ética? Não, porque não dá para racionalizar tudo como sendo ético. Você fala com um criminoso... um sonegador de impostos, um assassino contumaz, um pedófilo... e cada um deles vai justificar suas ações. Vão explicar, com a máxima seriedade, por que tiveram de fazer o que fizeram. Por que ainda são gente boa. É isso: quando falam da importância da ética, as pessoas nunca incluem a si mesmas. No dia em que alguém, em qualquer lugar que seja, admitir que não tem ética, aí eu começo a levar essa coisa a sério.

Alguém buzina. Jones se dá conta de que o sinal está verde. Faz o carro dar um salto para a frente, quase o deixa morrer e, por fim, o controla.

— Sabe de uma coisa? Estou surpresa — diz ela. — Não entendo por que você não está agarrando esse negócio logo de uma vez.

Tem medo de desafios? Acho que isso explicaria por que você pegou um emprego na Zephyr, uma empresa da qual você nunca tinha ouvido falar.

— Não, eu peguei o emprego porque... — Jones ia falando, mas essa frase ele prefere não terminar. — Não tenho medo de desafios.

— Então, diga logo que sim. Ora, essa! O que mais você pode fazer com a sua carreira? Quer mesmo passar os próximos dez anos da sua vida profissional tentando chegar a uma posição de gerência média? Noventa e cinco por cento de todos os empregos são uma porcaria, Jones. É por isso que as pessoas recebem dinheiro para fazerem o que fazem. Nós estamos lhe oferecendo um dos 5%. É um trabalho interessantíssimo. E paga bem à beça. Qualquer um do departamento de Vendas de Treinamentos seria capaz de lhe cortar a garganta para tirá-lo de você. O que mais você precisa pensar?

A frase "dez anos" o derruba. O pior é que é plausível. Jones consegue se imaginar rastejando durante toda uma década pelos meandros da política corporativa e da chatice do cotidiano, perdendo lenta e gradativamente o seu entusiasmo até ser experiente e mercenário o suficiente para estar apto ao tipo de cargo que Eve lhe está oferecendo agora.

— Ei, você é bacana! — diz ela. — É como se estivesse divulgando os seus pensamentos através do seu rosto.

Jones fica todo atrapalhado. Pára o Audi no acostamento. Chega a se sentir mal por ter de desligar o motor. Depois de um minuto, ele diz:

— Tudo bem, aceito.

Eve abre um sorriso.

— Que bom! Fico satisfeita. — Ela coloca a mão na coxa dele e dá-lhe um aperto. — Agora é melhor a gente voltar. Preciso cancelar a história da pornografia pelo computador.

Às 4 horas da tarde o departamento de Crédito implode. Até agora, o trabalho do Crédito era assegurar que o cliente tivesse tanto os meios quanto a vontade de pagar antes de qualquer departamento da Zephyr aceitar um pedido. Os clientes são todos outros departamentos da Zephyr, claro, mas alguns administram melhor suas finanças que outros. Já houve casos em que departamentos — não é preciso citar nomes — fizeram um pedido e depois ficaram tentando adiar o pagamento. São inimigos mortais do Crédito. E para derrotá-los, o departamento brande uma arma terrível: a detenção do Crédito.

Se empregada corretamente, ela deixa o inimigo aleijado, incapaz de executar a tarefa crucial para a sobrevivência, que é comprar coisas. O veneno flui por suas veias fiscais. A única maneira de um departamento curar a detenção do Crédito é convencê-lo de que suas finanças estão em ótima forma — o que é difícil fazer enquanto suas operações estão paralisadas. Todo departamento que foi um dia infectado pela detenção do Crédito acabou perecendo. E isso, conforme destaca o próprio Crédito, prova quão precavido foi o emprego da arma no momento certo.

Já se apostou muito dinheiro por toda a empresa para ver o que vai acontecer primeiro: se o Crédito vai estrangular o Recursos Humanos ou se o Recursos Humanos vai demitir o Crédito. Essa batalha entre os dois superdepartamentos já se anuncia há muito e até já foram disparadas algumas flechas de alerta por ambos os lados. No mês passado, o Crédito emitiu um alerta acerca de umas despesas infladas do Recursos Humanos; em resposta, o Recursos Humanos desbastou o Crédito, baixando de 28 para 26 seu número de funcionários. Aumentaram as tensões. Formaram-se alianças nas salas de reunião a meia-luz. Começou a circular um boato: a Diretoria estava pensando em rebaixar a retenção do Crédito do escalão de uma norma da empresa para uma simples recomendação. Se fosse verdade, a guerra seria inevitável, porque o Crédito não teria outra escolha que não atacar o Recursos Humanos enquanto pudesse. Muitas férias foram adiantadas nos dois departamentos, às pressas.

Mas tudo isso hoje é discutível, graças a duzentas folhas de papel timbrado desaparecidas. Na manhã de segunda-feira, sumiram essas folhas, que tinham acabado de chegar dos Suprimentos. Poderiam ser substituídas por menos de três dólares, mas o gerente do Crédito declarou que o roubo não só era criminoso, como também um ataque ao mais sagrado dos princípios: o trabalho em equipe. Ele espalhou pelo departamento uma solicitação de devolução dos papéis surrupiados. Começaram os inquéritos. O pessoal foi chamado para discutir o assunto, um a um. Os registros de trabalho foram examinados. Gavetas foram abertas por todo canto e seu conteúdo foi meticulosamente vasculhado. À medida que a investigação ia esquentando, as acusações ficavam mais desmedidas. Já desgastado pelas tensões com o Recursos Humanos, o moral dos funcionários baixou para níveis ainda mais amargos.

Hoje de manhã, os funcionários do Crédito chegaram às suas mesas e encontraram uma circular da gerência, reprovando três pessoas por práticas espúrias no trabalho que foram descobertas como subproduto das recentes investigações. O documento destaca a importância de concluir dois projetos importantíssimos. E finalmente, assim meio que do nada, diz que o gerente encontrou os papéis desaparecidos, que haviam sido guardados por engano em sua mesa, o que dava o assunto por encerrado.

Funcionários do Crédito enfurecidos invadem o escritório do gerente. Por sorte, ele chega à porta a tempo, tranca-a e busca refúgio atrás de sua mesa. Enquanto os funcionários, aos berros, esmurram a porta de vidro, ele, ao telefone, disca para o Recursos Humanos. Quer dispensar todo o departamento, diz: todos eles, um por um! Recursos Humanos o atende com prazer. Em dois minutos apenas, 12 guardas uniformizados da Segurança saem dos elevadores.

Quando o último funcionário é arrastado para longe dali e a Segurança começa a fazer a limpeza, o Recursos Humanos já distribuiu para toda a empresa um correio de voz anunciando que, como medida de contenção de custos, o Crédito resolveu afastar os seus funcionários, com exceção de um. E já que um grupo com menos de dez integrantes não se classifica como departamento, a entidade Crédito não existe mais. Por conseguinte, as detenções de Crédito passarão a ser comandadas pelo Recursos Humanos.

— Onde você foi? — diz Freddy. — Veio alguém aí dar uma olhada no seu computador. Achamos que você tinha sido demitido.

— Alguém veio ver o meu computador?

— É, um sujeito da Segurança. Mas acabou que ele só estava instalando drivers novos.

— Como é que você sabe? — pergunta Jones.

— Foi o que ele disse.

— Ele instalou alguma coisa nos computadores de vocês? Holly?

— Quer saber, o Freddy está certo — diz Holly, dirigindo-se para o bebedouro. — Você *está* ficando paranóico.

— Você não acha estranho que... — ele mesmo se interrompe. — Desculpe. Tudo bem. Você está certo.

Freddy espera até Holly ter se afastado.

— Por falar em estranho, ouvi dizer que você saiu para passear com Eve Jantiss! — Ele sorri. Parece de dor.

— Ahn, foi.

— Uau! — Freddy balança a cabeça. — Não faço idéia de como você conseguiu uma coisa dessas!

Jones se dá conta de que esse é o ponto mais próximo a que Freddy consegue chegar de perguntar o que ele anda aprontando.

— Ah, é que eu, sabe, a gente começou a conversar sobre aquelas flores, e ela achou que talvez eu as tivesse enviado, e eu disse que não...

— Ela achou que *você* as tinha enviado? Mas eu comecei a enviar flores para ela antes mesmo de você ser contratado.

Jones começa a suar.

— Ah, é? Que estranho!

— Como ela poderia pensar que tinham sido mandadas por você?

— Sei lá... enfim, falei que não tinha mandado nada, mas que talvez soubesse quem tinha sido. E ela ficou toda "Você *tem* de me contar". É claro que eu não contei — insere Jones rapidamente, pois Freddy está prestes a ter um ataque apoplético: — Mas ela queria descobrir e me ofereceu uma carona no carro dela... e foi assim que aconteceu. — Freddy não diz nada, de forma que Jones acrescenta: — Ela está realmente intrigada com essa coisa toda de flores, de forma que eu acho mesmo que você deve contar para ela.

Freddy fica com o olhar parado.

— Talvez eu devesse falar com ela.

— Exatamente. Exatamente. Tente conhecê-la um pouco, daí quando você lhe contar das flores, ela já vai saber que você é um sujeito legal.

Freddy concorda com um movimento lento da cabeça.

— Obrigado. Obrigado, Jones. Sabe, a princípio... achei até que você estava se adiantando. — Ele ri.

— Não, não. Sem essa.

Freddy sorri, genuinamente desta vez.

— Você é um bom sujeito, Jones.

— Sem essa — diz Jones. — Sem essa.

Às 7h15 da manhã, as luzes do prédio da Zephyr brilham no meio da neblina qual as janelinhas de um navio afundando. Nesgas de luz do amanhecer cortam os céus noturnos, mas isso não faz diferença alguma para a Zephyr Holdings: lá dentro, graças às fluorescentes eternamente vigilantes, são sempre 9 horas da manhã. Desligar as luzes, afinal, significaria que em algum momento os funcionários devem sair do prédio. Então, na Zephyr, tendo gente em casa ou não, as luzes estão sempre acesas.

Jones cruza o estacionamento, esmigalhando o cascalho com a sola dos sapatos. Está surpreendentemente alerta para esta hora do dia, considerando que ainda não tomou café — mas está a caminho de sua primeira reunião secreta do Projeto Alfa. Entra no saguão e vai rangendo os sapatos até o hall dos elevadores. Os quatro estão abertos, à sua espera.

Jones entra num deles e coloca a pasta no chão. Eve deu-lhe instruções específicas para chegar ao nível 13, que são: (1) escolha um elevador vazio; (2) passe seu crachá (atualizado); (3) aperte os botões 12 e 14 simultaneamente; e (4) aperte ABRIR PORTA quando o elevador estiver quase nivelado com o 13. Na teoria, não parece muito complicado, mas Jones já espera passar algum tempo quicando de um andar para outro até acertar o quarto passo, razão pela qual chegou 15 minutos mais cedo. Mas acerta logo de primeira: o 13 começa a piscar no mostrador e as portas se abrem, dando para um tapete azul-clarinho e uma iluminação indireta. Jones sente-se um pouco orgulhoso.

Ele caminha pelo corredor de vidro, seguindo o ruído de vozes, e entra numa sala de reunião. Já há seis pessoas ali, inclusive Eve Jantiss, que está recostada a uma mesa de madeira de lei quase do tamanho do apartamento de Jones. Não é possível que seja uma peça inteiriça, pois uma coisa dessas seria ridícula, mas pelo jeito é. A madeira é de um marrom rico, uma cor forte, que não reflete propriamente as fontes de luz escondidas, mas ajuda a espalhar melhor a luminescência; é uma mesa tão bonita que Jones realmente a percebe, apesar do fato de Eve estar bem diante dele vestindo uma saia preta curta com blusinha de botões combinando.

— Jones! — diz ela. — Você acabou de me fazer ganhar 50 dólares. — Ela aponta para o outro lado da parede de vidro, onde há uma bancada de monitores. — Nível 13 na primeira tentativa. Tom achou que precisaríamos ir lá buscá-lo.

— Oi! — diz Tom, um homem de meia-idade com uma gravata azul berrante que está beliscando na mesa do bufê do outro lado do salão. Jones o cumprimenta com um aceno de cabeça.

Eve diz:

— Sabe, uma vez eu experimentei esse truque no Hyatt de Nova York, apertando o 12 e o 14 junto com o ABRIR PORTA na altura do 13, e acabei surpreendendo um bando de agentes do FBI. Juro que é verdade.

Todos na sala soltam risadinhas, de forma que Jones desfaz a expressão de espanto no próprio rosto e a substitui por um sorriso. Procura um canto onde colocar a pasta.

— Embaixo da mesa — diz Eve. — Depois, vá comer um docinho.

Isso deixa Jones ocupado pelos próximos minutos, juntamente com as apresentações aos demais agentes do Projeto Alfa. Todos parecem razoavelmente simpáticos, mas o fio comum é que todos são claramente muito inteligentes. Jones percebe que vai ficar para trás dessa gente durante algum tempo.

— Ah, o nosso *wunderkind*! — diz uma voz às suas costas. Jones vira-se e vê Blake Seddon sorrindo-lhe da porta. Blake é o agente Alfa na Diretoria. É um sujeito de 30 e tantos anos, bastante bronzeado, com terno de risca de giz e dentes tão brilhantes que Jones chega a franzir o cenho. E fica pensando se os pais dele teriam apostado que o filho sairia com uma queixada tão firme e um cabelo tão bacana, ou será que tudo isso vinha com o nome? Pois ali existe todo um debate sobre a questão da natureza e do berço. — Quer saber de uma coisa: se você vai ser a bola da vez por aqui, sugiro que compre um terno novo.

Jones percebe que foi insultado. Olha para o próprio terno, que tem dois meses de idade e custou quatrocentos dólares.

— Ah, não fode, Blake — diz Eve em tom simpático. Blake ri. Eve senta-se e começa a comer um croissant. — Jones — diz com a boca cheia —, venha se sentar.

Jones obedece. A cadeira o surpreende, cedendo em alguns lugares e sustentando em outros. Ele se dá conta de que é uma cadeira cara. E a experimenta mexendo com a bunda e recurvando as costas. Fica mais confortável. Ele não fazia idéia de que uma cadeira pudesse fazer isso. E pensar que toda a sua vida ele aceitou que as cadeiras eram projetadas para oferecer um certo patamar de conforto, enquanto as elites desfrutavam *isto*!

— Ignore o Blake. — Eve não visa Blake deliberadamente quando diz isso, mas também não baixa o tom de voz. — Ele só está se sentindo ameaçado.

— Por quê?

Ela olha para ele.

— Você não sabe? Uau! Você *é* bacana.

Jones sente-se arrebatado. O que se diz diante de uma coisa dessas? Ele resolve o dilema com um misto de sorriso e um olhar de dúvida.

— Que bela manhã! — exclama Daniel Klausman, entrando na sala. Pela reação geral, Jones tem a impressão de que aquela é uma saudação padrão. Ele está vestido com o seu macacão, o que exigirá de Jones um certo tempo para se acostumar, e vai se sentar numa imensa poltrona de couro à cabeceira da mesa. Os agentes acolhem o gesto como sinal para se organizarem, mas Jones percebe que eles não estão exatamente se apressando, como estariam se fosse ali o Vendas de Treinamentos e uma reunião da Sydney. Então, Klausman é mais ou menos relaxado quanto ao protocolo.

Klausman inclina-se para a direita e espia um docinho em cima de um guardanapo diante de uma moça que usa óculos bastante delicados.

— O que é isso, Mona? Bolo?

— Mil-folhas — diz Mona, cobrindo a boca com um gesto sofisticado. Ela engole. — É uma iguaria francesa. Creme, massa fina e, se não me engano, uma pitada de amêndoas.

— Bom?

— Muito bom.

— Interessante. Os preços da empresa são espantosos, mas prometem qualidade.

— E cumprem — diz Eve. — Comi um docinho na semana passada que estava um orgasmo.

— Ora — diz Klausman —, então eles estão *superando* as expectativas. — Ele olha para todos à mesa. — Vamos começar?

— Projeto 3.811 — diz Blake. — Realização de Treinamentos. Estamos fazendo experiências com tolerância a limites em ambientes de prazos flutuantes. Basicamente, recrutamos quatro candidatos para o que lhes dissemos ser uma tarefa de importância crítica, colocamos os quatro numa sala de reunião e, a cada quatro horas, mudamos as metas da tarefa de forma pequena, porém significativa, que exige a continuidade do trabalho deles.

— Hmm — diz Klausman. — Está lhes dando comida e água?

— Ah, sim. Eles pedem pizza e tudo mais. É muito interessante. Já estão lá há 28 horas e ninguém saiu. A dinâmica parece ser a de que ninguém quer deixar os outros na mão, muito embora todos queiram ir para casa. Nem preciso indicar o potencial aqui. Mas há alguns efeitos colaterais: gritaria, mais agressividade, um relaxamento com os padrões vigentes de apresentação na empresa, esse tipo de coisa.

— Aposto que você não consegue mantê-los lá por mais de dois dias — diz Eve.

Blake ergue as sobrancelhas.

— Aceito a aposta.

— Garrafa de Dom Pérignon?

— Acho que você ainda me deve uma garrafa da nossa última aposta.

— Então você vai ganhar duas.

— Se ainda não recebi a *primeira até agora* — diz Blake —, por que iria acreditar que você vai me dar *duas mais tarde*?

— Touché! — diz Eve.

— Crianças! — repreende-os Klausman. — Resolvam isso fora da reunião, por favor. Tom, como vai o seu projeto de despersonalização?

— Bem, resultados mistos. Embora... — Ele pigarreia, olhando para Jones.

— Ah — diz Klausman —, claro. Jones, você faz parte desse projeto, mesmo sem o saber. Estamos fazendo uma experiência com a eliminação dos primeiros nomes, encorajando os funcionários a se dirigirem uns aos outros apenas pelo sobrenome. É por isso que o seu crachá não diz o seu primeiro nome.

— Ah — diz Jones —, bem que eu estava pensando nisso!

— A minha teoria é que isso estimula uma maior concentração na função do que na personalidade — explica Tom. — Os militares fazem isso. Posso perguntar: O que você achou? Quando eu o estava observando, você não pareceu fazer objeção alguma.

— Am... acho que não. Achei estranho... mas todos estavam me chamando de Jones, então eu aceitei.

Tom assente, satisfeito.

— Ainda é apenas o início. Mas estamos antevendo, mais para a frente, um potencial de quedas significativas nos bate-papos sobre assuntos alheios ao trabalho no entorno do bebedouro e ao telefone.

Ouve-se um murmúrio de aprovação. Jones vê Eve abrir um sorriso de apreciação para Tom e sente uma pontada de ciúmes idiotas que o surpreendem.

— Bom, bom. Mona, pode tomar nota disso?

— Está bem. — Ela começa a murmurar para uma coisa que parece um gravador, mas, Jones não tem a menor dúvida, deve também servir para organizar a agenda, destrancar o carro e dar telefonemas.

— Próximo. Jones. Jones?

— Sim, senhor.

— O que você tem para me dizer?

Jones sente os olhares de todos voltados para ele.

— Quer dizer, uma idéia de projeto?

Ouvem-se alguns risinhos. Blake, do outro lado da mesa, ri um pouco mais alto e demoradamente do que Jones acha realmente necessário.

— Isso — diz Klausman. — É para isso que você está aqui.

Jones pigarreia.

— Obviamente, sou novo nisso tudo, de forma que não sei exatamente o que se quer... mas estive pensando em fazer alguma coisa relacionada ao fumo. — Ele deixa passar um breve intervalo, só para o caso de alguém querer cortá-lo com um *Mas nós já temos um projeto sobre o fumo, Jones,* ou *De novo, não, todo novato quer fazer alguma coisa sobre o fumo.* — Tenho certeza de que todos sabem que a empresa média perde 5,7 dias por ano com cada funcionário que fuma, devido às paradas adicionais que eles fazem. É ilegal discriminá-los, mas as empresas que reduzem o fumo entre os seus quadros conseguem ganhos de produtividade. Isso para não falar, é claro, dos benefícios em termos de saúde.

— Certo — diz Tom. — Pagamos prêmios mais altos por fumantes.

— Ah, sim, e ainda tem isso — diz Jones. — Então, a minha primeira idéia é recompensar fumantes com um tempo a mais de férias por não pararem de trabalhar para fumar... digamos, um dia por ano.

Do outro lado da mesa, Blake sugere:

— Ou poderíamos simplesmente penalizar os fumantes com um dia a menos de férias. Ou fazê-los trabalhar além do expediente.

— Bem... isso não. Porque seria ilegal. — Jones não quer entrar numa disputa com Blake, de forma que resiste ao impulso de acrescentar algo mais inflamatório, como: *obviamente*.

— Bingo! — diz Eve.

— Além disso — diz Jones, querendo dar continuidade —, assim você também consegue que o pessoal fique do seu lado. Muitos não-fumantes se sentem prejudicados porque os fumantes conseguem folgas extras durante o dia. Isso há de fazer com que se sintam justificados e mais dispostos a falar do assunto, o que aumenta a pressão para que os fumantes parem de fumar. É um tanto quanto incendiário, mas considerando-se os benefícios, inclusive para os próprios fumantes, acho que se justifica.

Eve sorri:

— Esse sujeito é bom mesmo!

— Minha outra idéia — Jones diz, ganhando confiança — é criar uma área separada para fumantes. As pessoas hoje em dia se reúnem em dois ou três grupos perto das saídas.

— Espere aí — diz Tom. — Como é que isso ajuda a parar de fumar?

— Colocamos uma cerca de mentirinha e uma placa dizendo "Curral dos Fumantes" — diz Jones. — Aí, torna-se algo socialmente embaraçoso.

Assomam risos pela sala.

— Gostei — diz Klausman. — Vejo que você se encaixa bem aqui, Jones. — Ele pondera durante alguns instantes. — Quero que você faça isso. Mas com os dias das férias, não dê nenhum aviso oficial. Vamos apenas espalhar o boato de que a empresa está considerando isso. Quanto ao Curral, acho que poderíamos providenciar alguma coisa perto do gerador de apoio, certo?

— Posso fazer um pedido ao departamento de Gestão de Infra-Estrutura — diz Blake.

— Excelente! — Klausman estala os lábios. — Agora, toda essa conversa sobre cigarro está me dando vontade.

— A mim também — diz Eve. — E eu já parei faz um ano!

— Que tal fazermos um intervalo — diz Klausman, levantando-se — e voltarmos daqui a dez minutos?

Megan, a AP de Vendas de Treinamentos, atravessa as portas de vidro da academia no nível 17. Está usando um moletom de ginástica folgado que gruda em sua pele com litros de suor congelado. Seu coração bate tão forte que ela o sente nos ouvidos. Hoje ela resolveu vir para o trabalho andando. Quando o prédio da Zephyr surgiu ao alcance da vista, Megan apressou o passo; depois, já no finalzinho, começou mesmo a correr. É a primeira vez que corre desde a época da escola, e quase morreu.

Mas está feliz. Ontem à noite, Megan ficou zapeando de canal em canal, de um programa idiota para outro, sentada no conforto do seu sofá, até que apareceu um desses motivadores num infomercial. "As *suas* metas estão ao *seu* alcance", dizia o palestrante, indiscutivelmente bem-apessoado. O dedo de Megan vacilou um pouco no controle. "A única coisa que o impede é *você mesmo*."

Deitada sozinha em sua cama ontem à noite, Megan pensou se aquilo não seria mesmo verdade. Por que ela, uma mulher razoavelmente inteligente de 24 anos, passava 40 horas da semana sentada a uma mesa de frente para uma parede sem ninguém com quem conversar e nada mais interessante para fazer além de rearrumar ursinhos de cerâmica? Por que tomava notas tão meticulosas de cada passo do Jones (que tem passado muito tempo fora da sua mesa ultimamente; ela torce para que não sejam problemas médicos), em vez de falar com ele? Sim, Sydney a faz sentar-se longe de todos, e sim, as pessoas na Zephyr Holdings em geral não se apercebem da vida das APs, mas *Megan tem o poder de mudar isso*. Se fosse mais confiante, talvez se envolvesse em mais conversas. Se perdesse um pouco de peso e comprasse roupas melhores...

Isso era fantasia. Mas o homem da TV falou que *a única coisa que detinha Megan era Megan*, e se ele estivesse certo, Jones também estaria ao seu alcance.

Ela não consegue nem pensar no assunto sem ficar vermelha feito uma idiota. É ridículo imaginar que Jones pudesse se apaixonar por ela. Ele é jovem e dinâmico, cercado de mulheres que não fazem o menor esforço para serem mais atraentes que ela, gente como Holly Vale (loura, magra, atlética) e Gretel Monadnock (linda) e Eve Jantiss (deprimentemente linda). Megan passou a vida inteira à sombra de garotas como essas, enquanto elas jogavam seus cabelos brilhantes e lançavam seus sorrisos perfeitos, levando a mão ao pescoço quando riam das piadas de todos os garotos de quem Megan sempre gostou. Ela sabe como funciona. Elas paqueram, embora já tenham namorados (sempre têm, e sempre os melhores) e, querendo ou não, exercem uma força gravitacional em todos os homens ao redor, lembrando a eles que é assim que uma mulher desejável deve ser, *assim*, não, como aquela gorducha de óculos, a Megan, que bem poderia pertencer a uma outra espécie.

Ela vai para a ala dos chuveiros na academia. Cada passo dói, mas seu corpo sente como se estivesse cantando. Megan está impressionada. Então é por isso que as pessoas se exercitam! Se funciona assim, em lugar de viver lutando contra a dor e a canseira, ora, Megan poderia passar a fazer isso. Poderia vir correndo para o trabalho todo dia. Poderia até acabar se transformando numa pessoa como Holly, que é magra e bonita e... está saindo de um boxe de chuveiro bem na sua frente!

Megan pára, congelada. Holly, usando apenas uma toalha branca, a vê e pisca, surpresa.

— Oi! — diz Megan, mas usando apenas a boca: sua garganta não consegue se organizar o suficiente para providenciar o som. Ela pigarreia para tentar novamente, mas graças à corrida emite um barulho espesso, úmido, que mais parece alguém assoando o nariz. Está atormentada demais para falar.

— Eu não sabia que você malhava. — Holly vai para o banco, coloca um pé em cima dele, inclina-se para a frente e começa a secar o cabelo com uma segunda toalha.

— Estou começando agora. — A voz de Megan sai tensa. Ela não agüenta ficar parada vendo os músculo funcionarem nos ombros bronzeados de Holly, ombros que não se parecem nem um pouquinho com os seus. A idéia de passar perto daqueles ombros para chegar aos chuveiros é tão desanimadora que ela leva um segundo até conseguir que seu corpo se mexa. Sua mão aperta a bolsa com a roupa de ginástica com tanta força que os dedos doem.

Quando ela está se espremendo para passar, Holly fala:

— Ora, que bom, Megan!

Megan está chocada. Parece que o comentário de Holly foi sincero.

O nível 14 é dividido em duas metades: Vendas de Treinamentos, quando se vira à direita saindo dos elevadores, e Realização de Treinamentos, quando se vira à esquerda. São imagens espelhadas um do outro. Quase toda a Zephyr é assim, e há várias histórias interessantes de funcionários exasperados que entram no departamento errado e começam a reclamar porque não conseguem se conectar no computador.

Na sala de reunião do Realização de Treinamentos, as venezianas estão puxadas tanto nas paredes internas quanto nas janelas. Há quatro pessoas sentadas à mesa, sem falar. Uma delas, Simon Huggis, está olhando fixamente para o rosto de Karen Nguyen — ou, mais especificamente, para a verruga ao lado do nariz dela. Simon trabalha com Karen há dois anos e, em todo esse tempo, a verruga dela nunca o incomodou. Mas ele está nesta sala de reunião há 34 horas consecutivas, e agora é só no que ele consegue pensar. Ele a detesta. Mesmo quando fecha os olhos, ainda a enxerga, alojada ali na curva da narina. Nas últimas duas horas, vem se formando uma idéia em sua mente: Karen sabe exatamente o quanto a verruga incomoda e é por isso que a deixa ali.

Do outro lado da mesa, Karen tira os olhos de uma lista de providências a serem tomadas. Está com olheiras escuras, profundas. Seu cabelo está desgrenhado.

— O que foi?

— Nada. — Simon pega uma balinha de hortelã. Enquanto isso, todos respiram fundo.

— Simon — diz Darryl Klosterman. Sua voz é gentil porém sofrida, como a de um médico explicando que não dá para operar o câncer. Ele está sentado ao lado de Karen Nguyen. *Todos* estão sentados do lado oposto ao de Simon, pois dizem que ele cheira mal. Foi o que disseram dez horas atrás. Outra explicação é que estão todos armando contra ele. — Por favor, chega de balinhas.

Simon desembrulha a bala devagar. O plástico range.

— *Simon* — diz Helen Patelli. É uma mulher alta de cabelo grisalho, o que é tudo que Simon consegue ver no momento, porque ela está com o rosto apoiado nos braços sobre a mesa. — Se você chupar mais uma balinha, eu juro que vou lhe dar uma porrada.

Simon joga a balinha na boca. Ele a chupa com mais força que o necessário, soltando estalidos barulhentos.

— Por favor, por favor — diz Darryl. — Nós estamos quase acabando. É só isso. Vamos segurar as pontas durante mais uma horinha só, depois vai todo mundo para casa.

— Foi isso que você disse ontem — diz Helen ainda apoiada nos braços. — *Ontem!* — Sua voz soa estridente.

— Mas nós deixamos isso acertado. Acaba aqui, o que quer que aconteça. É a nossa última revisão. Deixamos isso perfeitamente claro. Se quiserem novas mudanças, que arranjem outras pessoas para fazê-las. Então, vamos segurar as pontas durante mais esta...

A porta da sala de reunião se abre, enchendo o cômodo de luz. Todos se viram para olhar, estarrecidos. A cabeça de Helen se ergue. Parado à porta, eles vêem um belíssimo homem com a pele bronzeada e um terno de risca de giz. Simon não o reconhece.

— Espero que não esteja interrompendo. Blake Seddon. Diretoria. — Ele sorri. Seus dentes deixam uma imagem gravada nas retinas de Simon. — Eu só queria dar uma passadinha aqui para falar do trabalho fantástico que vocês estão fazendo. Todos na Diretoria estão conscientes do sacrifício que vocês têm feito. Inclusive Daniel Klausman.

Isso arranca murmúrios do grupo.

— Daniel Klausman... sabe da gente? — pergunta Helen.

— Ele está muito impressionado. Pediu-me para assegurar-lhes que, depois que tudo isso acabar, vocês podem ter o que quiserem. Dias de férias, bonificação... o que quiserem.

Simon vê a boca dos colegas se abrindo e os dentes surgindo. Leva um momento para se dar conta do que está acontecendo porque já faz pelo menos um dia inteiro desde que os viu sorrindo pela última vez. Até a verruga de Karen Nguyen desaparece por um instante por trás do nariz. A pressão no seu peito afrouxa um pouco.

— Agora — diz Blake, olhando para uma folha de papel que traz na mão, e o intestino de Simon tem um espasmo. Foi o que aconteceu duas horas atrás e três horas antes, e tantas outras vezes antes que Simon nem se lembra mais: alguém entra para fazer um elogio e depois... — Só quero que vocês tenham claro que esses números devem ser calculados para cinco anos. Certo?

Todos olham fixamente para ele. É claro que eles não estão cientes disso; ninguém mencionou projeções para cinco anos da última vez que atualizaram os objetivos, nem da vez anterior, nem *nunca*, nem quando esse pesadelo todo começou e eles eram todos humanos.

Darryl pigarreia. Simon sabe o que está para acontecer. Darryl vai explicar sua posição, e esse homem de terno de risca de giz vai franzir o cenho e dizer que não entende como isso pode ter acontecido e, depois de cinco minutos de suplício, durante os quais ouvirão a explicação de que o trabalho que fizeram durante as últimas 34 horas é basicamente inútil sem as projeções para cinco anos, eles vão concordar em continuar trabalhando, *só mais esta vez*. Para encurtar a história, Simon se levanta. Sua calça faz um barulho de algo que está sendo descascado ao ser separada da cadeira. Todos olham para ele com uma expressão torpe de surpresa no rosto, enquanto ele dá uma volta algo cambaleante em torno da mesa.

— Pois não? — diz Blake.

A sensação começa nas batatas das pernas de Simon e vem subindo pelas pernas. Toma-lhe o torso. Ele não a identifica por completo até que ela lhe atinge o ombro direito e se afunila pelo braço, então ele se dá conta: é violência. Ele tem mais ou menos um quarto de segundo para pensar: *Será que eu quero mesmo dar um soco na cara desse sujeito?* E a resposta vem de forma não-verbal: seu punho desfere um tremendo soco na cara de Blake. Blake solta um grito; seu corpo gira para trás, esbarra no umbral da porta e se espatifa no chão. Simon fica simplesmente ali parado. Ele está tranqüilamente preparado para continuar até matar Blake, mas a sensação do soco foi tão boa que ele pára um momento para saboreá-la.

— *Simon*! — grita Helen. Ele se vira. Os colegas parecem uma turma de palhaços de circo, todos com a boca escancarada.

— Ai! Ai! Dossa *Se'ora*! — resmunga Blake. Tenta se arrastar para longe dali enquanto apara o sangue que lhe sai do nariz para evitar que lhe caia na camisa.

— Esta reunião — diz Simon — está encerrada.

Karen levanta-se primeiro. Os outros demoram mais para reagir, mas logo vão se levantando, um por um, empurrando suas cadeiras úmidas de suor para trás, e perambulam em direção à porta. Protelam a saída durante alguns segundos, depois se abraçam. Os olhos de Helen se enchem de lágrimas. Eles emergem das trevas estreitando os olhos contra o banho inesperado de luz fluorescente.

Jones enfia as mãos nos bolsos e enche os pulmões de ar. Faz uma bela manhã de sol naquela segunda-feira, do tipo que traz um gostinho do inverno de Seattle chegando, permeado por resquícios do verão que se foi. Jones bate os pés nas lajotas do pátio. Ele saiu pelos fundos do prédio da Zephyr. Encontram-se espalhados por ali uns quatro ou cinco grupos de fumantes, consumindo seus primeiros cigarros do dia depois de chegarem ao trabalho. Ele está aqui para observá-los.

São 10h10: com precisão de minutos, é quando eles vêm em massa todos os dias. Jones precisou de um certo tempo para entender o porquê: era quando o lanche da manhã chegava antes da Copa ser terceirizada. Agora é entregue a qualquer momento entre 9h30 e 11h (biscoitos fresquinhos ou amolecidos, frutas frias e duras feito gelo), mas os fumantes têm uma tradição e não vão mudá-la. Agora que tem ciência disso, Jones acha impressionante. Ele já se colocou em diversas posições estratégicas pelo prédio inteiro e acontece sempre da mesma forma em todo canto: é como se houvesse uma sirene silenciosa, inaudível para todos menos para os fumantes, que, súbita e simultaneamente, ficam agitados. Mexem-se nas cadeiras. Devaneiam no meio da conversa. Inconscientemente, suas mãos vasculham os bolsos atrás de isqueiros e maços. E, em grupos de dois ou três, eles se afastam de seus departamentos e tomam os elevadores para virem se aglomerar aqui no pátio dos fundos. Seu humor logo melhora: eles se cumprimentam uns aos outros, sorriem, falam de coisas que não têm nada a ver com o trabalho. Enquanto se encontram aqui, são as pessoas mais felizes da empresa.

Jones acha isso fascinante. Seria apenas a dose de nicotina, ou será que todos os funcionários poderiam tirar proveito de pequenos intervalos regulares? Talvez isto mereça um projeto, ele pensa. Poderia experimentar com um grupo de não-fumantes. Se estiver certo, isso poderia acabar integrado ao sistema ômega de gestão. E poderia até ir parar nas empresas do mundo inteiro.

Ele ficou zanzando por aqui o máximo que pôde sem atrair as suspeitas de ninguém, de forma que dá uma meia-volta e retorna ao prédio, todo empolgado. Ele puxa a porta, que salta na sua direção revelando que Freddy se encontra do outro lado, empurrando-a.

— Jones! O que você está fazendo aqui?

— Vim pegar um pouco de ar. E você?

Freddy verifica se ninguém os pode ouvir.

— Ela não está na mesa dela agora de manhã. Resolvi vir bater um papinho com os freqüentadores aqui do pedaço.

— Ah, está bem. — Jones dá um passo para o lado de forma que ele possa passar.

Freddy franze o cenho para ele.

— Você não está mais bisbilhotando por aí, está?

— O quê? Ah, não, não. Já superei essa fase.

— Por quê? Encontrou alguma coisa?

Com um esforço heróico, Jones consegue se conter e não dizer: *Por que você está dizendo isso?*

— Não, nada. É que eu resolvi... ah, sabe, não importa o que a empresa faz. Eu tenho o meu emprego e pronto.

— Oh-oh! Pegaram você, não foi? Deixe-me ver o seu umbigo.

— O quê?

Freddy ri.

— Nada. Só estou implicando com você, Jones. Que bom que você está se ajeitando!

Sua idéia era voltar direto para o Vendas de Treinamentos, mas quando as portas do elevador se abrem e não há ninguém dentro, ele resolve dar uma paradinha no nível 13 para tomar nota das idéias que acaba de desenvolver. Passa o crachá, aperta o 12 e o 14 ao mesmo tempo e observa o mostrador com o polegar em cima do ABRIR PORTA. Quanto mais ele faz isso, mais se diverte. Aperta o botão no momento certo: *ding*! Nível 13.

A sala de monitoramento contém quatro computadores para uso dos agentes, então Jones faz o login entre as bancadas de monitores de TV e abre um novo arquivo de projeto. Dez minutos depois, está tão imerso em seus pensamentos que, quando Eve Jantiss sussurra "Interessante" no seu ouvido, ele dá um pulo da cadeira.

— Uau! — Ele ri. — Não faça isso.

— Olhe só! — diz Eve. — Todo cheio de idéias! Daniel tinha razão quanto a você.

— Obrigado. — Assoma em seu rosto um sorriso, que ele é incapaz de conter.

Ela se senta sobre uma mesa. Hoje está vestida de maneira relativamente formal, com uma saia cinza que vai até abaixo do joelho.

— Ei, posso perguntar uma coisa? Você está ocupado quinta à noite?

— Para quê?

— Nós temos um camarote da empresa no estádio de Safeco Field. Você gosta de beisebol? — Ela sorri. — Pela sua expressão, acho que sim.

— É alguma atividade da empresa?

— Não. Só achei que você gostaria de ir.

— Claro, com certeza. Vai ser ótimo.

— Pego você às 18h30. Na rua Barker?

— Você sabe onde eu moro?

— Jones — diz Eve censurando-o. — Nós sabemos de tudo. — Ela se levanta e começa a se afastar. Jones resiste ao impulso de olhar. Então, ela diz: — Ah, Jones, uma coisa...

Ele se vira.

— Agora que está trabalhando para o Alfa, você não pode mais interferir na Zephyr. Você é um observador. E só.

— Certo. Entendo isso.

— Entende o conceito, mas não as implicações. Quando se der conta da diferença... não vá fazer nenhuma besteira, está certo?

Na quarta-feira, Jones, Freddy e Holly vão até o café do outro lado da rua, o Donovan's, para almoçar. É o terceiro mês de Jones na Zephyr e ele come aqui quase todo dia; da mesma forma que quase todo mundo que trabalha ali. Ao meio-dia começa o fluxo constante de gente de terno saindo dos elevadores, cruzando o saguão aos borbotões; formam-se pequenos ajuntamentos temporários nas proximidades das portas deslizantes que depois se esvaem cruzando a rua e formando fila para comprar baguetes e sanduíches, discutindo as politicagens da empresa. Jones fica olhando para todo mundo, para o pessoal das Comunicações e do Financeiro e do Crédito e dos Serviços de Viagens e dos Suprimentos, que não são exatamente seus colegas de trabalho: estão mais para objetos de teste.

— Gente, vocês repararam na Megan? — diz Holly. — Quando saímos, ela estava de olhos cravados no Jones.

Jones olha para ela, sem saber se ela está brincando. Freddy fala:

— Megan, é mesmo? Estranho! — Ele volta a atenção para uma fileira de sanduíches atrás do vidro.

— Eu a vi novamente na academia hoje de manhã. Está indo muito bem.

— Sabe que desde que terceirizaram os lanches — reclama Freddy — venho sentindo mais fome na hora do almoço? Acho que devem estar menos nutritivos.

— É melhor que não estejam — diz Holly. — Estou fazendo um plano de ingestão controlada.

— Eles reduziram as rosquinhas — comenta Jones. — Isso não é menos nutritivo.

— Será que não dá para a gente não falar mais de rosquinhas? — diz Freddy. — Já escuto o suficiente do Roger.

— Não é possível que ele ainda esteja obcecado por aquela rosquinha! — diz Holly, apreensiva. Freddy olha para ela, incrédulo. — De qualquer jeito, já acabou. O Wendell pegou a rosquinha do Roger, o Wendell não está mais aqui.

— O Roger não acha que o Wendell pegou — diz Jones, olhando ao redor à procura de uma mesa. — Agora ele acha que foi a Elizabeth quem pegou. Ei, vocês não se sentam nunca com pessoas de outros departamentos?

Freddy e Holly lançam-lhe olhares inexpressivos.

— Não é assim que funciona, Jones — diz Freddy

— Quem disse?

— É só... o chimpanzé novo, Jones, o chimpanzé novo. — É a vez deles na fila. Freddy bate no balcão com uma cédula de cinco dólares e abre um sorriso para o atendente. — O de sempre, obrigado.

Sozinho em Berlim Ocidental, Roger se espreguiça na sua mesa. Coloca as mãos cruzadas atrás da cabeça. Seus olhos se perdem no infinito. Sua mente se deixa arrebatar por Elizabeth e rosquinhas.

Está claro para ele que tudo foi uma armação desde o começo. Elizabeth sabia que ele tiraria uma conclusão errada logo de cara e acusaria Wendell. Ela brincou com ele. Agora é tarde demais para acusar quem de fato deveria, porque Wendell já foi demitido — tecnicamente, não por ter roubado a rosquinha do Roger, mas não é por aí; o fato é que ele é um ex-funcionário, de modo que será culpado por todos os problemas do departamento. Roger tem mais noção disso que os demais, já que conseguiu sua transferência para o Vendas de Treinamentos descarregando vários desastres contábeis em cima de ex-colegas. Ninguém saiu da Zephyr Holdings sem ser logo em seguida desmascarado como mentiroso, ladrão e otário. Descobre-se sempre que os ex-funcionários eram responsáveis pela aprovação de horrorosas violações orçamentárias, por pedidos fraudulentos e por duvidosos relatórios de despesas. A eles atribui-se postumamente a liderança de projetos malfadados. Ninguém vai querer saber que a Elizabeth é culpada de um crime que pode muito bem ser atribuído ao Wendell, porque o Wendell já se foi e Elizabeth ainda está aqui.

Ela o colocou numa sinuca. Uma parte dele aprecia a astúcia política de Elizabeth. Mas outra, muito maior, se retorce de preocupação. Uma coisa seria ela agir assim por mágoa e raiva por ele nunca a ter procurado depois que dormiram juntos. Isso ele consegue aceitar; seria até um *prazer*, se fosse esse o caso. Ele não se incomoda que as pessoas o detestam. O que o incomoda, sim, o que mexe com as suas entranhas, é a idéia de que ela o esteja desrespeitando. Roger é um sujeito poderoso e bonitão, cheio de autoconfiança, que passa noites em claro aterrorizado com a possibilidade de alguém não o achar poderoso, bonitão e cheio de autoconfiança. Como parte do processo de entrevista da Zephyr Holdings, ele preencheu um questionário que perguntava: "O que é melhor: ser bem-sucedido ou respeitado?" Roger escreveu uma resposta que agora é legendária: PERGUNTA CAPCIOSA!

Ultimamente, vem percebendo os olhares sub-reptícios de Elizabeth. Num dado momento, ela ficou simplesmente de olhos grudados nele, sem expressão alguma no rosto, durante vários segundos. Roger chegou a sentir uma pontada de medo: não poderia haver dúvida de que ela estava zombando dele.

Ele não sabe o que vai fazer. Ainda não. Mas é preciso dar uma resposta. Sua honra assim o pede. Sua integridade assim o exige. Ah, sim. Elizabeth vai se arrepender de sequer ter olhado para a rosquinha dele.

Às 16h30 de quinta-feira, Megan é chamada ao escritório de Sydney para uma das suas avaliações semestrais de desempenho. Megan não está preocupada; para ela, sempre foi uma rotina informal. A única razão para fazê-las, no seu entender, é para que a Zephyr não tenha de admitir que os APs não são funcionários de verdade. Então, suas avaliações são obrigatórias, porém não têm importância, o que significa que em geral são feitas no último minuto, quando outra coisa foi cancelada, no elevador a caminho de outro lugar.

Ela ajeita seu conjunto de ursinhos — os do grupo dos Pescadores ficam melhor no canto esquerdo de sua mesa, no seu entender, onde suas pequenas hastes de cerâmica podem ficar pendendo para fora da superfície — e bate à porta de Sydney. Passa-se um instante, que Megan sabe ser Sydney esperando para que Megan interpele a pessoa que está batendo. Depois de dez segundos, ela torna a bater.

— Quem é?

— Sou eu.

— Entre.

Megan abre a porta. Sydney está sentada à sua mesa. A mesa não é fechada, de forma que Megan pode ver as perninhas de Sydney pendendo da cadeira. Ela não consegue ver a cabeça nem o tronco de Sydney: estão ocultos por trás do imenso monitor de seu computador. Megan não se atreveria a dizer que Sydney está compensando, mas com certeza ela tem o maior monitor que Megan já viu na vida.

— Está na hora?

— Está.

Ela se senta numa cadeira diante da mesa e cruza as pernas. Agora consegue ver Sydney. E também consegue ver o tamanho da mesa que ela usa, que está apinhada de papéis. Há uma espantosa ausência de balangandãs. Megan acha que Sydney bem que poderia ter uns ursinhos.

— Tudo bem. — Sydney ajeita alguns papéis em cima da mesa, pelo jeito, aleatoriamente. Em seguida, olha para Megan. — Talvez você não goste do que tenho a dizer.

— Oh, por que não?

— Porque estou tirando você daqui.

— De onde? — diz Megan, mas logo se dá conta de que é uma besteira perguntar.

— Da empresa. — O olhar de Sydney se fixa no dela. — Estou mandando você embora.

Ela está atônita demais para processar direito o que está acontecendo.

— Mas... por quê?

— Ora, francamente, o seu desempenho. Tive de lhe dar a menor nota: "Precisa melhorar." — Seus olhos vasculham o rosto de Megan. Mas Megan ainda não tem reação alguma. Sydney parece perder o interesse. Ela recolhe alguns papéis e começa a procurar um grampeador. — É norma da empresa demitir qualquer funcionário nesta categoria. Eu preciso seguir as normas.

— Por que eu preciso melhorar? — diz Megan. Sua garganta se aperta; só saem sons agudos, tensos.

— Você conhece as avaliações de desempenho... há critérios, eu dou sua nota conforme esses critérios. — Sydney encontra o grampeador. Coloca-o sobre os papéis e o aciona. Observa o resultado. — Porcaria!

Megan nunca ouviu falar desses critérios.

— Da última vez você disse que não precisávamos fazer uma análise formal.

— A empresa caiu em cima disso. — Sydney franze o cenho, como se Megan tivesse causado um grande problema. — Eles querem que eu faça avaliações adequadas. E você não se saiu bem em várias áreas fundamentais. Primeiro, mesa arrumada. A sua mesa está sempre coberta de ursinhos.

Megan fica boquiaberta.

— O que há de errado com os meus ursos?

— As mesas não devem estar bagunçadas. É o que dizem os critérios. Veja, olhe aqui. — Ela lhe passa os papéis. Há um grampo pendurado no canto superior esquerdo.

— Você nunca reclamou dos meus ursos.

— Megan, não sou eu, são os critérios. Você quer escutar o que estou lhe dizendo? Segundo, você não mostra trabalho em equipe.

— Mas eu trabalho sozinha! Posso trabalhar com gente se você quiser. Eu adoraria trabalhar com gente. Fico presa aqui sozinha.

Sydney cruza as mãos em cima da mesa.

— Ora, não faz sentido reclamar agora.

— Então... por que você está me contando essas coisas?

— Faz parte do processo de *feedback*. Estou lhe mostrando o que você precisa fazer para melhorar.

— Então, se eu melhorar...

— Não *aqui*. Você não pode melhorar aqui. Você está sendo demitida, Megan. É o processo. É para o seu benefício próprio. Um pouco de gratidão não faria mal nenhum.

A boca de Megan se mexe. O que acaba saindo é:

— Obrigada.

— De nada — diz Sydney. — Enfim, essas duas categorias afetam a sua pontuação. Mas o que pegou mesmo foi você não ter atingido as metas.

— Que metas?

— Bem, você não tinha meta nenhuma. — Sydney pega uma caneta prateada, que balança entre os dedos. Lampejos de luz do sol refletida nela atingem os olhos de Megan. — Na sua última avaliação, deveríamos ter estabelecido metas para você, mas não o fizemos. Então, onde diz "Metas Atingidas", eu tive de marcar "Nenhuma".

— Eu teria atingido as metas se você tivesse estabelecido algumas.

— Bem, talvez. É difícil dizer.

— Como é que você pode me demitir por não atingir metas que eu nunca tive?

— Você não quer que eu diga que você atingiu metas quando não atingiu, quer?

— Mas isso está errado! — O choque de Megan começa a passar. Seu corpo começa a reagir direito: ela começa a chorar. — Eu trabalho direito. Trabalho, sim. — Ela cobre o rosto com as mãos.

Sydney está calada. Megan chora com as mãos no rosto e o corpo todo tremendo. Sente vergonha por estar fazendo isso no escritório da chefe, mas não consegue se conter. De repente, uma idéia horrível se apodera de Megan: talvez Sydney esteja rindo dela do lado de lá da mesa, sem constrangimento algum pela vergonha que Megan está sentindo, mas sim se divertindo com tudo isso. O pensamento é tão terrível que sua cabeça se levanta subitamente.

Sydney se surpreende com isso. A presunção abandona seu rosto tarde demais. Seus lábios se estreitam.

— Se for para discutir, não faz sentido desperdiçar meu tempo. A decisão já foi tomada. Não está mais nas minhas mãos. — Ela cruza os braços. — A Segurança está à sua espera.

Megan sai da cadeira como se estivesse flutuando. Perambula até a porta e, dito e feito, há dois homens de uniforme azul ao lado de sua mesa. Todo o resto do Vendas de Treinamentos, inclusive Jones, está espiando por cima das divisórias dos cubículos.

— Megan Jackson? — diz um dos seguranças.

Eles se postam ao seu lado enquanto ela coloca os ursinhos na bolsa, um a um. Quando se estica para fechar uma carta que estava escrevendo no computador, a mão enluvada do segurança agarra a sua.

— Por favor, não tente operar o computador.

Depois que as suas mundanas posses dentro da empresa estão adequadamente guardadas, os seguranças a escoltam através de Berlim Oriental. Megan sente todos os olhos pousados nela, todas aquelas pessoas do Vendas de Treinamentos com as quais ela trabalhou, mas que nunca chegou a conhecer. Mesmo com toda a humilhação, ela quase ri: é a primeira vez que realmente se dão conta dela. Olha para Jones quando a fazem passar pelo seu cubículo: o magrelo e lindo Jones, que ela jamais vai tornar a ver. O rosto dele está pálido, consternado. E o olhar dele está fixo no dela: finalmente ele a está vendo de verdade.

É diferente do que foi em agosto, com Wendell. Ele já tinha ido embora quando eles saíram da sala de reunião. Hoje, a Segurança chegou e tirou uma pessoa dali. Todos se sentem como uma manada de impalas depois que os leões abateram a presa e estão arrastando consigo uma carcaça inerte. Inconscientemente eles se ajuntam, os ouvidos em alerta e as narinas infladas, enquanto a Segurança volta e começa a retirar o computador dela, parte por parte. Limpam toda a mesa dela. Borrifam alguma coisa sobre o assento da cadeira e a encostam sob a mesa. Jones não consegue desviar o olhar.

— Por que mandaram Megan embora? — desabafa afinal. — Não faz sentido. Por quê?

— Tudo bem, Jones — diz Holly, meio incomodada. — Acontece. Não há o que se possa fazer.

A cabeça de Roger aparece do lado de lá da Divisória de Berlim.

— Ei, Freddy! Freddy!

Freddy já sabe o que vem por aí. Encolhe os ombros e diz:

— O quê?

— A aposta. Quem tinha apostado na Megan? Quem ganhou?

— Ninguém.

— Oh. — As sobrancelhas de Roger se erguem. — Então, ainda estamos todos no páreo?

— Estamos — diz Freddy. — Ainda estamos todos no páreo.

Eve bate à porta do apartamento de Jones por cinco minutos sem parar.

— Pare com isso — diz ela, a voz abafada. — Eu sei que você está aí.

Jones sequer sabe como ela entrou no prédio. Existe um interfone, que ele propositalmente ignorou dez minutos atrás quando ela tocou, e não há como entrar sem chave.

— Você mal a conhecia. Você está na Zephyr há três meses e só falou com ela umas quatro vezes. Demissões acontecem a toda hora, Jones. Faz parte do grande ciclo dos negócios.

Jones enfia a mão dentro do saco de batata frita que está no seu colo e tira um punhado. Ele está sentado no seu velho sofá marrom diante de uma TV cujo som ele tirou quando Eve começou a bater à porta. Mas, pelo jeito, não está enganando ninguém, de forma que ele enfia as batatas na boca e crava-lhes os dentes.

— Sabe o que é isso? Petulância. Eu perguntei três dias atrás se você compreendia a sua posição. Você disse que sim.

— Se as pessoas estão trabalhando *sem razão nenhuma de ser* — grita Jones —, por que nós precisamos *demiti-las*? — Com isso, inúmeros fragmentos de batata molhada saem voando pela sala.

— Porque faz parte do estudo, Jones. Nós observamos como as pessoas são recrutadas, como se adaptam, como trabalham e como vão embora. Não estamos ali para fornecer uma terra da fantasia corporativa, onde todo mundo arranja um emprego vitalício. Estamos fazendo um modelo da verdade. — Ela faz uma pausa. — Deixe-me entrar que eu lhe explico tudo.

— Eu *compreendo* — diz Jones, irritado.

— Então venha, vamos para o jogo de beisebol.

Isso o deixa tão irritado que ele se levanta.

— Megan tinha *amigos* na Zephyr. A empresa fazia parte da *vida* dela. — Na verdade, Jones não tem bem certeza disso; está assumindo algumas premissas. — Ela era uma *pessoa legal*. O que vai acontecer com ela agora? Você faz idéia?

— Ela vai receber uma indenização e vai procurar outro emprego. E nós vamos espalhar a notícia de que ela foi contratada pela concorrência.

— Assiduous.

— Isso. É melhor não haver contato entre ex-funcionários e funcionários na ativa. Por isso inventamos o bicho-papão.

— Vocês nem vão dizer nada para ela, não é mesmo? Essas pessoas que trabalham para vocês durante sei lá quantos anos, elas nunca ficam sabendo.

— Claro que não. Meu Deus, você pode imaginar o que elas fariam? Pense nisso, Jones: não iria destruir a alma de qualquer um saber que tudo o que a pessoa fez nos últimos anos é *fictício*? Todas aquelas noites em que a pessoa ficou até mais tarde trabalhando, os jantares que perdeu por conta disso, o estresse, os prazos, a ralação... a única coisa que mantém a sanidade dessas pessoas é o fato de acreditarem que o seu trabalho tem *algum significado*. Você quer lhes tirar isso?

Jones fica parado no meio da sua sala de estar com um saco de batatas pela metade numa das mãos e não diz nada.

— Olhe aqui — diz ela, a voz mais branda. — Eu me solidarizo com a sua posição. Demitir as pessoas é uma droga, não há dúvida. Mas o que você vai conseguir tendo um ataque de raiva? Jones, se você se preocupa com isso, você está no lugar certo. Neste exato instante, milhares de gerentes estão dirigindo seus carros de volta para casa escutando uma versão gravada do *Sistema ômega de gestão*, e se nós lhes dissermos que alguma coisa funciona, eles vão experimentar. Então, não reclame; tente melhorar, isso sim. Encontre uma maneira melhor.

Jones caminha até a porta e a abre, tomando fôlego para poder soltar alguns comentários cáusticos sobre a ética de mudar sistemas corruptos a partir de dentro, possivelmente tomando por base alguns exemplos dos nazistas. Então ele a vê e essa bolha explode de uma vez só. Eve está vestida — *vestida* no sentido de que alguns pedaços de tecido diáfano coincidentemente se juntaram para cobrir algumas partes do seu corpo — com uma túnica de cetim preto transparente. Um conjunto de brincos e colar de diamantes ofuscam os olhos dele. O colo cor de mel atrai seu olhar mais para baixo e as pernas lhe fazem galanteios. Ela não parece uma nazista. Nem um pouquinho!

— E venha para o jogo de beisebol, porque eu já me arrumei toda — diz Eve. Ela abre as mãos espalmadas para cima.

Ele acaba dizendo:

— Isso não quer dizer que eu concorde com você. Ainda não estou satisfeito.

— Tudo bem. — Ela sorri. Em seguida, pousa os olhos na esculhambada camiseta da Budweiser que ele está usando com um moletom manchado. — Você vai...

— Vou mudar de roupa — diz ele.

Jones não gostava de beisebol quando estava na escola. Não jogava bem, não gostava de assistir, nem gostava da maneira como as meninas se apertavam à esquerda do campo para ver os meninos treinando arremesso e rebatida. Mas alguma coisa aconteceu na faculdade, alguma coisa ligada à telona na sala de recreação e aos grupinhos que se formavam em torno dela. Não aconteceu de uma vez só; ele foi gradativamente se deixando arrebatar por aquela onda, pela glória e pela tragédia que se diferenciavam num átimo de segundo, até que um dia percebeu que adorava aquele jogo. Hoje ele já foi ao Safeco Field um sem-número de vezes, mas em nenhuma delas entregou o carro ao garagista na entrada de uma rampa e foi acompanhado até um conjunto de elevadores privativos; em nenhuma delas ele percorreu um corredor forrado de tapete macio até uma entrada com uma plaquinha dizendo: CORPORATIVO.

O — concierge? — os conduz até uma porta na qual se lê ALFA e a segura para que eles entrem. Lá dentro é tudo sofás de couro, sombras e freezers grandes e reluzentes. A parede do lado oposto é de um vidro levemente fumê que oferece uma vista tão impressionante do campo que Jones pára para absorver. Ali ele se dá conta de que jamais conseguirá apreciar um jogo de beisebol sentado nas arquibancadas novamente.

— Ah, um fã. — Eve enrosca seu xale no aparador. — Estou curiosa para saber por que você ficou em silêncio. É a primeira vez que fica num camarote?

Jones não consegue desgrudar os olhos.

— É.

— Eu detesto beisebol. Mas adoro o camarote. Tranqüilo, não é mesmo?

— Não acredito que estejamos só nós dois aqui. Ninguém mais quis vir?

— Que nada! A maior parte do tempo ele fica vazio. — Jones se vira para o lado, afrontado demais para falar. — Ah, o que foi? Você acha que a gente deveria abrir para o público? Quem sabe encontrar umas crianças com câncer e emprestar-lhes o camarote?

— Ora — diz ele —, mas por que não?

Ela solta uma risadinha.

— O que faz com que este lugar seja especial não é a mobília de couro, nem o serviço de bar, nem a vista. O que faz com que este lugar seja especial é que *nós* estamos aqui enquanto *eles* — ela faz um gesto em direção aos torcedores — estão *lá*.

Jones faz uma careta.

— Seus pais não lhe ensinaram a compartilhar?

— Ah, ensinaram, sim. — Eve vai até a área do bar e estuda uma fileira de garrafas. Jones vê o rosto dela refletido no espelho ao fundo. — A bem da verdade, mamãe proibiu minhas irmãs e eu de termos posses individuais. Tudo era de todas. — Ela estica a mão para pegar uma garrafa escura e gorducha de alguma coisa que Jones não reconhece e dois delicados copos arredondados. — O que você acha, toda a minha vida não é uma rebelião contra pais hippies?

— Isso explica um monte de coisas.

— O negócio é o seguinte — diz ela, ajeitando-se no sofá e dando umas palmadinhas no espaço vazio ao seu lado —, é muito legal ter posses. Por exemplo, eu não curto carros. Não faço idéia de quantos cilindros o meu Audi tem, ou, já que pensei no assunto, que diabo é um cilindro. A menor idéia! Mas só de olhar para ele, Jones, fico apaixonada. Eu *adoro* o meu carro. Porque é meu e é muito mais bacana do que o de todo mundo.

— Isso é uma das piores coisas que eu já ouvi — diz Jones.

Ela estica um copo com uma bebida marrom despejada sobre o gelo e ele o pega.

— Não há nada errado em curtir a vida. Afinal, o que mais se pode fazer? — Ela ergue o copo e toma um gole.

Ele se senta ao lado dela.

— Bem, eu não quero ser radical demais, mas que tal ajudar outras pessoas? Fazer do mundo um lugar melhor?

Eve tosse explosivamente. Coloca o copo na mesa, o que exige duas tentativas, e procura na bolsa um lenço de papel. Leva-o aos olhos.

— Nossa, você quase me matou. — Respira fundo. — Ufa! Tudo bem. Diga-me como você justifica a compra de um par de sapatos novos.

— O quê?

— Quando há gente morrendo de fome na África, que tipo de pessoa gasta 200 dólares num par de sapatos? Está vendo, quando você entra nessa paradigma, é um buraco sem fundo. Você nunca vai se sentir bem consigo mesmo enquanto houver gente pobre ou passando fome, o que sempre vai haver, Jones, e sempre houve, desde o início dos tempos, de forma que você vai se sentir culpado e hipócrita ao mesmo tempo. *Eu sou* coerente. Admito que não estou nem aí. Você quer que eu o tranqüilize quanto à ética do Alfa, mas eu não vou fazer isso, porque ética é uma baboseira. É um realce que colocamos na nossa vida para justificar o que fazemos. Eu digo é que você tem de ser grande o suficiente para viver sem racionalizações.

Jones toma um gole da sua bebida. É uísque, e o esquenta de cima a baixo.

— Só porque eu acredito em ética não quer dizer que eu seja a Madre Teresa. Existe um meio-termo.

— Ah, o famoso *meio-termo*! — Ele tem a impressão de que Eve está gostando da conversa, mas, para ser sincero, ele também está. — Jones, você é uma dessas pessoas que jamais precisou tomar uma decisão entre ética e resultados. Você freqüentou a faculdade, onde aprendeu que empresas com funcionários satisfeitos costumam ser mais lucrativas, e disse: "Ah, que bom!" Porque isso o tirou de cima do muro; você não precisou decidir o que fazer se tivesse de escolher entre um e outro. Você não vai trabalhar para um fabricante de cigarros ou de armas porque são empresas ruins; você só vai trabalhar para as boas, ajudando-as a melhorar o nível de satisfação do cliente e a gerar melhores produtos e... ei! Por coincidência, essas coisas aumentam os lucros da empresa e dão promoções aos funcionários. Muito bem, você está no mundo de verdade agora e logo vai descobrir que às vezes é preciso escolher entre moral e resultados, que as empresas fazem isso todos os dias, até mesmo aquelas que você achava boas, e são os gerentes que escolhem resultados que dão promoções. Você lamenta isso durante alguns dias ou meses... ou mesmo anos... até que finalmente, um belo dia, resolve que precisa tomar as decisões mais duras porque é uma questão de negócios, e é isso que todo mundo está fazendo. Mas porque se sente culpado por ter um salário com seis dígitos e um carro do ano, você patrocina uma criança no Sudão e dá dez dólares por ano para uma instituição de caridade e continua sendo ético a maior parte do tempo, ou seja, quando isso não atrapalha o seu trabalho, e só porque você mentiu um pouco, ou roubou um pouco, ou arranjou um emprego numa empresa que ganha dinheiro nas costas de crianças de 14 anos que trabalham numa fábrica na Indonésia isso não quer dizer que você não seja uma boa pessoa. Mas você vai parar de trazer à baila o assunto da ética. *Esse*, Jones, é o meio-termo.

Batem à porta.

— Entre — diz Eve. Ela volta a olhar para Jones. — Você deveria me agradecer. Acabo de economizar para você alguns anos de embate com a sua consciência.

— Você é inacreditável. É como se fosse *do mal*.

Um homem entra empurrando um cabideiro móvel com roupas penduradas e cobertas por plásticos. Ela se levanta do sofá, inspeciona o cabideiro e mostra-se satisfeita com o que vê. O entregador é dispensado, aparentemente feliz e impressionado, mas Jones não consegue dizer se é por causa da gorjeta de Eve ou se pela própria Eve. Ou talvez o carregador nem esteja impressionado; talvez seja apenas uma projeção de Jones.

— Venha cá — diz ela.

Ele se levanta e olha para o cabideiro.

— Você falou para ignorar o Blake.

— Falei. Na reunião. Mas ele tem razão. — Ela tira um paletó e segura-o no ar diante dele. Mesmo através do plástico, Jones percebe que é caro. — Para os seus olhos, estou pensando num cinza chumbo.

— Eu não tenho dinheiro para comprar um terno novo.

— Ternos. Você precisa de mais de um. Não se preocupe, você vai me pagar de volta. — Ela o estende para ele alcançar.

Ele não se mexe.

Um sorriso repuxa os lábios dela.

— Só estou lhe oferecendo roupas. Você não precisa adotar a minha moral.

— Olhe aqui, eu não sou nenhum idiota. Entendo que o negócio é ganhar dinheiro. Só quero saber se estamos tratando os nossos funcionários direito. Sabe, se estamos cuidando deles.

— Sinceramente? Não estamos. Mas talvez seja isso o que você pode mudar. — Ela larga o terno.

Jones pega-o por reflexo.

— Pois bem. Talvez eu faça isso.

Ela sorri, se vira e vai para perto do vidro fumê.

— Experimente.

Ele hesita, sem saber direito o quanto sua imagem será refletida no vidro. E logo começa a tirar a roupa. Quando remove o plástico, sente o cheiro do terno novo, agradável.

— Eles estão *espanando* a barreira. Para que precisam espanar? Ela é feita de *terra* — diz Eve, balançando a cabeça. — Sabia que eu e você estamos trabalhando em projetos parecidos no Alfa?

Jones passa o cinto pelas presilhas da calça.

— É mesmo? Qual é o seu?

— Gravidez. — Ela se vira. — Terminou?

Jones fecha o zíper.

— Gravidez?

Ela se aproxima e o olha de alto a baixo. E começa a endireitá-lo; conserta as dobras do paletó, arruma a gravata e ajeita a camisa no lugar.

— É um custo imenso. A maternidade é apenas a ponta do iceberg. Quanto mais vezes uma funcionária engravida, menos ela trabalha. Recebe o mesmo salário, porém tira mais folgas, sai mais cedo, concentra-se menos, dá mais telefonemas de cunho pessoal e passa mais tempo batendo papo com as colegas, em geral sobre a sensação de estar grávida, o que, eventualmente, resulta num aumento pequeno, mas significativo, da vontade que as colegas têm de também engravidar; então, ela é efetivamente contagiosa. Depois vem a licença-maternidade, a licença-paternidade, a abstenção maior por causa da necessidade de cuidar de filhos doentes, menor disponibilidade para fazer horas extras... A gerência precisa levar em conta efeitos desse tipo. Seria negligência se não levasse. — Ela estica o braço para trás dele e puxa a calça para cima. — Que negócio é esse? Isso não é uma calça jeans.

— Você não pode discriminar uma funcionária porque ela está *grávida* — diz Jones. — Minha Nossa Senhora, isso é contra a lei.

— Da mesma forma que é contra a lei discriminar os fumantes. Como eu disse, estamos trabalhando em projetos parecidos. Estamos tentando levar os funcionários a deixarem de fazer atividades que custam dinheiro para a empresa. — A mão dela escorrega até a bunda de Jones, de uma forma que ele desconfia não ser estritamente necessária para ajustar a calça. — Muito embora, pessoalmente, eu não veja razão para subsidiar toda mulher na folha de pagamento cuja vida seja tão sem graça que seja necessário injetar-lhe *crianças* para que melhore.

— Eu não me sinto muito à vontade para discutir gravidez com você apertando a minha bunda.

— Isso não foi um aperto. *Isto* é um aperto.

— A Zephyr não tem uma norma relativa a relacionamentos entre funcionários?

— Claro. Mas nós não estamos na Zephyr. Estamos na Alfa.

— E a Alfa tem?

— Temos a mente tão aberta que chega a surpreender.

— Você ainda está segurando a minha bunda.

— Isso é ruim?

De repente ele se dá conta de que poderia beijá-la. A bem da verdade, considerando que ela o está apalpando, provavelmente é isso que está esperando. Mas Jones ainda está sentindo na boca o gosto ruim daquela coisa sobre a gravidez, de forma que pega a mão dela e a retira de sua bunda.

— Ora, não me venha com essa! — As sobrancelhas dela dão um salto. — É isso mesmo? — Ela fica desconcertada. Dá meia-volta, vai até o sofá e se deixa cair.

— Desculpe — diz Jones. — Acho que não seria uma boa idéia.

— Tem razão. Você ficaria com a impressão errada a meu respeito; ficaria esquisito no trabalho... deveríamos manter as coisas no nível profissional.

— Correto.

— Mais uísque?

— Claro. — Ele vai até o sofá.

Eve completa os copos. Ele chega a perceber a retomada de compostura. Quando lhe entrega o copo, ela está sorrindo. É tão linda que ele começa a pensar se tomou a decisão certa.

— Bem — diz ela —, posso dizer que vai ser interessante conviver com você.

Ele sorri.

— Espero que sim. — Eles fazem tintim com os copos.

Eve joga o Audi para o acostamento e tira as mãos do volante.

— Droga. Acho que você está certo. Estou bêbada demais para dirigir.

Jones olha à sua volta. Sente uma certa dificuldade para focar a vista, mas consegue concluir que eles estão de volta ao seu apartamento.

— Quer que eu chame um táxi para você?

— Talvez seja melhor eu dormir até passar. — Ela não se inclina, mas se joga na direção dele. — Na sua casa. — Os lábios dela formam um sorriso elástico. Jones o estuda por um instante.

— Tudo bem.

— Só isso? Não vai ter um: "Nós deveríamos manter as coisas no nível profissional"? Nem mesmo um: "É melhor sermos bons amigos"? — Ela gesticula extravagantemente e esbarra no espelho retrovisor, tirando-o do prumo. — Ai!

— Foi *você* quem disse essas coisas.

— Eu disse?

— E eu só disse que você podia ficar. Não a convidei para tirar a roupa.

Eve acha a maçaneta da porta e escorrega para a rua.

— Aha! — Ela se arrasta de volta para dentro do campo de visão de Jones. — Não acredito nem por um segundo que você não queira dormir comigo.

Jones alavanca o próprio corpo para conseguir sair do Audi. O esforço faz o sangue ir para a cabeça, que ele percebe estar cheia demais de bebida. Ele dá a volta no carro e ajuda Eve a se levantar.

— Todo mundo quer — desabafa ela. — Todos eles. Não vejo por que você seria diferente. — Ela lhe dá uma cutucada com o dedo no meio do peito.

Jones se atrapalha todo para conseguir enfiar a chave na fechadura da entrada do prédio.

— *Todo mundo* quer dormir com você? Como é que você sabe disso?

— Quando se investiga um pouco — ela se apóia pesadamente nele para conseguir atravessar a portaria —, acaba-se descobrindo que o padrão mínimo com que um homem dormiria é muito baixo.

— Então, não é uma questão de você ser irresistível. É mais uma questão de os homens serem promíscuos.

— Os dois. — Eles agora estão na escada e Eve pára abruptamente. Jones a está segurando com um braço ao redor de sua cintura, de forma que ele também precisa parar. — Jones, me beije.

A mente de Jones lhe diz: *É uma arapuca!* A mensagem corre até seus lábios, que não prestam a mínima atenção, pois já estão beijando Eve. Os lábios dela, macios e deliciosos, comprimem-se contra os seus, e ela começa a rir. Jones se afasta. Eve começa a subir a escada, e Jones precisa agarrá-la.

— Não é justo. Eu não estava preparado.

— Falou o promíscuo.

— Você não está tentando me seduzir? Como é que sou eu o promíscuo?

Eles chegam ao apartamento de Jones. Ele conseguiu colocar as chaves no bolso errado lá embaixo, de forma que agora precisa largar Eve para poder pegá-las. Ela descamba contra a parede do corredor.

— Porque você está se rebaixando. Enquanto eu... — ela começa a escorregar parede abaixo — já estou... rebaixada. — Jones a segura. Ela olha para ele e sorri. Mas a cabeça dela continua se mexendo, ganhando velocidade e, de repente, desaba para trás, de forma que Jones fica pestanejando no pescoço dela e segurando seu corpo desfalecido.

Durante alguns segundos, ele não se mexe.

— Eve? — sussurra.

Ao ver que não funcionou, tenta novamente. Coloca uma das mãos atrás da cabeça dela e a levanta. A boca de Eve permanece entreaberta. Seus olhos estão semicerrados, meras ranhuras entorpecidas entre pálpebras pesadas e escuras. Eve desmaiou. Além do mais, não é bem nesta posição que Jones gostaria de ser visto pelos vizinhos, todos os quais têm olhos-mágicos e muitos dos quais não se acanham de usá-los. Ele luta para conseguir abrir a porta, depois para colocar Eve lá dentro sem esbarrar com o corpo dela num canto qualquer, o que é mais difícil do que parece porque ela ficou totalmente lânguida, seus braços descrevendo círculos no ar. Ele cruza a sala de estar arrastando-a como pode e a coloca na cama. Em seguida, cai pesadamente sentado ao seu lado e respira fundo.

Ela não se mexe. De repente ocorre a Jones que talvez ela tenha morrido e, ansiosamente, ele se inclina por cima do corpo. Ela solta um ronco baixinho. Jones ajeita cuidadosamente a cabeça dela numa posição melhor. Ela pára de roncar e estala os lábios. Formou-se no canto da boca de Eve uma pequena bolha de saliva, que Jones limpa.

Ele volta dez minutos mais tarde, depois de fechar a porta do apartamento, tirar o terno e escovar os dentes. Eve está exatamente na mesma posição. Jones fica ali, encostado no umbral da porta, sem saber quais peças de roupa seria bom tirar e quais seria terrível. Afinal, resolve que pode tirar-lhe os sapatos, o relógio e o colar sem atingir nenhum ponto de potencial legal ou (se é que importa) moral.

Eve está deitada em cima das cobertas e Jones não está satisfeito com as chances que tem de conseguir colocá-la debaixo delas, de forma que tira uma coberta nova do armário, joga-a sobre ela e se deita também.

— Mmm. — Ele sente a bunda dela encostar no seu quadril. — Bff esss.

— O quê?

— Mmm. — Ela não diz nada durante alguns instantes. — Jones?

— Oi?

— Você me acorda na hora de ir para o trabalho?

— Claro. Já coloquei o despertador.

— Mmm. Bom. — Ela se acomoda embaixo das cobertas. — Não posso... faltar amanhã. Estamos... consolidando.

Jones aguarda, caso venha mais coisa.

— Consolidando?

— Mmm.

— Consolidando o quê?

— Tudo! — Ela faz um barulho baixinho como uma risada. Sua perna encontra a dele e se enrosca. — Amo você, Jones.

A respiração dela se aquieta. Jones fica ali deitado, escutando-a, até que o despertador vem à vida e dois DJs avisam com grande estardalhaço que são 6h30 da manhã.

"Aqui é a Sydney. Espero que funcione... Estou tentando redirecionar uma mensagem de... ahn... Daniel Klausman. Esperem... acho que tenho de... não, não é isso. Talvez. Clique. Bom dia para todos! Aqui é a Janice. É uma daquelas para todo o pessoal... vocês já sabem o que fazer. Clique. Janice, distribua por favor a seguinte mensagem de Daniel Klausman para todos os chefes de departamento. Obrigada. Clique. Bom dia para todos, aqui fala a Meredith... tenho uma mensagem de Daniel Klausman para ser distribuída a todos os funcionários. Obrigada. Clique.

"Aqui é Daniel Klausman. Meredith, envie esta mensagem para os chefes de departamento distribuírem a todos os meus assalariados.

"Bom dia para todos! Eu gostaria de lhes agradecer por toda a boa vontade e entusiasmo com que abraçaram o aperto de cintos que se fez necessário nos últimos meses. Não foi fácil, mas fizemos algumas mudanças importantes.

"Infelizmente, o preço de nossas ações foi afetado por uma reação exacerbada do mercado a eventos não relacionados, e perdemos mais 14%. Trata-se, obviamente, de um motivo para preocupação, mas vale notar que foi uma queda menor que a de 18% do trimestre anterior, então, em termos relativos, ganhamos 4%.

"Demos grandes passos, mas o trabalho ainda não terminou. Agora mais do que nunca, precisamos mostrar ao mundo que a Zephyr Holdings é a líder do ramo. Devemos comprovar nosso compromisso com nossa visão estratégica. Assim sendo, quase todos os departamentos serão consolidados ao longo das próximas semanas.

"Era a mensagem que eu tinha para vocês hoje. Aproveitem bem o dia. Clique."

Este é o primeiro recado de voz que todos recebem na sexta-feira de manhã. As pessoas chegam, tiram seus paletós e guardam suas bolsas; pegam o telefone e digitam seus códigos de acesso; e é isso que ouvem.

Exceto Jones. Jones chega à sua mesa, arrastando-se qual um morto e vivo. Coloca os cotovelos em cima da mesa e apóia o rosto nas mãos. A luz de seu correio de voz pisca, lançando raios vermelhos em seus olhos a cada dois segundos e meio. Ele não encontra o entusiasmo necessário para fazê-la parar.

— *Consolidados*! — diz Freddy, ganindo. — *Quase todos os departamentos*! — Ele e Holly levantam-se ao mesmo tempo. — Pergunte a Elizabeth. Eu vou falar com a Megan. Ela... — Freddy estala os dedos. — Ai, merda! Vivo esquecendo que ela não está mais aqui.

— Mas Holly já foi. Freddy sai correndo atrás dela, passando por Jones, que parece estar voltando de uma reunião de quatro horas com o Recursos Humanos. Freddy hesita. — Não se preocupe, Jones. Não devemos entrar em pânico até ficarmos sabendo de alguma coisa. — Seus olhos se arregalam. — Ou será que você já sabe? — Ele agarra os ombros de Jones. — *Nós estamos sendo consolidados*?

— Ah, meu Deus! Não me sacuda — diz Jones.

Freddy não sabe o que está acontecendo com Jones. Mas está claro que não é a consolidação. E é essa a questão do momento: quem está prestes a perder o emprego. Holly já está em Berlim Ocidental, falando com Elizabeth, provavelmente descobrindo quem vai embora e quem poderia ficar se ao menos a palavra certa fosse sussurrada no ouvido certo; provavelmente está garantindo uma nova posição neste exato momento, *agora*, enquanto Freddy está mexendo com Jones.

— Agora não! — grita Freddy. E sai correndo para Berlim Ocidental.

Elizabeth não se encontra em lugar algum, de forma que Holly pulou em cima de Roger e o está importunando atrás de informações. Freddy adentra a conversa:

— O que foi? O que você disse?

Roger ergue uma das sobrancelhas:

— Estava dizendo que numa consolidação, o departamento que tiver o gerente mais forte fica por cima. Nós temos a Sydney; portanto, não precisamos entrar em pânico.

— Isso! Sydney. A Sydney vai nos salvar.

— A menos que... — Roger vacila. — Bem, a menos que lhe peçam para decidir se salva o departamento ou o cargo dela.

Holly bate com uma das mãos contra a própria boca.

— Mas tenho certeza de que isso não vai acontecer — diz Roger.

Freddy não está bem certo. Nem Holly. Ela avista Elizabeth, pálida e abalada, voltando cambaleante do banheiro. Ela tem usado muito o banheiro ultimamente. Toda vez que Holly vai procurar por ela, encontra-a no banheiro.

— Elizabeth! O que você ficou sabendo? Nós vamos ser consolidados?

— Consolidados?

— O recado de hoje. Você sabe se... — Holly abandona a pergunta. Está com os olhos fixos na luz piscante do correio de voz de Elizabeth. Ela não ouviu o recado. Holly está chocada. Elizabeth sempre sabe do que está acontecendo antes de todos os demais. Mas, pelo jeito, hoje não. Enquanto todos escutavam o recado pelo correio de voz, Elizabeth estava no banheiro.

Elizabeth diz:

— Que história é essa de consolidação?

— Ahn... — Holly troca o apoio de um pé para o outro. — Bem...

———

A Zephyr Holdings acabou de voltar ao trabalho depois da queda da rede, mas agora, com a chegada da consolidação, ninguém tem tempo para isso. Por todo o prédio, o trabalho pára. As rodas da indústria param e o engenho do boato começa a funcionar. Numa questão de minutos, a Zephyr está fabricando boatos em níveis de gabarito internacional. Se fosse possível vender boatos, uma produtividade destas seria razão para comunicados e premiações especiais — mas não é possível, e até a Diretoria sabe disso. Ao se dar conta do que está acontecendo, a Diretoria convoca os chefes de departamento para uma chamada em conferência. Todo o pessoal fica proibido de especular sobre a consolidação, é a instrução. Ai de quem desobedecer! A Diretoria está aqui tentando salvar o emprego de todos, e cada um só se preocupa em saber se ainda tem emprego. Voltem ao trabalho.

Os gerentes de departamento não poderiam estar mais de acordo. Ficam fazendo que sim com a cabeça, embora seja uma conferência ao telefone. A voz de todos eles transborda determinação. Estão 110% com a Diretoria. Ou mais! Os lances sobem rapidamente.

Mas assim que largam o telefone, o apoio decai rapidamente, primeiro para níveis de realidade, depois mais baixo ainda. "A Diretoria ainda não resolveu quais departamentos serão consolidados", respondem às perguntas ansiosas e agoniadas de seu pessoal. "Ou talvez eles já tenham resolvido, mas não nos disseram. Eu sei tanto quanto vocês. Não tenho a mínima idéia do que eles estejam fazendo." Funcionários amedrontados aglomeram-se em torno das máquinas de cafezinho. A cabeceira dos boatos é subterrânea, mas eles irrompem ali mesmo. As bandejas das impressoras se enchem de cópias de CVs.

Enquanto isso, a Diretoria se reúne no seu ensolarado salão. As coisas começam meio esquisitas quando se sugere, não com tantas palavras, que talvez não tenha sido muito hábil da parte de Daniel

Klausman anunciar que haveria uma consolidação antes de se ter decidido exatamente o que ia ser consolidado. Talvez tivesse sido uma boa idéia Klausman avisar à Diretoria do seu grande plano. Talvez, e isso é apenas uma possibilidade, tivesse sido melhor se a Diretoria ficasse sabendo das consolidações antes dos demais.

Os Diretores agitam-se desconfortavelmente nas suas cadeiras. Klausman não vai a essas reuniões, mas aceita-se plenamente que ele sabe o que acontece nelas. Há quem suspeite que a sala está grampeada: microfones nas flores, câmeras nos olhos dos retratos, esse tipo de coisa. Há quem suspeite de espiões infiltrados. E há ainda os que alimentam a teoria de que alguém da Diretoria é o *próprio* Daniel Klausman, mas guardam-na para si porque admitir que nunca tiveram um encontro face a face com o CEO equivale a admitir sua irrelevância política. Seja lá o que for, a Diretoria dedica-se bastante a parecer leal. É absolutamente justo Klausman manter toda a sua força de trabalho na corda bamba, argumentam. E socam a mesa em defesa dos microfones ocultos, ou dos espiões, ou do próprio Klausman.

— Eu já vinha suspeitando disso há algum tempo — diz o VP de Gestão de Negócios e Previsões e Auditorias. — O meu pessoal está para concluir uma análise mostrando que 80% dos nossos custos são atribuídos a apenas 20% das unidades de negócios.

Isso gera murmúrios alarmados.

— Como pode ser uma coisa dessas? — protesta o homem à sua direita. — Era esse o quadro antes da *última* consolidação. Nós *cortamos* a maior parte desses 80%!

— Ah, mas são outros 80%, novos — assegura-lhe o VP.

Isso fecha a questão: está claro que a empresa deve continuar cortando até que essas porcentagens baixem. Propõe-se uma moção de apoio à decisão de Klausman, o que é unanimemente aprovado. Se há uma coisa que a Diretoria sabe é aprovar moções.

Feito isso, a Diretoria parte para um intervalo. Ufa! Todos aproveitam para verificar seus recados e pedir cafezinhos aos seus APs. Enquanto se entregam a esses afazeres, vão tranqüila e quase inconscientemente se reagrupando em núcleos distintos. Confidencialmente, comentam baixinho ali que essas consolidações só funcionarão se os seus próprios departamentos absorverem vários outros. Todos concordam. Chegam a esboçar rapidamente a visão estratégica da nova empresa, na qual a maioria dos departamentos é podada ou eliminada, exceto os seus, que ficam imensos e inchados. Isso! Os batimentos cardíacos se aceleram. Forjam-se alianças. Cada núcleo se revitaliza com um propósito simpático e unificado.

Mas quando os Diretores retomam seus assentos no salão, cada núcleo percebe que os demais também formaram núcleos. Cerram-se os cenhos. Todos enxergam o que está acontecendo: alguns Diretores tentam se aproveitar da reorganização para inflar suas próprias responsabilidades. Tal acusação — a princípio oculta, depois nem tão oculta assim, afinal totalmente descarada — irrompe com um tapa no riquíssimo tampo de madeira de lei. Os núcleos a renegam, acaloradamente. Não é como se eles fossem ganhar um aumento de salário por terem mais gente sob sua responsabilidade! (O que é verdade. Já foi o caso, uma vez, mas não depois do que passou a ser conhecido como o Incidente das Sete Secretárias.) Um departamento maior só significa mais trabalho!

E isso também é verdade. Para quem não é gerente, talvez até pareça que a Diretoria está disposta a, abnegadamente, aceitar mais trabalho pelo bem da empresa. Mas é por isso que essas pessoas não chegam à gerência. Não se chega aos altos escalões da Zephyr Holdings fugindo da raia das responsabilidades. Chega-se lá abraçando o máximo de responsabilidade possível, forçando a barra e pedindo mais. A Diretoria corre atrás de responsabilidades da mesma forma que filhotes de passarinho escancaram o bico para receber minhocas regurgitadas: por instinto. É isso que eles fazem. É assim que eles são. Então, a Diretoria percebe, ao olhar em torno da mesa e constatar apenas olhares ríspidos e ávidos, que todos vão ter um dia cheio pela frente.

Elizabeth empurra a porta do banheiro para fora. São 10 horas e já é a sua terceira ida de hoje. Ela vomitou uma vez, tranqüilamente, e, a confirmar-se o padrão, vai acontecer um segundo incidente daqui a mais ou menos vinte minutos. Nesse meio-tempo, ela vai costurando o caminho de volta até Berlim Ocidental. Não é possível passar o dia inteiro sentada sobre os ladrilhos do banheiro, abraçada ao vaso. (Tampouco pode passar o dia, mais recatadamente, debruçada sobre a pia. E se Sydney a vir daquele jeito? Ou Holly? Holly já está suspeitando demais. Provavelmente já sabe, sem se dar conta do fato. Elizabeth não está dando na vista, mas seus seios já estão inchando e ela anda literalmente caindo de tão cansada. Outro dia, caiu em sono profundo durante alguns segundos no meio de uma reunião do Vendas de Treinamentos e, quando abriu os olhos, Holly estava olhando para ela.)

Deu para sonhar com fitinhas. Azuis, verdes, vermelhas: daquelas que as meninas usam para prender o cabelo. Ou, mais precisamente, daquelas que as mães usam para prender o cabelo das filhas. Por alguma razão, Elizabeth não consegue tirar essa imagem da cabeça: ela e uma menininha, ela penteando o cabelo da menininha. Desde que a rede caiu, é só o que ela vem fazendo em vez de trabalhar. É um devaneio tolo e perigoso, do qual ela não consegue se livrar.

A luz de seu correio de voz está piscando. Não é a mensagem para todos os funcionários: ela já ouviu essa. Era tão amedrontadora quanto sugeriam as reações de Freddy e Holly, e Elizabeth já deu meia dúzia de telefonemas atrás de maiores informações. Este recado, supõe ela, é o retorno de um desses telefonemas. Elizabeth anda meio devagar, é verdade, e vai a toda hora ao banheiro, mas ainda não caiu da corda. Ajeita-se então na cadeira e disca para o correio de voz.

É uma voz de homem, forte e tranqüila.

— Bom dia. Aqui é do departamento de Recursos Humanos. Observamos uma irregularidade nos seus padrões de trabalho. Gostaríamos de lhe fazer algumas perguntas. Queira comparecer ao nível 3, por favor.

O seu primeiro instinto é *Roger*. Mas ele está ao telefone, dizendo:

— Veja bem, provavelmente eu consigo um lugar para você no Realização de Treinamentos se o Serviços de Pessoal for consolidado. Mas o que você pode me oferecer se eles cortarem o Treinamento? — Se Roger estivesse por trás disso, estaria de olho nela; não tinha dúvida.

Então não é o Roger. É só mesmo o departamento de Recursos Humanos. Seu intestino dá um nó. Isto é muito, muito pior.

Ela se vira e se afasta de Berlim Ocidental.

Poucos minutos depois, ela sai do elevador no nível 3. Durante todo o tempo em que trabalha para a Zephyr Holdings, Elizabeth nunca esteve no departamento de Recursos Humanos, de forma que arregala os olhos ao entrar e dar de cara com as paredes azul-escuras e a iluminação indireta. Atravessa o corredor, com seu tapete tão espesso que dá até a impressão de estar prendendo os sapatos, e pára diante da mesa vazia da recepção. Olha para as duas portas e, nesse exato instante, a da direita faz um clique e se abre.

— Olá?

Ninguém responde. Elizabeth não se deixa impressionar. Sempre achou difícil entrar em contato com o Recursos Humanos, mas isso já é ridículo. Ela entra no corredor, os lábios contraídos.

Percebe que está ficando mais quente. Ou seria ela? É difícil dizer nestes últimos dias. Sente uma certa umidade se formando na base de sua coluna, a blusa grudando, e se irrita.

— *Olá?*

Outro clique, e a porta da esquerda se abre.

É uma sala pequena cuja única peça de mobiliário é uma cadeira de plástico. E está de frente para um espelho. Elizabeth olha à sua volta.

— Ah, pára com isso.

Não há resposta alguma. Ela entra, coloca a mão na cintura e olha para o espelho.

— Alguém vai vir falar comigo cara a cara? Ou vai ficar escondido aí atrás?

Silêncio.

— Pois bem. — Ela caminha até a cadeira. O enjôo passou; ela se sente capaz de enfrentar até um crocodilo na queda-de-braço. Senta-se e cruza as pernas. — E então?

Então uma voz, vinda do nada, diz:

— Seu nome. Diga o seu nome.

— Elizabeth Miller. Quem é você?

— Diga o seu número funcional.

— 4148839.

— Informe o seu departamento.

— Você sabe qual é o meu departamento — diz Elizabeth. — Ligou para mim lá há dez minutos.

— Informe o seu departamento.

Os lábios dela se contraem mais. Ela pode ter uma tendência a se apaixonar pelos clientes, mas é capaz de lutar contra a paixão descarada de um amante magoado.

— Eu não vou discutir deste jeito. Se você quiser conversar, saia e venha falar me olhando nos olhos.

— Informe o seu departamento.

Elizabeth fica de boca calada. Passam-se segundos.

— Informe o seu departamento.

— A menos que eu veja um ser humano nos próximos dez segundos — diz Elizabeth —, esta reunião está encerrada.

Ela espera. O suor escorre por suas costas.

— Informe o seu departamento.

Elizabeth levanta-se e dirige-se para a porta. Ela nem a ouviu fechar, mas agora está trancada. Ela se vira para o espelho, as mãos na cintura.

— Abra a porta.

— Informe o seu departamento.

— É Vendas de Treinamentos, você sabe que é Vendas de Treinamentos! *Agora abra a porta.* — Ela sabe, tão logo as palavras escapam de sua boca, que isto é um erro tático: ela cedeu sem receber nada em troca.

— Foram detectadas irregularidades nos seus padrões de trabalho. As suas idas ao banheiro aumentaram de maneira marcante, tanto na freqüência quanto na duração.

Elizabeth respira fundo. Havia boatos de que o Recursos Humanos monitorava as idas dos funcionários ao banheiro. Elizabeth não tinha acreditado que fossem verdade. Ela volta para o meio da sala e encara o espelho.

— Não sei no que isso possa ser do seu interesse.

— Talvez você tenha um problema. Um problema pessoal. Poderia compartilhá-lo conosco. O departamento de Recursos Humanos está aqui para ajudar. Só estamos preocupados com o seu bem-estar.

— Mesmo assim.

— As análises sugerem várias explicações cabíveis para as suas idas ao banheiro. Uma delas seria uma intoxicação alimentar. Outra seria o uso de drogas para se divertir. Outra ainda seria uma gravidez.

Elizabeth não diz nada. Mas no seu estômago alguma coisa dá uma volta.

— Você sabe que o departamento de Recursos Humanos cumpre as leis federais e estaduais no que concerne à licença-maternidade. E sabe que a Zephyr Holdings é um empregador que oferece oportunidades iguais.

— O que isso tem a ver comigo?

— Você está grávida, Elizabeth? — entoa a voz. — Tudo bem. Pode me contar. Você tem um amigo nos Recursos Humanos.

— Eu não estou grávida — mente ela. E o faz com o queixo erguido e as costas eretas. Observando-se no espelho, acha-se convincente. O único senão é a coloração no seu rosto, mas eles não vão reparar nisso. A menos que tenham monitores. Será que eles têm monitores?

— Você sabe que o departamento de Recursos Humanos jamais discriminou uma funcionária por estar grávida.

— Nunca vi uma ser promovida.

— Discriminamos funcionários que chegam atrasados ao trabalho. Discriminamos funcionários que tiram folgas em excesso. Discriminamos funcionários que não conseguem um compromisso de longo prazo com seu emprego. Mas não discriminamos a gravidez.

— Eu comi um cachorro-quente estragado, foi isso. Pronto. Agora você sabe.

— O departamento de Recursos Humanos só está preocupado com o seu desempenho no trabalho. Não tem cabimento colocar questões pessoais à frente do seu trabalho depois de tudo o que fizemos por você. Há alguma previsão de queda na sua produtividade, Elizabeth?

— Não.

— Você está ciente de que prever uma queda na sua produtividade e não avisar constitui violação de contrato.

— Violação de contrato? Como isso seria uma violação?

— Você fez um acordo com o departamento de Recursos Humanos por um salário em troca de trabalho. Reduzir conscientemente a sua capacidade de produzir esse trabalho é má-fé.

— Olhe aqui, se eu *estivesse* grávida, o que não estou, isso *não* seria uma violação de contrato.

Não há resposta.

— Quero dizer, não poderia ser — diz ela.

— Você tem ciência de que violações de contrato resultam em desligamento imediato.

Ela engole em seco e em seguida diz:

— Eu não estou grávida, até onde eu saiba.

Faz-se uma pausa prolongada. Elizabeth se sente satisfeita consigo mesma. Mas talvez esteja apenas imaginando. Está com calor, suando e precisa ir ao banheiro.

— O departamento de Recursos Humanos não tem interesse algum na sua gravidez.

Ela começa:

— O quê?

— O departamento de Recursos Humanos preferiria não saber, nem de uma coisa nem de outra.

— Mas você acaba de...

— O departamento de Recursos Humanos não interfere na vida privada dos funcionários.

Elizabeth espera.

— Nosso único interesse é assegurar que você não passe a render no seu trabalho menos que os níveis negociados.

Ela fica sentada, rigidamente, durante um longo tempo. Finalmente, com os dentes crispados, diz:

— É melhor você não estar aludindo ao que eu acho que está.
Há um clique, e a porta se abre.
— Obrigado por vir até aqui — diz a voz.

— Jones — diz Freddy. — Jones. *Jones.*
— O quê?
Freddy fica olhando para ele da entrada do cubículo, estudando-o.
— O que está acontecendo com você?
Com algum esforço, Jones consegue se sentar mais ereto.
— Não consegui dormir direito, só isso.
— Bem, está na hora do almoço. — Ele olha para o relógio. — Onde está a Holly?
— Não faço idéia.
— Sala de reunião no saguão — diz Roger, de passagem. — Pelo menos, estava lá dez minutos atrás.
— Uma sala de reunião? Está se reunindo com quem?
Roger dá de ombros e continua andando até sair de vista.
— Hmm — diz Freddy.
Holly aparece dez minutos depois, carregando a bolsa.
— Desculpem, desculpem. É que me prenderam.
— Quem?
— Clientes. Vocês sabem que a Elizabeth é representante de vendas e eu sou assistente dela? Então, ela tem clientes.
— Quem?
— Com quem eu estava reunida?
— É.
— E isso lhe interessa?
— Não — diz Freddy. — Só acho uma dedicação incrível da sua parte fazer uma reunião com os clientes da Elizabeth enquanto

todo mundo está correndo de um lado para o outro tentando salvar o próprio emprego da consolidação.

— Nossa, parece até o Roger. — Ela baixa a voz para dizer a última palavra, já que Roger está a uma ou duas divisórias de distância. — Você não acha, Jones? Jones?

— O quê?

— Nossa — diz Holly —, o que está acontecendo com você?

— Bom, até agora não descobri nada — diz Freddy no elevador. — Ninguém sabe quando a consolidação vai acontecer, nem quem vai ser consolidado, nem por que está acontecendo antes de mais nada.

Holly solta um suspiro.

— Eu também não.

— Mas ouvi dizer que o Simon, do Realização de Treinamentos, acertou o Blake Seddon. Bem no meio da cara.

— Está brincando! Blake Seddon da Diretoria?

— É, e tem mais: ele agora está usando um tapa-olho. Igual a um pirata. — Seu olhar passa de Holly para Jones. Mas Jones não sorri. Ele já viu o tapa-olho do Blake: foi apresentado a ele às 7h30 de segunda-feira, durante a reunião matinal do Projeto Alfa. Não dá para dizer que tenha ficado totalmente arrasado pelo fato de alguém ter agredido Blake, mas o fato é que isso deixou Blake ainda com mais cara de quem acaba de sair de uma sessão da tarde na TV.

— Não é preciso dizer — continua Freddy — que o Simon agora é um ex-funcionário. E, claro, a Assiduous o pegou. Aposto que eles adoraram a idéia de colocar as mãos em alguém que deu um soco num executivo da Zephyr. Provavelmente o colocaram para orientar os exercícios de treinamento.

— Ei, isso me lembrou de uma coisa — diz Holly. — Liguei para o Recursos Humanos atrás de um contato com a Megan para podermos mandar um cartão para ela...

— Boa idéia — diz Jones.

— ... mas eles não quiseram me dar. Disseram que ela foi contratada pela Assiduous. — Ela lança um olhar temeroso para Jones. — Foi como você disse. — Jones não reage, então ela acrescenta: — Isso não é esquisito?

— Não sei. Acho que não.

— Acha mesmo? Antes você dizia que havia uma conspiração.

— É, mas eu pensei um pouco mais no assunto. — O elevador chega ao saguão e Jones aperta os olhos por causa da forte luminosidade. — Percebi que, num mercado com apenas duas firmas majoritariamente atuantes, é perfeitamente natural haver essa polinização cruzada de empregados. — Isso é, palavra por palavra, uma linha tirada de um manual de treinamento Alfa que Klausman lhe deu na semana passada.

— Mas... — Holly pára, porque à sua frente está Eve Jantiss, esperando para entrar no elevador.

— Ah, olá! — Eve sorri. — Olá, Jones!

— Oi! — E então ele tem de fazer isso: — Você conhece Freddy e Holly?

— Provavelmente nos falamos por telefone. Mas eu não consigo juntar o nome ao rosto. — Ela ri. Ela parece renovada, cheia de energia. E por que não estaria? Conseguiu dormir seis horas seguidas de ontem para hoje. Jones, que passou acordado todos os minutos do começo ao fim, sabe disso porque foi testemunha.

— Prazer em conhecê-la — diz Holly.

— Hmrrrr — diz Freddy.

— Engraçado! — diz Eve. — Nós passamos tanto tempo aqui, mas não temos a menor idéia de quem realmente nós somos. — Ela coloca um pouco de ênfase em *realmente*.

Ninguém responde a isso. Para evitar mais joguetes mentais, que Jones não está em condições de enfrentar, ele diz:

— Bem, foi bom encontrar com você — e começa a cruzar o saguão.

Freddy e Holly o alcançam já na metade do caminho.

— Você me viu lá atrás? Ela vai pensar que eu sou um *retardado* — diz Freddy.

Eles saem do prédio e se expõem à luz do sol, em direção à calçada.

— É como se você fosse duas pessoas — diz Holly de repente.

— O quê? — diz Jones, assustado.

— O que a Eve falou. É verdade. A gente vem trabalhar todo dia, mas mal se conhece. Eu nem sei o nome de metade das pessoas que vejo no elevador. Dizem que a empresa é uma grande família, mas eu não *conheço* essas pessoas. E mesmo aquelas que conheço, como vocês dois, a Elizabeth, o Roger... Será que conheço mesmo? Sabe, eu gosto de vocês, mas nós só falamos de trabalho. Quando saio com meus amigos, ou quando estou em casa, nunca falo de trabalho. Outro dia tentei explicar para a minha irmã a confusão que deu a Elizabeth ter comido a rosquinha do Roger, e ela ficou achando que eu sou maluca. E querem saber de uma coisa? Acho que ela tem razão. Em casa, eu não conseguia sequer imaginar por que isso poderia importar. Porque lá eu sou uma pessoa diferente. Quando saio daqui no fim do dia, sinto as mudanças se operando dentro de mim. É como se estivesse mudando de marcha dentro da cabeça. E vocês não sabem como é isso; só me conhecem como eu sou aqui, o que é terrível, porque eu me acho melhor *longe* do trabalho. Nem ao menos *gosto* da pessoa que eu sou aqui dentro. Será que isso é só comigo? Ou será que todo mundo é diferente quando vem para o trabalho? Se for, então como é que as pessoas são de verdade? Como é que a gente vai saber? Só conhecemos as *Pessoas do Trabalho*.

— Minha Nossa Senhora! — diz Freddy. — A *Elizabeth* comeu a rosquinha do Roger?

Holly congela.

— Não, eu quis dizer que o Roger *achou* que a Elizabeth tinha comido a rosquinha dele.

— Não foi o que você disse.

— Saiu errado. — Entra um tom de tensão na voz de Holly. — Você está tirando conclusões precipitadas, não era disso que eu estava falando.

— Por quê? Ela pegou a rosquinha dele? — pergunta Jones.

— Olhe aqui, por favor, se vocês contarem, Elizabeth vai saber que fui eu que disse.

— Tudo bem, tudo bem — diz Freddy. — Fica só entre nós.

— Foi uma coisa de momento. Ela estava com fome, só isso. Não foi nada pessoal. *Por favor*, jurem que vocês vão guardar segredo. — A voz dela falseia. Seu rosto se contrai de ansiedade, formando uma ruga na testa. — Era exatamente disso que eu estava falando.

— Claro que não vamos contar — diz Jones. — Certo?

— Certo, certo. — Freddy lambe os lábios. Saber é poder, e Freddy arranjou um bom bocado.

Holly ainda está nervosa.

— Sobre aquele negócio de sermos duas pessoas. Eu sei do que você está falando — diz Jones.

— Sabe? — Ela olha para ele, esperançosa. — Você acha que todo mundo é assim?

Os dois olham para Freddy, que está imerso em seus próprios pensamentos.

— O que foi? — diz ele. — Não vou contar ao Roger sobre a rosquinha.

A produção de boatos relaxa um pouco mais para perto do fim de outubro. Sem informações novas sobre a consolidação, a boataria acaba por si só, cada vez mais fantasiosa. Quando alguém diz que a Diretoria está cortando o Recursos Humanos, é o fim; ninguém consegue acreditar nisso. O ambiente de pavor desesperado e desinformado, essencial para uma boa divulgação de boatos, se desfaz e dá lugar a uma paranóia silenciosa e desconfiada. As pessoas se retraem, guardando para si mesmas, enciumadas, aquilo que sabem, ou seja, nada. Quando as mãos pegam os paletós e as bolsas à noitinha, os funcionários se despedem trocando olhares desconfiados, cada qual achando que o outro está escondendo algo. Todos fazem conjeturas sobre o que os aguarda no dia seguinte e quem pode não estar mais lá. Ao descerem de elevador, ficam olhando para o painel dos botões e pensando quantos botões em breve restarão.

Jones perambula um pouco pelo saguão, perto de onde está descrita a missão da empresa. Isso já está se tornando um hábito: fica torcendo para dar de encontro com Eve ao final do expediente, mas nunca consegue. Ela é, em tese, uma recepcionista, mas ele descobriu que ela praticamente nunca está à sua mesa: todo o trabalho de recepcionista é feito, na verdade, por Gretel. Ele a vê nas reuniões matinais do Alfa e ocasionalmente na sala de monitoramento, mas em tais ocasiões há outras pessoas por perto, como Blake Seddon. Jones quer pegá-la a sós. Quer dar continuidade a algumas questões que foram trazidas à baila na noite do beisebol.

Está prestes a desistir quando um *claque-claque* de saltos no pavimento lhe chama a atenção.

— Jones! — diz Eve. — Achei que era você. — Ela sorri quando chega perto. — Vi você nos monitores. O que está fazendo?

— Esperando por você — diz Jones, de uma forma chocantemente direta, encorajado pela maneira como ela está lhe sorrindo. — Achei que talvez você topasse ir tomar um drinque.

— Que ótima idéia!

— Bom! — Agora ele está sorrindo feito um bobo, mas não consegue se segurar. — Que bom, então!

— Eu preciso de um minutinho para me refrescar. Volto já. — Ela se afasta na direção do banheiro.

Jones enfia as mãos nos bolsos e quica um pouco sobre as solas dos pés. *Vai nessa, Jones!*, pensa ele.

— Boa noite! — diz Freddy, assustando-o.

— Até logo. A gente se vê na semana que vem. — Ele fica olhando Freddy passar pelas portas deslizantes. Pouco antes de sair do campo de visão, Freddy dá uma olhadela de relance para a mesa da recepção vazia e, num lampejo de clareza, Jones se dá conta de que está para despontar, num futuro não muito distante, uma cena catastrófica quando Freddy descobrir que está rolando alguma coisa entre ele e Eve. O pensamento provoca-lhe um frio na espinha.

— Tudo pronto — diz Eve, pegando o braço dele. E lhe abre um belo sorriso de felicidade. — Vamos. Eu conheço um lugar.

Ela o leva a um prédio baixo, de aparência duvidosa, perto da baía, pelo qual ele já passou milhares de vezes sem dar muita importância. Mas trata-se de um bar tão sofisticado que dispensa qualquer coisa que tente dizer de maneira óbvia que aquilo ali é um bar, e às 6 horas da tarde de sexta-feira está muito mais agitado e repleto de gente de classe do que Jones já viu em toda a sua vida. Eve abre caminho pelo meio da multidão com um drinque na mão, sorrindo e cumprimentando todo mundo. Ele a segue até uma varanda, que está tão apinhada de gente que há apenas uma reles linha divisória entre conversar e dançar junto.

— Sex on the Beach — diz ela.

— Como assim?

Eve ergue o drinque, coloca os óculos escuros e abre um sorriso para ele.

— Oh. — Jones sorri. Ele traz consigo um uísque e a silenciosa esperança de que Eve continue a beber Sex on the Beach, ou qualquer outra bebida alcoólica que seja, até que ele reúna coragem suficiente para confrontá-la a respeito do que ela lhe disse naquela noite na cama.

— Klausman está adorando o seu trabalho sobre os fumantes — diz ela. — Estávamos falando sobre isso hoje mesmo. Ele está impressionado com você. E *eu* também, o que é mais importante a longo prazo. O que você acha: Será que algum dia eu vou ser uma boa CEO? — Ela sorri.

— Talvez seja difícil explicar para 600 funcionários como foi que você conseguiu dar o salto partindo do cargo de recepcionista.

— Ora — diz ela —, não vai haver 600 empregados durante muito tempo mais.

— Certo. Então, veja bem, eu não entendo uma coisa. Por que a Zephyr está fazendo essa consolidação?

Ela dá de ombros.

— As empresas se reorganizam. Faz parte do ciclo dos negócios: crescimento, depois contração. Estamos interessados em encontrar maneiras melhores de fazer isso. Não deixamos de fazer uma consolidação na Zephyr pelo menos uma vez por ano.

— E depois ela cresce?

— Hmmm. Nem tanto assim. A Zephyr vem encolhendo desde que eu entrei. A tendência do mais com menos. Você sabe.

— Quantas pessoas vão perder o emprego?

— Depende da Diretoria. A Alfa não faz microgestão; nós só puxamos um fiozinho aqui, outro ali, e vemos o que acontece. Klausman mandou um recado de voz para todos os funcionários dizendo que tínhamos de fazer a consolidação. E agora a gente fica vendo como a empresa reage.

Ele olha para a água da baía.

— Então, várias pessoas, que não se sabe quantas serão, estão prestes a ficar desempregadas simplesmente porque vocês querem saber o que acontece.

Ela se empertiga toda.

— Isso foi um toque?

— Uma pergunta.

— Ah, Jones, toda vez que começo a pensar que você pode acabar se dando bem aqui, você treme nas bases só de pensar como é terrível demitir gente! — Algumas cabeças se viram na direção deles, o que Eve ignora. — Achei que você já tinha superado isso.

— Você já?

— Eu? Claro que sim. Do que você está falando?

— Você se lembra de tudo daquela noite?

Ela congela.

— O que foi que eu fiz?

— Você... não parecia satisfeita com quem você era. — No último instante ele fica encabulado e não diz: *Você disse que me amava.*

Ela ri.

— Mas é claro, eu estava bêbada.

— E sincera.

— Ah, besteira, Jones. Tudo baboseira. Eu provavelmente estava só tentando dormir com você.

— Por que você não consegue admitir que se sente só?

Passa-se um meio segundo, e então Eve solta uma risada de descrédito.

— Merda, você está falando sério.

— Você tem um monte de coisas legais. Eu vejo isso. O que mais você tem?

Seu tom sai mais crítico do que ele pretendia, e os olhos escuros de Eve se arregalam.

— Eu encho a cara e digo um monte de besteiras, e de repente abre-se para você uma janela para a minha alma? Não, Jones. Eu tenho uma vida maravilhosa e um emprego fantástico, e se isso significa que eu tenho de demitir uma centena de pessoas na segunda-feira, eu demito sem pestanejar. Eu tenho tudo que quero. Não estou feliz com quem eu sou? Nossa, não estou só feliz, estou *orgulhosa*.

— Você...

— E não tem nada de errado comigo, com meu jeito de ser.

— Você é muito mais que isso. Eve, você se sente mal com as coisas que o Alfa faz, eu sei que se sente. Pelo menos às vezes. — Ela não reage a isso da forma que Jones espera... não reage de maneira alguma, a bem da verdade... de forma que ele continua pressionando. — O Freddy. Você o conheceu no elevador hoje. É ele que tem lhe mandado flores toda semana. Você sabia disso?

Eve olha fixamente para ele.

— Seu idiota, *é claro que eu sei disso*. Nós *monitoramos* toda a empresa!

Jones ruboriza.

— Bem, ele...

— Sabe o que diz no arquivo do Freddy? "Não promover, o que quer que aconteça." É por isso que ele é assistente de vendas há cinco anos; ele é um projeto. *Todos* são projetos. Quer saber de mais uma coisa? Holly, aquela garota com quem você trabalha, ela reserva salas de reunião para reuniões que não existem. Ela vai lá e fica sentadinha. Às vezes leva uma revista, mas em geral não. É a pessoa mais solitária que eu já vi. Aquela AP que o seu departamento tinha, a gorducha, ela tinha um cadastro de todos os seus movimentos.

Estava tão apaixonada por você que mal podia *respirar*, e *você nem notou*. Eu, tentar dar um jeito na vida dessas pessoas? Não. Nem me preocupo com elas, não ligo. Para mim, são um monte de ratinhos num labirinto.

Jones afasta-se. Isso não causa tanta impressão porque a multidão está toda espremida: ele agora está se sentindo mais como a heroína chorona do que como o herói bonitão. Ainda assim, consegue descer as escadas, sair porta afora e entrar no táxi, que por sorte está parado na esquina, antes que Eve o alcance. E então ela bate com os nós dos dedos na janela.

— Pode ir — diz Jones para o motorista. Mas Eve é uma mulher lindíssima, que está usando um vestido de parar o trânsito, e parece que isso tem mais força sobre o taxista do que Jones poderia imaginar. Quando percebe que o carro não vai a lugar algum, ele abre a janela.

— Peça ao Klausman para lhe falar sobre Harvey Millpacker. Eles começaram o Projeto Alfa juntos há muito tempo. Só eles dois e vinte funcionários ignorantes, até que Harvey teve um ataque de culpa. Um dia, do nada, ele chegou ao trabalho e anunciou que era tudo um engodo. Uma experiência. Klausman não tinha a menor noção de que ele ia fazer isso, não teve chance de impedir, de forma que foi isso: a experiência acabou. A empresa fechou e todo mundo foi para a rua. Os empregados enlouqueceram. Rolaram até ameaças de morte. Mas quer saber de uma coisa? Ficaram mais zangados com o Harvey. Klausman tinha mentido, tudo bem, mas ele lhes dera empregos. Harvey os demitira.

— Isso é uma historinha de moral? — pergunta Jones. — Porque, vindo de você, é difícil de aceitar.

— O gerente de negócios era Cliff Raleigh. Um homem de 58 anos, divorciado, não muito chegado a amigos ou família. Mas no trabalho era uma lenda viva. É uma desgraça ver a dificuldade que é para gente de mais idade arranjar emprego hoje em dia. Este é um assunto que o Alfa quer abordar. — Ela dá de ombros. — Três meses depois de perder o emprego, Cliff deu um tiro na cabeça.

Jones cerra os punhos. Sempre se considerou uma pessoa pacífica, de forma que não está preparado para a violência de sua reação. Sente vontade de sair do carro e bater tanto nela que pode até sentir o gostinho na garganta.

— Então, Sr. Jones — diz Eve —, é melhor você pensar *direitinho* se vai querer ser um outro Harvey Millpacker.

— Ande — diz Jones para o motorista, e ao ver que isso não dá resultado, ele grunhe: — *Toque esse carro daqui.* — Mas o táxi não anda até que Eve finalmente tira a mão da porta e dá um passo para trás. Jones não consegue sequer *ir embora* antes que ela aprove e, no fundo, ele acha que isso está certo.

No nível 2 do prédio da Zephyr, os Diretores se sentam em torno da mesa de reunião. Foi um dia cheio para todos eles. Não há descanso para o executivo. Avistando somente a escuridão pelas janelas que vão do chão ao teto e uma tempestade se formando lá fora, a Diretoria dá os retoques finais no plano de consolidação.

Há duas maneiras de se enxergar a Diretoria. Uma delas é que se trata de uma equipe bastante entrosada, que não se cansa de envidar todos os esforços a serviço do que for melhor para a empresa. A outra é que se trata de uma matilha de egocêntricos, que de vez em quando assessoram a Zephyr como efeito colateral de suas campanhas pessoais por riqueza e status. Ninguém acredita mais na hipótese da equipe altamente entrosada. Um vez, há muito tempo, isso até pode ter sido verdade, mas no instante em que um dos integrantes da matilha entrou para a Diretoria, tudo se acabou. É como uma raposa entrando no galinheiro; em breve, sobram apenas raposas e penas. Se a Diretoria um dia foi composta de indivíduos abnegados, que colocavam o trabalho em equipe à frente do interesse próprio — e trata-se de um baita "se" —, isso há muito se estraçalhou.

É importante compreender isso, pois trata-se de um pré-requisito para compreender as decisões da Diretoria, como a consolidação. A meta inicial era aprimorar o andamento dos negócios da Zephyr. Mas isso foi na semana passada. Desde então, passou a ser uma questão de expandir o império. Os núcleos da Diretoria engendraram uma guerra impiedosa e sangrenta. Perderam-se departamentos, que depois foram retomados e finalmente perdidos outra vez. Muitas idéias boas, decentes mesmo, se perderam na confusão; muitos funcionários inocentes, gente trabalhadora, nenhum dos quais sabe de nada ainda, foram atingidos no fogo cruzado. Foi uma semana de tragédia insensata e destruição desmesurada, e agora até mesmo a Diretoria está cansada disso tudo.

Mas agora tudo acabou. O plano final, que dá a todo empregado algo que o faça feliz, contanto que trabalhe na Diretoria, reduz a quantidade de departamentos da Zephyr em assombrosos 70%. Muitos foram totalmente eliminados, mas outros foram mesclados, criando-se novos departamentos com todas as responsabilidades e alguns dos recursos de ambos. Ou de três. Ou, num dos casos, de cinco. O plano circula a mesa e, a cada assinatura de mais um membro da Diretoria, horrorosas criaturas são formadas a partir da costura dos órgãos departamentais. Com uma canetada apenas, a Segurança é enxertada nos Recursos Humanos. Grandes lascas do Jurídico são costuradas ali também. Por razões que não têm nada a ver com eficiência operacional e tudo a ver com a dura barganha dos executivos, fica apregoado um único funcionário remanescente do departamento de Crédito. Relampeja do lado de fora da janela do salão enquanto a Diretoria, exausta, anexa mais um chefe de departamento. E eis que ali está: mais um novo departamento. A Diretoria deu à luz, bem ali na sala de reuniões. Sua prole jaz sobre a mesa, cruel abominação da natureza, recebendo o seu primeiro pútrido alento. Seus olhos amarelentos lampejam o mal. Seus membros se retorcem e reviram sobre o lustroso tampo de madeira de lei. A criatura joga para trás sua mal-ajustada cabeça e solta seu primeiro rugido de vida, ou algo que o valha.

Lá embaixo, os parcos funcionários que ainda labutam param e olham para cima. Suas entranhas se contraem. Eles trocam olhares amedrontados. Ninguém coloca em palavras, mas todos sentem. Algo de ruim veio ao mundo.

T 4 / 2: NOVEMBRO

GRETEL MONADNOCK encosta cuidadosamente sua perua Kia numa vaga bem ao lado dos elevadores. Desliga o motor, pega a bolsa e o casaco, sai e fecha a porta. O barulho percorre toda a extensão do estacionamento no subsolo da Zephyr Holdings e volta. Normalmente, ela passa direto por este subsolo, deixando para trás todos os carros; ela só procura vagas com metade de um olho e, quando encontra, é uma maravilha. Mas hoje somente meia dúzia de carros ocupam as vagas. A sensação é estranha. São 7h25 da manhã.

Ela está no elevador, apertando o botão para o saguão, quando seu celular toca. Retira-o da bolsa e atende:

— Alô?

— Oi, Gretel, é a Pat novamente. Está tudo direitinho?

— Acabei de chegar neste instante.

— Ah, *que bom*! Obrigada, Gretel. Então, me ligue se tiver alguma pergunta.

— Ligo, sim. Tchau. — Gretel desliga o telefone. As portas do elevador se abrem e de repente Gretel está olhando para um jovem vestido num uniforme azul da Segurança. Ele está parado bem na frente dela, impedindo que ela saia do elevador. Atrás dele há mais dois homens uniformizados.

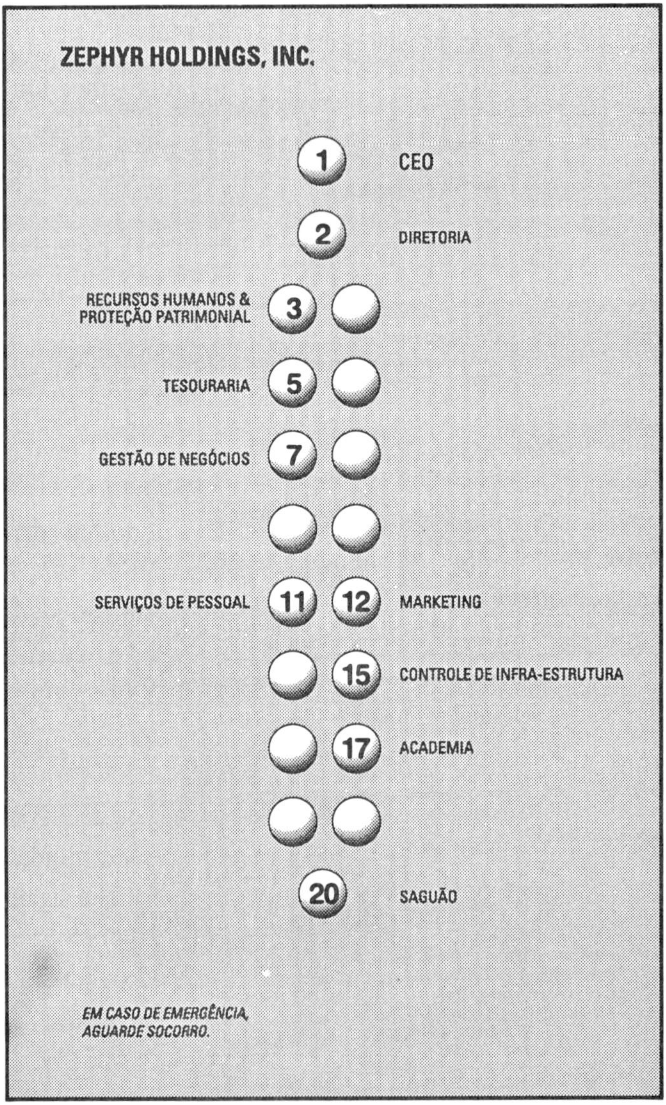
ZEPHYR HOLDINGS, INC.
1
CEO
2
DIRETORIA
RECURSOS HUMANOS & PROTEÇÃO PATRIMONIAL
3
TESOURARIA
5
GESTÃO DE NEGÓCIOS
7
SERVIÇOS DE PESSOAL
11
12
MARKETING
15
CONTROLE DE INFRA-ESTRUTURA
17
ACADEMIA
20
SAGUÃO
EM CASO DE EMERGÊNCIA, AGUARDE SOCORRO.

Os olhos deles baixam para a altura do peito dela, de uma forma que Gretel sempre acha incômoda, para ler seu crachá.

— Você é a recepcionista?

— Sou.

— Bem na hora. — Ele sorri, o que tem claramente a função de reconfortá-la, mas seus lábios estão molhados e brilhantes, e Gretel sente um arrepio de medo irracional. — Há instruções completas no seu correio de voz, pelo que me disseram.

Ele dá um passo para o lado, o que a deixa ver que há mais três guardas de segurança perto das portas de entrada do saguão e outros seis em torno da mesa da recepção.

Ela baixa a cabeça e caminha até sua mesa. As batidas dos saltos dos seus sapatos fazem um eco tremendo. Ninguém mais faz ruído algum; simplesmente a seguem com o olhar. Ao chegar à mesa, ela se dá conta de que está contendo a respiração.

Há seis páginas grampeadas à sua espera e a luz do seu correio de voz está piscando. Ela pega o fone.

"Oi, Gretel. Aqui é a Pat lá de cima. Tenho uma mensagem da Diretoria a seguir. Alguém deve ter ligado para a sua casa durante o fim de semana a este respeito, mas se você tiver qualquer pergunta, eu vou chegar segunda-feira de manhã cedo também. É só me dar um telefonema. Obrigada. *Clique.* Pat, passe esta mensagem para aquela moça da recepção — desculpe, esqueci o nome dela. Não a Eve Jantiss, a outra. O RH mandou que ela chegasse segunda de manhã cedo, mas você pode avisá-la também? Basta ficar ligando para ela. Harrrumff. Tudo bem. Para a recepção: Nós concluímos o nosso plano de consolidação e, por conta disso, muitos funcionários foram remanejados para novos departamentos. Outros já não são mais necessários. Por uma questão de segurança, essas pessoas não podem ir para suas mesas. A Segurança vai impedir acesso direto aos elevadores a partir do estacionamento até os andares superiores, de forma que todos terão de entrar pelo saguão. À medida que as pessoas forem chegando, você deverá verificar se constam na nova lista de funcionários, e àqueles que tiverem sido afastados, explique que... bem, basta explicar. Pode dizer que o RH vai entrar em contato para pagar as indenizações, entregar pertences pessoais et cetera e tal. Em seguida, peça que deixem o prédio. A Segurança estará a postos para dar assistência. Qualquer tipo de assistência. Obrigada."

Gretel coloca o fone no gancho. Enquanto ela escutava, o guarda da Segurança com os lábios molhados se aproximou e ficou parado ao seu lado. Ele sorri:

— Então, tudo certo?

O primeiro chega pouco antes das 8 horas: um homem de meia-idade com um terno brilhoso nos joelhos e os fundilhos largos. Ele entra pelas portas da frente e começa a cruzar o saguão, olhando curiosamente para os seguranças. Gretel congela: estava achando que os guardas iam parar as pessoas, mas parece que eles esperam que ela faça isso. Quando ela finalmente consegue desobstruir a garganta, o homem já está entrando num elevador aberto e procurando o botão no painel para apertar. Então, seu rosto empalidece. Ele lança um olhar de ansiedade para o guarda de segurança mais próximo.

— Onde é que está o meu andar?

O guarda gira a cabeça na direção de Gretel. Durante um instante, a expressão do homem não muda. Então, encolhe os ombros. Passam-se mais um ou dois instantes antes que ele resolva sair do elevador e cruzar o saguão, e quando finalmente consegue, sai arrastando os pés. Não se pode dizer que ele vá andando até a mesa da recepção; ele vai mesmo se arrastando até lá. E quando chega, não olha Gretel nos olhos; olha, sim, para um ponto aleatório sobre a superfície laranja da mesa.

— Eu sou da Contabilidade Geral. A... Contabilidade Geral ainda está aqui?

Gretel vasculha suas folhas de papel.

— A Contabilidade Geral foi consolidada com a Tesouraria. O novo departamento vai funcionar no nível 8. — Ela olha para ele. — Muitos dos funcionários da Contabilidade Geral foram afastados.

O homem tenta falar com desprendimento, mas não sai direito.

— Será que eu fui afastado?

— O senhor é Frank Posterman?

Os olhos dele saltam para o rosto dela.

— Não! Frank é o gerente.

— Então foi.

A cabeça dele cai para trás. Gretel sangra por ele. Mas mantém o rosto inexpressivo.

— Sinto muito. — Dois guardas de segurança já estão se aproximando. Gretel estica o braço por cima da imensa mesa e lhe oferece a mão. — O senhor precisa deixar as dependências imediatamente. Obrigado pelos seus serviços prestados à Zephyr Holdings e adeus.

— Ela é boa — diz Klausman, observando o monitor. — Tem compaixão, mas é profissional. Não fará de tudo para ajudar, mas dá para sentir que ela se preocupa. É exatamente esse tipo de atitude que abafa os rompantes de emoção. Mona, tome nota.

Toda a equipe do Projeto Alfa está aglomerada atrás dele. A reunião matinal de hoje foi reposicionada para a sala de monitoramento, de forma que eles possam assistir à ação. De vez em quando um técnico de jeans e camiseta se aperta para passar entre eles e chegar a um teclado, no qual faz qualquer coisa e vai embora; fora isso, o ambiente está repleto de Calvin Klein e Chanel Nº 5. Blake está atrás do ombro direito de Klausman e Eve, do esquerdo. Jones está atrás dela. Até o momento, a conversa deles se restringiu a "Bom dia", "Grande dia hoje" e "É mesmo", mas pelo jeito como os olhos dela ficam pousando nele, Eve não poderia estar mais ligada em Jones do que se ele estivesse andando por aí com uma machadinha de açougueiro na mão. Blake percebeu isso; durante os cumprimentos frígidos trocados entre ele e Eve, Jones sentiu seu olhar blindado — ou, pelo menos, a metade que não está obstruída por um tapa-olho preto adornado com minúsculas letras que formam a palavra Armani.

— Olhem o nível 2 — murmura alguém. Todos os olhos se voltam para o monitor no canto de cima. Ali, a Diretoria se senta em torno da mesa de reunião, as mãos cruzadas e as expressões entristecidas. Há um intercomunicador no centro da mesa.

— Eles estão pegando as últimas notícias da Segurança no saguão — diz Eve. Ela está usando um vestido verde de tirinhas. Seus ombros bronzeados brilham para Jones.

— Bem, até agora, devo dizer que estou impressionado. — Klausman vira-se por um segundo para ver se alguém discorda. Os agentes concordam com gestos de cabeça e murmuram sua anuência, exceto Jones, que não faz nada. — Eles seguiram o protocolo de recomendações do Ômega à risca. Talvez um pouco de exagero no número de guardas de segurança, mas é melhor prevenir que remediar, hein? Lembro-me de uns anos atrás, quando a Zephyr terceirizou a TI... não pela primeira nem pela última vez, claro... — risadinhas dos agentes; os ombros desnudos de Eve sacolejam —, e o gerente do departamento, idiota que era, contou para o pessoal antes do tempo. Chegou a convocar uma reunião, anunciou que era a última semana de todos, ofereceu conselhos et cetera e tal, e depois mandou todo mundo de volta para suas mesas. Uma hora depois o sistema de telefones tinha caído, os arquivos confidenciais da empresa estavam na internet e para quem tentasse fazer login no computador, aparecia um homem com um grampeador fazendo coisas que até hoje eu me arrepio só de pensar. Foram necessárias várias semanas para endireitar tudo.

— O que me preocupa — diz Blake, depois que todos terminaram de apreciar essa historieta — não é a execução, mas a estratégia. A Diretoria sabe o que está fazendo, mas praticamente não pensa no motivo. Basicamente, aproveitaram a oportunidade para reorganizar.

Klausman solta um suspiro e vira-se para estudar o monitor.

— Verdade. Eve?

— Ah... bem, é um arquétipo do sistema de Metas Flutuantes. O mesmo problema que sempre tivemos com a Diretoria.

— Jones! — vocifera Klausman por cima do ombro. — Você sabe do que ela está falando?

— Posso adivinhar.

— Vá em frente.

— Os benefícios primários de um cargo na Diretoria são mais status e maior salário. As desvantagens são menos tempo de lazer e mais estresse. Portanto, é lógico que o tipo de pessoa que acaba trabalhando na Diretoria é quem se sente mais motivado por dinheiro e status e não se importa de ter menos tempo para os amigos e a família.

Klausman solta uma risadinha.

— Uma visão algo insensível, Sr. Jones, mas, tudo bem, você tem uma idéia geral.

— Parece que estamos tendo uma abordagem bastante insensível com os funcionários que estão sendo demitidos neste instante — diz Jones. — Achei que era o que estávamos fazendo.

Klausman, Eve e Blake viram-se para trás.

No incômodo silêncio, Eve diz:

— Bem, ele tem uma certa razão. A Diretoria não é diferente de qualquer outro departamento para os nossos propósitos. Eu sei que todos nos sentimos de alguma forma conectados com os executivos do primeiro escalão... e além disso, Blake *está* na Diretoria, mas não deveríamos nos identificar com ninguém. Somos pesquisadores objetivos.

Klausman faz um lento gesto de concordância com a cabeça.

— É verdade, é verdade. Bom argumento, dos dois. E observem todos como é valiosa a visão de alguém novo no grupo para identificar áreas nas quais todos devem refletir em conjunto.

Klausman torna a se virar para a frente. Depois de um segundo, Blake e Eve também. Todos em torno de Jones estão pensativos. Jones também fica pensando, mas não na Diretoria. Está curioso para saber por que de repente Eve está passando a mão na sua bunda.

Freddy chega na Zephyr às 8h30 e seu coração quase pára. Há uma multidão atabalhoada no saguão. O que é ainda mais alarmante é que há um enorme grupo *do lado de fora* no pátio, e guardas da Segurança, todos uniformizados de azul, estão transferindo pessoas de lá para cá. Freddy se dá conta de que aconteceu. A Zephyr Holdings efetuou a consolidação.

Ele avança às cegas pelo meio da multidão até chegar à mesa da recepção. Dúzias de funcionários tentam fazer o mesmo, e andar espremido por entre os corpos acalorados esquenta ainda mais a temperatura. Quando consegue colocar uma das mãos sobre a superfície lisa da mesa, ele se agarra a ela com toda a força.

Disposta em torno da mesa, a Segurança observa a multidão com silenciosa hostilidade. Um dos guardas olha para Freddy como se não tivesse certeza de que ele foi demitido, mas isso não o surpreenderia. Freddy sente o terror borbulhando nas entranhas. À sua esquerda, uma recém-contratada, toda esguia, estremece da cabeça aos pés. Um homem de meia-idade encharca o macacão de suor à sua direita. Todos vêm, um a um, falar com Gretel — não com Eve; Eve não se encontra em lugar algum, o que Freddy acha alarmante por si só — e recebem a informação de que não estão mais empregados. Não há pausa nem repouso: é uma saraivada ininterrupta de demissões. A cada uma delas, a multidão urra como se fosse um único animal. Quando chega a vez de Freddy, ele precisa se debater contra a vontade de sair correndo antes que eles possam demiti-lo.

Os olhos de Gretel dirigem-se para ele. Freddy fica chocado ao perceber compaixão neles. Solidariedade neste curral é tão inesperada que lhe baixa a guarda, desarma-o. Estremecido, ele respira fundo. Até gosta do fato de Eve não estar ali para presenciar aquilo.

— Qual departamento?

— Vendas de Treinamentos.

— Vendas de Treinamentos... — Gretel folheia seus papéis. — Vendas de Treinamentos foi consolidada com o Serviços de Pessoal. O novo departamento fica no nível 11. — Ela olha para ele. — Todo o pessoal do Vendas de Treinamentos foi mantido.

A visão de Freddy se renova. Seus dedos acariciam a mesa. *Salvo! Salvo!* A multidão suspira. Freddy solta um oba! Sente vontade de beijar Gretel, de beijar a Segurança. Começa a rir.

— Pesquisa de Marketing — diz a recém-contratada esguia com uma certa rouquidão na voz, e Gretel corre um dedo pela página. Freddy recobra os sentidos e sai abrindo caminho pela multidão, dando cotoveladas, empurrando com os ombros; ainda assim, não está longe o suficiente para evitar ouvir a resposta de Gretel, ou a dor da empatia que acompanha sua voz.

Uma hora disso e até Alfa se enfada. As atenções divagam dos monitores. Os agentes começam a discutir outros projetos, e a excelência do BMW X5, e a maravilha que é o tapa-olho de Blake e onde foi que ele conseguiu encontrar aquilo. Jones pega sua pasta e começa a se afastar. Klausman chama:

— Vai a algum lugar, Jones?

Sem querer parar, Jones responde:

— Trabalhar.

Eve o alcança nos elevadores. Recosta-se à parede, inclinando a cabeça de forma que sua cabeleira escura se esparrama sobre seu ombro.

— Podemos conversar?

Ele dá de ombros.

— Eu não sabia se você viria hoje. Não respondeu a nenhum dos meus recados. — Ao ver que ele não responde, ela continua cuidadosamente. — Não é que eu culpe você. E me desculpe por sexta-feira. Sério. Eu meio que perdi as estribeiras.

Ele olha para ela.

— Você é muito novo, Jones. Eu me esqueci disso. Estava esperando que você conseguisse agüentar coisa demais num tempo curto demais. Este ramo de negócio é muito duro, duro até demais, e eu quero que você tenha sucesso. E você tem uma baita oportunidade aqui. Não quero que a perca. Mas a minha postura não foi correta na sexta-feira. Fiquei zangada e... eu não queria fazer aquilo.

Ela parece tão sincera; é desconcertante. Enquanto descia a rampa do estacionamento hoje de manhã, Jones agarrou o volante do carro como se estivesse tentando enforcá-lo. Passara o fim de semana ruminando uma profunda amargura contra Eve e o Alfa — contra os negócios em geral, a bem da verdade —, e o resultado foi a resolução de que, se era impotente para mudar o Alfa, pelo menos podia detestá-los a todos. Há que se admitir que não foi a decisão mais reveladora ou produtiva — mas pelo menos foi uma decisão, e permitiu-lhe estabelecer um caminho a seguir. Agora, até isso está sob ameaça, porque com Eve olhando para ele com o desejo passeando em seus grandes olhos cheios de sensualidade, fica difícil descartá-la como a máxima personificação do corporativismo desalmado.

Ele dá de ombros.

— Você me disse a verdade. Acho que eu precisava ouvir.

Ela coloca a mão no braço dele.

— Jones, você tem uma empatia imensa pelo pessoal da Zephyr. Não... isso não é comum no Alfa. A bem da verdade, não é muito útil para o que fazemos. Mas eu não deveria ter dito que isso é errado. Agora eu percebo que é essa empatia que o torna especial. Não quero que você perca isso.

Jones não encontra o que dizer.

— Agora — diz ela —, não conte a ninguém do Alfa que eu disse isso. Fica sendo o nosso segredo. — Ela sorri, como se fosse uma piada, mas não há vestígio algum de humor no seu olhar. — Tudo bem?

Outro agente, Tom Mandrake, sai da sala de monitoramento e vem na direção deles, assobiando. Eve tira a mão do braço de Jones e dá um passo para trás.

— A propósito, comprei este vestido para você. Gostou?

— Humm — diz ele. — Gostei. Muito bonito!

Ela abre um sorriso genuíno e faz uma meia mesura.

— Para ser sincera, comprei faz um mês. Mas usei pela primeira vez hoje.

Tom pára ao lado deles.

— Você tem vestidos que nunca usou?

— Ah, tenho, um monte. — O elevador chega. Antes que Jones entre nele, Eve lhe diz: — Mais tarde a gente conversa, está bem?

Elizabeth sai do elevador no nível 11, seu novo lar, um tanto desconfiada. Mas aquilo ali é, obviamente, uma réplica exata do 14. O carpete é do mesmo tom laranja que fere as retinas. A placa na porta de vidro jateado diz SERVIÇOS DE PESSOAL em vez de VENDAS DE TREINAMENTOS, mas fica na mesma posição e está escrita na mesma fonte que o RH aprovou para toda a companhia. Chegando ao departamento de fato, a iluminação fluorescente é tão barata quanto e ainda tem a mesma luminária piscante (*bink! bink! bink!*), embora numa localização diferente. O banheiro fica à esquerda, o escritório do gerente e a sala de reuniões bem em frente (com as paredes de vidros cobertas por venezianas verticais), e entre isso e onde ela se encontra agora fica o pasto aberto do conjunto de cubículos.

Aqui, pelo menos, há uma grande diferença: não existe Divisória de Berlim. O que há, em seu lugar, é um ajuntamento horroroso de 12 cubículos espremidos uns contra os outros, como se os grandões de Berlim Oriental e Ocidental tivessem tido uma ninhada. A disposição deles é uma insensatez só, como Elizabeth logo vê, o que sugere a inexistência de lugar marcado, e a ocupação de território parece desenfreada. Ela deveria ter chegado uma hora atrás; a esta altura, deve ter ficado relegada ao lugar ao lado da máquina de xerox.

Mas antes que possa atacar essa questão, ela precisa cuidar de um assunto pessoal. Entra no banheiro, que não se distingue em nada do que há no nível 14 inclusive nos azulejos preto e laranja e nas poças d'água em torno das pias deixadas por quem lava as mãos descuidadamente. Ela sorri para uma mulher que nunca viu antes, entra num toalete e fecha a porta. Senta-se sobre a tampa do vaso, tira uma lixa de unhas e começa a aparar as suas. Faz primeiro a mão esquerda, depois a direita. Abre os dedos e os inspeciona. Só então é que se dá conta de algo importante: não está enjoada.

Ela congela. Já vem seguindo aquela rotina tempo suficiente para saber como funciona. Neste exato instante, deveria estar abrindo a tampa do vaso e fazendo esforço para vomitar. Levanta-se então e começa a levantar a saia, o que exige que primeiro ela desabotoe o casaco, pois suas roupas de trabalho já estão sendo minuciosamente elaboradas para esconder a barriguinha. Com algum esforço, consegue tirar a meia-calça e, então, verifica a calcinha. Nada. O alívio se abate sobre ela qual uma lufada de vento. Ela bate com a mão na boca para suprimir um acesso de riso.

Elizabeth ajeita novamente a saia, volta a se sentar sobre a tampa do vaso e acaricia o ventre por cima da roupa. Não consegue parar de sorrir. Se os enjôos matinais acabaram, talvez seja porque seu corpo está se acostumando ao recém-chegado. Talvez ela e ele estejam começando a se dar bem. É óbvio e ao mesmo tempo inacreditável: ela vai ter um bebê. A idéia a preenche com um júbilo silencioso.

Jones aperta o 11 para Serviços de Pessoal, seu novo lar, e olha para Tom Mandrake com uma certa expectativa.

— Sete — diz Tom. — Crédito agora faz parte da Gestão de Negócios.

Jones aperta o botão do nível 7.

— Crédito era no 6, não era? Vocês desceram um andar.

Tom dá um sorriso presunçoso.

— Não há dúvida de que isso vai ser assunto para muita discussão hoje.

— Quer dizer que as pessoas realmente se importam com o andar em que trabalham.

— Com certeza. Sempre que você classifica as pessoas, elas se importam. Não interessa qual seja o assunto da classificação. E, quer saber de uma coisa, elas acreditam nisso também. Pelo menos um pouco. — O elevador pára no 11 e Jones sai. — Divirta-se — diz Tom. Ele pisca quando as portas se fecham.

Jones olha para as portas de vidro jateado ao fim do corredor. Vultos vagos na forma de pessoas transitam do outro lado. São aqueles nos quais o Alfa está interessado, claro: os sobreviventes. Os demais aparentemente não são de interesse algum. Jones se pergunta como pode ser uma coisa dessas: Como se pode extirpar um ser humano da sociedade mínima porém totalmente desenvolvida dentro da empresa com tanta facilidade? Como se pode extirpá-los às centenas? No Alfa, é comum se comparar a Zephyr Holdings a uma tribo, já que ambas são estruturas sociais estanques com hierarquias, etiqueta e normas — a bem da verdade, isso é fundamento para inúmeras colunas laterais nos livros do sistema ômega de gestão, que descrevem (por exemplo) como os departamentos lutam para proteger recursos em termos de guerreiros, carne e penas. Mas se essa analogia for verdadeira, hoje de manhã uma avalanche de pedras deixou duzentos índios presos dentro de uma caverna e ninguém dá a mínima para eles.

Jones consegue entender, pelo menos um pouco, o comportamento dos sobreviventes: fazer muito barulho pode detonar novas avalanches, e eles mesmos podem acabar ficando presos. Além disso, sua ordem social transmutou-se, e todos estão tentando se encaixar como podem nas novas hierarquias. Mas por que as vítimas aceitam tão bem sua sorte? Isso ele não consegue entender.

Ele olha para os botões do elevador e aperta o de *descer*.

Nas telas da sala de monitoramento do nível 13, as minúsculas imagens dos recém-demitidos aparecem turvas e insignificantes, meio caricatas até. De forma que, quando passa pelas portas do saguão, Jones se surpreende com sua presença real. Há muita gente aglomerada no pátio do prédio, falando, perambulando e enevoando com sua respiração o ar frio da manhã. Jones fica olhando para o rosto de cada um enquanto uma lufada de ar fresco sobe da baía pela Madison Street eriçando o cabelo de todos.

— Ei — diz um homem. A princípio Jones não o reconhece. — Pegaram você também, hein?

É um dos fumantes. Jones o viu algumas vezes no pátio dos fundos. Mais uma vez ele se dá conta de que é um impostor.

— Ah, não. Só vim ver o que está acontecendo.

— Oh — diz o homem.

— Eu sinto muito. Vocês não merecem isso.

O homem olha para ele, intrigado.

— Por que você diz isso?

Jones é pego de surpresa pela pergunta. Percebe que Tom Mandrake estava certo. E é por isso que eles são fatalistas; é por isso que o Alfa consegue ignorá-los em segurança. Eles acham que merecem.

Jones fala:

— Porque não merecem.

O homem pondera um pouco. Em seguida, inesperadamente, ri.

— Ora, talvez não mereçamos — diz ele.

Freddy vistoria o novo departamento de Serviços de Pessoal horrorizado. Entra correndo no local, na esperança de que alguém (qualquer um!) do Vendas de Treinamentos tenha chegado cedo e reservado um conjunto de mesas boas. Pára no cabideiro para pendurar o paletó e percebe que seu gancho habitual está ocupado. Claro, não é o seu gancho: o seu é (ou era) dois andares abaixo. Mas Freddy se irrita mesmo assim. Ele já tem tão pouca coisa; agora querem lhe tirar o seu *gancho*? Joga o paletó por cima do que já estava lá.

— Ah, Freddy. Exatamente quem eu esperava encontrar. — É Sydney, num tailleur alinhado, tão preto que até parece um buraco no meio da realidade. — Eu gostaria de saber se aquele bolão da morte ainda está de pé.

— Bem, acho que está. Por quê?

— Ah, por nada.

— Eu estava achando que todo mundo do Vendas de Treinamentos ficou — diz ele, alarmado.

— Ora, nunca se sabe — diz ela. — Nunca se sabe o que pode ser necessário neste novo ambiente.

— A Holly não. Sydney, por favor, a Holly não...

— Quem falou em Holly? — diz Sydney, irritada. — Eu não falei que ia demitir a Holly.

— Você perguntou sobre o bolão da morte...

— Veja bem, pode esquecer que mencionei isso. Talvez eu nem despeça ninguém. — Ela verifica o relógio, uma coisa dourada reluzente que pende do seu pulso minúsculo. — Se você não se importa, tenho uma reunião importante agora.

Freddy chega para o lado e fica observando enquanto ela percorre a trilha por entre os cubículos apinhados até chegar à sala de reuniões, bater uma vez só e entrar sem esperar resposta. Então, Freddy junta as mãos em concha ao redor da boca e grita:

— *Holly*?

A cabeça de Holly desponta por cima de um dos cubículos a poucas mesas de distância.

— Ei, você chegou.

Freddy vai correndo até lá. Todo o resto do departamento de Vendas de Treinamentos exceto Jones — ou seja, Holly, Elizabeth e Roger — está espremido num único cubículo. Estão recostados nas mesas ou sentados em cadeiras com os joelhos se esbarrando. Freddy olha em torno, espantado.

— Todo o espaço que pegamos foi este aqui? Deveríamos chamar o Serviço de Realocação.

— Nós *somos* o Serviço de Realocação. — Elizabeth aponta para uma circular que Holly está lendo com o cenho franzido. — Ou pelo menos é um dos departamentos com os quais fomos consolidados. Eles chegaram uma hora atrás e pegaram os melhores lugares.

Holly fica ofegante, os dedos apertando a circular.

— Nós nos fundimos com a Gestão da Academia!

— "Fundimos" é uma forma de dizer — diz Roger. — Nós somos muito mais importantes que eles.

— Hmm, acabo de esbarrar com a Sydney... e meio que tive a impressão de que ela está pensando em demitir alguém — diz Freddy.

Todos se calam. De repente, Elizabeth e Roger falam ao mesmo tempo. Elizabeth diz:

— Por quê?

E Roger completa:

— Quem?

— Ela não disse. Mas perguntou se o bolão da morte ainda está valendo.

— Meu Deus! — Holly arregala os olhos. — Meu Deus!

— Por que ela iria demitir alguém agora? — diz Elizabeth.

— Não faço idéia.

Roger esfrega o queixo.

— Eu entendo que a Diretoria ainda não indicou um gerente para ficar à frente dos Serviços de Pessoal. Talvez os gerentes dos departamentos antigos tenham decidido eleger um líder interino.

— Minha Nossa Senhora! — diz Elizabeth.

— O que foi? — Os olhos de Freddy passeiam entre Elizabeth e Roger. — Isso é ruim? O que significa?

— Olhe, basicamente vai ser uma queda-de-braço — diz Roger. — Se Sydney quiser muito o emprego, ela pode se oferecer para demitir um de nós como moeda de troca. — Holly solta um gemido. — Ou dois de nós. Talvez todos nós. Quem sabe?

Eles se entreolham.

— Bem — diz Elizabeth finalmente —, não podemos aceitar isso.

Lá fora, alguma coisa está acontecendo com os recém-desempregados. A princípio, ficaram chocados e arrasados; ficaram às tontas, sem saber o que fazer. Então Jones falou *Vocês não merecem isso*, e essa idéia estranha, descabida, saiu pulando de uma pessoa para outra, espalhando-se pela multidão. Em pouco tempo se percebe no rosto de algumas pessoas a mais pura raiva. Um contador tira da pasta um fichário com a logomarca da Zephyr Holdings estampada na capa, joga-o no chão do pátio e começa a pisoteá-lo ferozmente. As pessoas o ovacionam. Um engenheiro tem uma caneca de Bom Desempenho do terceiro trimestre; ele a despedaça no piso de concreto. Um programador visual arranca o sapato e o joga para cima, o mais alto que pode. Ele bate numa janela de vidro fumê. Um rosto preocupado e empalidecido aparece à janela, depois logo se retira. A multidão urra.

O dia está sombrio, mas as nuvens vão escurecendo no céu e o ar fica mais pesado. Jones se retira para a segurança do saguão. Tem a impressão de que acaba de esfregar uma lâmpada e agora um gênio está se concretizando a partir de uma fumaça azul: um gênio enorme, com braços musculosos e violência no olhar. Jones sente um gosto misturado de júbilo e terror.

As portas deslizantes do saguão se abrem antes que ele as alcance e a Segurança escolta até o lado de fora uma mulher com uma bela echarpe azul e uma bolsa de couro. Jones chega para o lado a fim de poder observar, espantado: a multidão direciona sua fúria contra o colosso de 20 andares da Zephyr Holdings mesmo enquanto a empresa apresenta um fluxo ininterrupto de novos recrutas.

No nível 11, Elizabeth apresenta um plano para salvar o Vendas de Treinamentos que é tão impressionante por sua audácia e tão feroz por sua ira contra Sydney que todos imediatamente o endossam. Então Roger fala:

— Muito bem, eu fico com a função principal, então.

— Ora, essa... estava assumindo que *eu* ficaria com a função principal, Roger, já que o plano é meu — diz Elizabeth.

— Ah, entendi. Se é uma questão de patente, tudo bem. Eu só estava me oferecendo. Se é importante para você, faça o que tem de fazer.

— Não é uma questão de *patente*. Só que o plano é *meu*.

Roger levanta as mãos.

— Esqueça. Eu só estava querendo ser útil. Não quis atrapalhar a sua ambição.

O rosto de Elizabeth se fecha.

— Roger, se é importante para *você*, então assuma e *diga* isso. Basta *dizer*. Porque para mim não faz a menor diferença.

— Bem, se é assim que *você* quer, terei prazer em fazer. Mas não é nada de mais, eu realmente não me importo.

— Se nenhum de nós dois se importa, *por que estamos levando essa conversa*?

— Elizabeth, por favor. Será que nós podemos tomar uma decisão?

O rosto de Elizabeth fica todo vermelho. Pequenas gotículas de suor aparecem na sua testa, beirando o couro cabeludo. Ela começa a respirar mais profundamente e suas mãos passam a se contrair e se abrir ritmadamente. Jones chega ao cubículo no momento exato em que isto está acontecendo e pára chocado, achando que está presenciando um enfarte.

— Elizabeth? — diz Holly, alarmada.

— Tudo bem, tudo bem. Você faz.

— Então... vamos deixar bem claro — diz Roger. — Você *quer* que eu faça?

— Quero. — A palavra saiu tão estrangulada que mal se reconhece como tal.

— Muito bem, está certo. — Roger passeia os olhos pelos assistentes de vendas para se certificar de que todos entenderam direito. — Que bom que nós resolvemos isso!

Está tranqüilo no saguão, pois a esta altura todos os empregados já foram aceitos na envoltória da Zephyr ou escoltados até o lado de fora do prédio. Os guardas de segurança estão enfileirados ao longo da parede de vidro com as mãos cruzadas às costas, observando. Gretel está sentada à mesa da recepção. Está exausta e arrasada. Tem a impressão de ter acabado de executar duzentas pessoas e ainda trazer o sangue delas nas mãos.

Há uma agitação cada vez maior do lado de fora, de forma que ela se levanta e vai até um dos guardas. Observa através da parede de vidro fumê esverdeado.

— Que bagunça lá fora!

O guarda não responde. Seus olhos estão grudados na multidão.

— É possível que eles ataquem o prédio — sugere ela. — Podem até quebrar o vidro.

— A senhora está em perfeita segurança — diz ele, ainda sem olhar para ela.

— Talvez a empresa não devesse ter demitido tanta gente — diz Gretel. Está surpresa com a amargura em sua própria voz. — Talvez nós mesmos tenhamos causado isso.

O guarda pisca uma vez, devagar.

— "Primeiro eles vieram atrás dos comunistas. E eu não me pronunciei, porque não era comunista." Sabe como isso termina?

O guarda vira-se e olha para ela. Gretel dá um passo para trás, porque os olhos do guarda são ocos.

— Por favor, senhora, só estou fazendo o meu trabalho.

— Desculpe. — A fala sai como um lamento. Ela volta correndo para sua mesa, sentindo o olhar vazio do guarda em sua nuca. Senta-se e abraça-se a si mesma com força.

Minutos depois, Roger bate à porta da sala de reuniões do departamento de Serviços de Pessoal. Ninguém responde. Ele olha para os demais.

— Bem, vamos lá. — E gira a maçaneta.

Lá dentro, cinco gerentes, inclusive Sydney, estão sentados em torno de uma mesa redonda. Há uma folha de papel no meio da mesa e, ao ver Roger, Elizabeth e Holly, Sydney estica a mão e a vira ao contrário.

— Queiram desculpar. Estamos ocupados.

Roger franze o cenho para ela. Elizabeth tem que lhe dar o crédito; ele é muito convincente.

— Sydney, espere lá fora, por favor.

Sydney pestaneja.

— O que foi que você disse?

— Saia. — Ele gesticula com a cabeça na direção da porta. — Vamos discutir isso mais tarde.

Sydney parece não encontrar o que dizer. Um dos demais gerentes, uma mulher de óculos finos e elegantes, diz:

— Esta reunião é para chefes de departamento apenas.

— Certo — diz Roger. — Eu sou o gerente do Vendas de Treinamentos.

— *Como disse*? — diz Sidney.

— Sydney é... ahn... ambiciosa — Roger dá uma piscadela para a mulher. — Você vai ter de desculpá-la.

— *Eu* sou a gerente do departamento de Vendas de Treinamentos — diz Sydney.

— Não, sou eu — diz Roger. — Há meses, já.

Os outros gerentes olham para Elizabeth e Holly. Elas apontam para o Roger.

O rosto de Sydney fica vermelho, roxo de raiva.

— Está nos arquivos. Verifiquem os arquivos.

— Bem, a rede caiu, de forma que não dá para fazer isso agora. — Roger não lança um olhar sequer para ela. Sorri simpaticamente para os outros gerentes. — Eu sinto muito pelo que está acontecendo. Mas não podemos culpar a Sydney por tentar, acho eu.

Os gerentes se entreolham. Dois deles não fazem idéia se é Roger ou Sydney o chefe do departamento de Vendas de Treinamentos: há muitos departamentos e muita rotatividade; portanto, é difícil saber quem é quem. Parece plausível que o gerente seja o homem alto com o cabelo bem-arrumado em vez da mulher de um metro e meio. Um dos outros gerentes sabe bem que Sydney é a gerente do departamento de Vendas de Treinamentos porque ela já mandou um e-mail com cópia para a Diretoria acusando-o de incompetência, preguiça e — memorável, esta — alcoolismo. Ele reage primeiro.

— Eu sinto muito. Roger, não é? Não nos demos conta.

— Não tem problema. — Roger sorri. Em seguida, baixa os olhos para Sydney. — O que você anda fazendo por aí?

Sydney abre a boca, depois a fecha. Olha para o rosto de todos, um a um, e não encontra solidariedade em nenhum deles. Então, levanta-se e sai.

Elizabeth e Holly dão um passo para trás, para que ela possa passar. Elizabeth olha de volta para os gerentes.

— Vamos deixá-los prosseguir — diz, fechando a porta com delicadeza.

A princípio eles ficam por ali, para o caso de aparecer no vidro a mão ensangüentada de alguém pedindo socorro ou um corpo ser jogado contra as venezianas. Mas como parece que a batalha ainda vai demorar, Elizabeth vai visitar alguns clientes e os assistentes de vendas vão almoçar. Ou melhor, tentam ir almoçar, porque a massa de ex-funcionários enfurecidos diante do prédio está deixando todo mundo nervoso, e a Segurança não quer deixar ninguém sair. Por volta de 1h da tarde, a fome está aumentando a possibilidade de distúrbios no prédio, também, de forma que o Recursos Humanos dá alguns telefonemas e consegue que um carregamento de sanduíches seja entregue na entrada dos fundos. Eles estão frios e borrachudos e fazem com que todos se sintam culpados porque, à medida que os vão pegando na mesa da recepção, os desempregados ficam olhando através do vidro fumê.

— Ahhh — diz Freddy. Jones segue o olhar dele até encontrar Eve saindo do elevador com um homem de terno cinza do Alfa. Nenhum dos dois parece feliz. O coração de Jones começa a bater forte.

Holly dá um sorriso pretensioso.

— Achou que ela havia sido demitida?

— Hoje de manhã ela não estava à sua mesa, achei que tivesse. — Freddy inspira entre os dentes. — Estou tão cheio de adrenalina que seria capaz de convidá-la para sair agora mesmo. Você sabe como as pessoas que sobrevivem a uma experiência que coloca em risco sua própria vida formam laços? Isso poderia funcionar a meu favor.

Eles ficam olhando Eve ir até a mesa da recepção.

— Eu não entendo — diz Holly. — O que *é* que ela tem? Não é tão sarada, sabe? Uma vez eu a vi na academia, parecia que ia desmaiar.

— Tem razão — diz Freddy. — Você não entende.

— Mas é verdade — diz Jones. — Você não a conhece de verdade. Ela poderia até já ter matado alguém sem que você soubesse.

— Com aqueles bracinhos fininhos? — diz Holly.

— *Antes* você estava me dizendo para convidá-la para sair. E agora, o que você está dizendo?

— Só que... talvez ela não seja a pessoa certa para você.

— O Jones está gostando dela — implica Holly.

— Não é isso. Pare de besteira. — Jones faz força para parar antes de dizer: *Por que você está dizendo isso*? — Só estou dizendo que talvez Freddy consiga algo melhor.

Freddy solta um resfolego:

— Não consigo, não.

— Ele tem razão — diz Holly. — Olhe só para ele. Baixinho, de óculos, no mesmo emprego de merda há cinco anos... se Eve Jantiss concordar em sair com *ele*, eu vou comprar bilhetes de loteria.

— Você anda relaxando no exercício de bíceps ultimamente? — pergunta Freddy. — Aquela parte embaixo dos braços parece que está meio molenga.

Holly abre a boca, ultrajada.

— A minha porcentagem de gordura corpórea é *quatorze*.

— Se você acha que isso é suficiente. — Ele dá umas batidinhas pelos bolsos. — Bem, eu vou dar uma fumadinha. Vejo vocês lá em cima.

No elevador, Jones pega Holly cutucando as partes de baixo dos braços. Ela deixa os braços caírem esticados.

— Caramba, às vezes ele me deixa possessa.

Quando chega de volta ao Serviços de Pessoal, Freddy está absolutamente indignado.

— Sabem o que eles estão fazendo?

— Quem? — diz Jones.

— Eles me fizeram ir para os fundos por causa de toda essa gente, e lá eu vi um cercadinho sendo montado perto do gerador com uma placa dizendo CURRAL DOS FUMANTES. Estão construindo uma área designada para fumantes.

Holly bufou de desgosto.

— Nem sei por que a empresa quer desperdiçar dinheiro com fumantes.

— Tem um monte de imagens de vacas. Vacas com cigarros na boca.

Ela dá um sorriso de soberba.

— Oh, que engraçado!

— O que me deixa furioso é que eles acham que isso *ajuda em alguma coisa* — reclama Freddy. — Esses gerentes não entendem de nada. Acham que a gente vai *apreciar* uma coisa dessas! — Ele olha para Jones, buscando apoio, mas Jones fica de bico calado. — Palermas! — exclama Freddy.

— Na academia hoje de manhã, ouvi dizer que os não fumantes vão ganhar um dia extra de férias. — diz Holly. — Ora, isso é uma boa idéia.

Freddy fica boquiaberto.

— O quê?

— Pois é, *eu* não tiro cinco folgas durante o dia para ir ficar um pouquinho no sol — diz Holly. — Por que então não tenho direito a um dia extra?

— Eu compenso esse tempo. Eu trabalho mais depois do expediente.

— O quê? E eu não?

— Bah! Isso é discriminação.

— Se você quer saber o que eu penso, acho que é discriminação *você* ganhar esse tempo todo de folgas e eu e Jones não.

— Ei, me deixem fora dessa — diz Jones, antes de se dar conta da hipocrisia.

— Além disso — segue dizendo Holly —, por que você se irritaria por eu ganhar um dia extra de folga? Isso não o afeta em nada.

— Você está *só* de implicância porque eu tiro cinco minutos para fumar!

— Está dizendo que eu sou chata, é? — grita Holly.

Jones se levanta.

— Ei, gente! Parem com isso, por favor. Estamos passando por um estresse danado. Temos é que nos unir.

Freddy respira fundo.

— Desculpe. Você não é chata, Holly. Mas *eu* é que não vou ficar num *curral* com imagens de *vacas*.

Depois de um tempo, Holly diz:

— Ah, vai.

Freddy senta-se, soltando um suspiro.

— Detesto tanto esta empresa. Quem dera eu tivesse sido demitido!

— Não, você não queria isso.

Ele solta uma risada, baixinho.

— Não, não queria mesmo! Pelo menos aqui estou em boa companhia.

— O quê? — pergunta Jones.

— Eu disse que pelo menos aqui estou em boa companhia.

— Oh. Pensei que você tivesse dito que estava em *uma* boa companhia.

Freddy e Holly cravam-lhe o olhar.

— E se você conseguisse melhorar a empresa? Se pudesse mudar as coisas... transformar isto aqui num lugar melhor para se trabalhar. Sabe, há tantas coisas que podemos fazer — diz Jones.

Holly olha para ele com um ar vazio.

— Jones... você ainda é novo aqui — diz Freddy. — Todo dia tem gente sugerindo maneiras de melhorar a empresa. Essas idéias são colocadas na caixa de sugestões que fica na cantina, ou melhor, onde ficava a cantina, e não se ouve mais falar delas, exceto durante as reuniões de todo o pessoal quando a Diretoria pega a mais inútil delas todas e anuncia que uma equipe multifuncional vai analisá-la. Um ano ou dois mais tarde, quando todo mundo já se esqueceu daquilo, a gente recebe um e-mail anunciando a implementação de algo que não lembra em nada a idéia original e em geral tem o efeito contrário, e nos relatórios anuais isso é usado como prova de que a empresa escuta os comentários dos seus funcionários e reage. É isso que acontece quando você tenta transformar a Zephyr num lugar melhor de se trabalhar.

Ouve-se um clique. Um barulho baixinho apenas, mas Freddy, Holly e Jones levantam-se ao mesmo tempo. Eles espiam por cima das divisórias dos cubículos, como os demais funcionários estão fazendo. A porta da sala de reuniões se abre.

Roger sai primeiro. Seu sorriso é luminoso.

A rainha está morta; viva o rei! Os funcionários se acotovelam para conseguir pôr os olhos no Roger, para que sejam tocados pela mão dele. Ele passeia entre o pessoal, cumprimentando gente, apertando mãos, dando tapinhas nas costas, beijando rostos.

— Vou governar pelo povo — declara, e os trabalhadores o ovacionam. — Isto é um novo começo. Prometo muito trabalho; mas também respeito. Reconhecimento. E gratificação! — O rosto dos empregados se ilumina. Os funcionários do Serviços de Recolocações e Gestão da Academia sorriem uns para os outros. Os que trabalham no Clube Social e no Desenho de Cartões da Empresa brindam com suas canecas de café. Eles são os sobreviventes. São 16h30; é a aurora de um novo dia.

Os assistentes de vendas ficam estupefatos.

— Vocês sabiam que o Roger era tão... — diz Holly.

— Não — diz Freddy.

Roger se aproxima. Os assistentes sorriem para ele e mostram-lhe os polegares erguidos. Freddy agarra a mão de Roger e lhe dá um grande aperto entusiasmado.

— Que bom para você, Roger! Mandou bem.

— Obrigado pelo apoio. — Os olhos dele saltam de uma pessoa para outra. — As coisas vão ser diferentes por aqui de agora em diante. Nós vamos fazer o que tem de ser feito. Vamos descobrir quem pegou aquela rosquinha.

Começa a chuviscar lá fora, mas nenhum dos demitidos vai para casa. Gotas de chuva lhes caem no rosto. Maquiagens escorrem. Cabelos se eriçam. Mas a raiva deles não se dilui. Estão prometendo manter uma linha de piquete permanente; fazem circular uma lista. Ainda não sabem exatamente o que vão exigir, mas uma coisa é certa: *eles não merecem isso.*

No saguão, agora deserto exceto por ela mesma e pelo pessoal da Segurança, Gretel ouve o *ding* do elevador. Ela gira na cadeira. As portas se abrem e mostram Eve ao lado de um homem da Diretoria: Blake Seddon. Todas as mulheres babam em cima de Blake porque ele é jovem, bonitão e tem mais dinheiro do que saberia usar. Também está usando um tapa-olho preto no momento, que, conforme Gretel ouviu dizer, é por ter se machucado quando foi salvar uma menininha de ser atropelada ao atravessar a rua na frente do prédio da Zephyr. Ele sorri enquanto, junto com Eve, se aproxima da mesa de recepção, e Gretel sente sua própria boca se recurvando quase involuntariamente.

Eve senta-se no seu lugar à mesa. Blake continua andando até a linha de seguranças de frente para o vidro.

— Ufa! — diz Eve. — Que dia! Que dia!

Gretel não sabe bem o que foi tão extenuante para Eve no dia de hoje, dado que ela esteve ausente a maior parte dele, mas ela já aprendeu a não fazer perguntas.

— É!

— Quando isso tudo terminar, eu vou sair e encher a cara, tomar um porre daqueles!

Gretel sorri. Outra coisa que ela aprendeu foi que, quando Eve diz uma coisa dessas, não é um convite.

Um guarda de segurança vem até a mesa da recepção.

— Guarda-chuva — diz ele. — Temos aí um guarda-chuva para o Sr. Seddon?

Gretel enfia a mão embaixo da mesa e pega um preto todo chique. O guarda o entrega a Blake Seddon, que dá um sorriso na direção de Gretel, justo quando seu olhar escorregava na direção de Eve. Em seguida, sai de encontro à turba.

As pessoas o vêem se aproximar e manifestam seus protestos. Quando Blake pára e ergue a mão para aplacá-las, a massa já está agitada, aos berros. Se ele sente a fúria delas, não dá sinal. Simplesmente espera embaixo do guarda-chuva preto até que se acalmem.

— Meus amigos — diz ele —, meus queridos amigos.

Por um instante, até parece que a multidão vai cair em cima dele. Mas as pessoas não estão tão exaltadas assim. Lentamente, a raiva vai cedendo novamente, e desta vez Blake consegue falar sem interrupções.

— Estamos passando por um momento difícil na economia. — A chuva cai sobre seu guarda-chuva. — Não preciso nem dizer isso para vocês. O mercado é duro e nós enfrentamos uma forte concorrência internacional. Para termos sucesso nos negócios... a bem da verdade, para sobrevivermos... precisamos tomar decisões duras. A Zephyr Holdings não é uma instituição de caridade; ou damos lucro ou os investidores levam seu dinheiro para outro canto. Em termos simples: se a empresa está ganhando dinheiro, nós podemos contratar pessoal; se não está, precisamos demitir. Não é nada pessoal. São decisões econômicas. Vocês entendem isso. A função da Diretoria é manter a empresa no azul, para o benefício de todas as partes interessadas. Nós adoraríamos poder manter todos vocês na folha de pagamento. Mas temos de fazer o que é melhor para a empresa. Se isso significa redistribuir externamente alguns empregados, então vocês terão de concordar que isso é uma coisa lógica e razoável. Torno a dizer, não é nada pessoal. É um processo padronizado de comparar o valor de uma parte da empresa ao seu custo associado. Isto se aplica a linhas de produtos, a departamentos e a empregados. O simples fato... e eu bem gostaria que fosse diferente, mas não dá para ser... é que nós precisamos eliminar implacavelmente as partes que dão prejuízo à empresa para proteger as que dão lucro. O que aconteceu foi que quando verificamos os números, vocês eram a parte que estava dando prejuízo. Não é nada pessoal. Mas eu quero que vocês compreendam que isso tampouco foi arbitrário. Não estamos fazendo isso por vingança. Não é porque gostemos disso. Estamos simplesmente tentando manter a empresa funcionando. Se as coisas tivessem sido diferentes... se vocês tivessem sido mais produtivos, ou se ganhassem salários mais baixos... talvez eu não estivesse aqui conversando com vocês agora. Mas, infelizmente, vocês não estavam acrescentando valor. Então, embora estejam se sentindo magoados, vocês precisam perceber que isto é apenas a conseqüência lógica da sua própria relação custo-benefício. Vocês estavam puxando a empresa para baixo. Não quero parecer excessivamente crítico, mas vocês mereceram isso.

A multidão está em silêncio. As palavras dele trazem à tona as suspeitas mais tenebrosas de todos. Há alguns bolsões de ultraje e resistência, gente instigando os demais a manter a fé, mas a espinha dorsal coletiva da multidão foi partida. No fundo, eles sabem disso, os desempregados; eles sabem. E baixam os olhos. Ainda há um certo falatório, até algumas discussões, mas tudo é irrelevante a partir deste instante em que, sozinhas ou em pares, as pessoas começam a se dispersar.

Jones está indo pegar o seu carro, seus passos ecoando no estacionamento do subsolo, quando se dá conta de que o veículo que está atrás dele não está apenas buscando uma vaga, mas sim o perseguindo. Ele se vira e o vidro fumê de um Porsche 911 preto desce, liberando uma cascata de música clássica e revelando a figura caolha de Blake Seddon.

— Você pode dirigir usando um tapa-olho? — pergunta Jones. — Acho que isso constitui algum tipo de infração.

Blake abre um sorriso.

— Provavelmente. Ei, aquele ali não é o seu carro? Caramba! Está na hora de dar uma melhorada, Jones. — Ele olha pelo espelho. — Quero lhe fazer uma pergunta: quando você saiu do Alfa hoje de manhã, por que levou tanto tempo para chegar à sua mesa?

— O quê? Você estava me observando?

— Dá para dizer que estava com um olho em você.

— Ha, ha — diz Jones. — Eve veio atrás de mim. Ela queria conversar.

— E depois?

Ele hesita.

— Depois eu fui para a frente do prédio para ver o que estava acontecendo.

— Hmm — diz Blake. — Achei que você fosse mentir quanto a isso.

— Você provavelmente me gravou.

— Pode ter certeza.

— Então, para que está perguntando?

— Eles estavam zangados hoje. Eu já vi algumas demissões em massa antes, mas nenhuma como esta. Nunca tivemos de interceder em pessoa. É praticamente uma violação da carta magna do Projeto Alfa. Klausman não tomou uma decisão fácil.

— Talvez devêssemos não nos meter. Poderia ter sido uma excelente experiência de aprendizagem. É isso que o Alfa faz, não é? Observar e aprender?

— Uma coisa que eu tenho interesse em saber — diz Blake — é o que fez de hoje um dia diferente.

Jones dá de ombros.

— Você disse alguma coisa para aquelas pessoas? — pergunta Blake.

— Desejei o bem delas daqui para a frente.

— Palhaçada.

— Você tem o áudio?

Blake ri.

— Não, Jones, não temos áudio externo.

— Tudo bem, então.

— Você não era tão convencido antes. Alguma coisa mudou. Quero saber o que foi. Quero saber se foi *você* ou *ela*.

— Quem?

— Por favor — diz Blake.

— Estou falando sério. Não sei do que você está falando.

Blake contrai os lábios. Depois se inclina mais para perto, deixando o braço dependurado para fora da janela do carro.

— O que você tem de saber sobre a Eve, Jones, é que não corre sangue nas veias dela. Sei lá o que aconteceu com aquela garota, mas ela não estava presente no dia em que estavam distribuindo consciências. Ela não deveria estar aqui; o emprego ideal para ela seria o de quem administra as injeções letais no presídio de San Quentin.

Talvez você já tenha capturado um rápido vislumbre disso, mas não conhece nem a metade. Ela não tem sentimentos como eu e você. Sabe que *deveria* ter. Mas não tem. Estou lhe dizendo isto, Jones, para que, da próxima vez que achar que está sendo esperto e sofisticado com Eve, você possa entender que, para ela, o Jones não passa de uma marionete grandalhona.

— Eu não tinha me dado conta de que você era tão perceptivo — diz Jones. — Quer que eu me deite no sofá e fale da minha mãe?

Blake dá uma resfolegada.

— Olhe aqui, você não tem culpa de estar se interessando por ela. Ela é ótima de cama. Uma daquelas que age como se nunca tivesse feito isso antes. Não dá nem para perceber, dá? — Ele vê uma coisa no rosto de Jones que o deixa satisfeito. A janela do Porsche começa a subir. — Cuide-se, Jones.

— Deixe-me entender direitinho — diz Penny. Ela e Jones estão lavando os pratos na cozinha da casa de seus pais nos subúrbios da cidade; acima da cabeça de Penny, um relógio em forma de gato balança o pêndulo em forma de cauda para marcar os segundos enquanto os olhinhos se mexem de um lado para o outro. — Esse tal de Blake acha que você está trabalhando com a Eve.

— Acho que sim.

— Vocês do Alfa não estão todos do mesmo lado?

— É assim que deve ser. Mas tem a política. Quando Klausman se aposentar, eles provavelmente vão sair matando uns aos outros para pegar o lugar dele.

— Ele vai se aposentar?

— Hmm... acho que não.

Penny ajeita o cabelo, recolocando no lugar algumas mechas que tinham escapado do rabo-de-cavalo.

— Tudo bem. Volte um pouco. *Você está* trabalhando para o Alfa.

— Certo.

— E é por isso que está podendo comprar coisas como esses ternos bacanas.

— Bem, na verdade, ainda estou devendo o dinheiro para a Eve.

— Tudo bem. Então, ela deu esses ternos para você. Porque você é o lacaio dela.

— Protegido.

— Tanto faz.

— Eu não sou um lacaio.

— Que diferença faz?

— Ammm! — diz Jones.

— Sabe, você fala muito dela — diz Penny em tom suspeito. — Essa tal de Eve.

— Ora...

— O quê?

— Eu me sinto muito atraído por ela. Não mencionei isso?

— Não. Eu estava achando que você a detestava.

— E detesto. Mas também... não sei. Estou confuso. Quando o Blake falou que ficava com ela... senti ciúmes!

— Minha Nossa Senhora!

— Não estou defendendo nada. Só estou sendo sincero. Eve e eu passamos uma noite juntos.

— *Você* passou uma noite com ela. *Ela* estava desmaiada.

— Mas antes disso eu vi uma coisa. E desde aquela vez no bar, ela... já não é mais tão do mal assim.

— Uau! — diz Penny. — Que recomendação!

— E também, eu não quero ser grosseiro, mas ela é incrivelmente sensual.

— *Ste-phen*!

— *Você* tinha obsessão por aquele sujeito da academia e sequer sabia o *nome* dele.

— Hmm!

— Mas você tem razão, pelo que a Eve faz, só dá para detestá-la. Ela não deixa outra alternativa. Esse é o problema.

— Deixando de lado os seus sentimentos esquisitos por mulheres do mal, e independentemente do que exista entre Eve e Blake, todos no Alfa estão unidos em torno de um objetivo comum, que é tirar o couro do pessoal da Zephyr, estou certa?

— Está.

— E você quer acabar com isso.

— Você não viu o lugar. É brutal. E lembre-se, não é só a Zephyr. As técnicas que eles inventam acabam indo parar em milhares de empresas. Provavelmente são aplicadas a milhões de trabalhadores.

— E em vez de abandonar o emprego, você vai trabalhar disfarçado, como um sabotador.

— Isso.

— Mesmo não tendo autoridade alguma no Projeto Alfa. E na Zephyr você pilota uma mesinha de escritório.

— Ahn... é.

— E se você *conseguir* sabotar o Alfa, se, digamos, você resolver contar para todo mundo na Zephyr o que está acontecendo, eles simplesmente vão demitir todo mundo, fechar a empresa e começar tudo de novo. Certo?

Jones solta um suspiro.

— Certo.

— E tem ainda o fato de que uma das pessoas que você vai sabotar é essa mulher por quem você... abre aspas... está muito atraído... fecha aspas.

— Exatamente.

— Puxa, que enrascada!

— Achei que você poderia ter uma solução.

— Desculpe, Stevie. Não estou vendo saída para você.

— Droga!

— Talvez seja melhor você se demitir.

— Daí eles contratam outra pessoa para fazer o que eu faço. Preciso encontrar uma forma de forçar o Projeto Alfa a melhorar as coisas na Zephyr.

— Bem — diz Penny afinal —, boa sorte.

Da sala de estar vem uma pergunta:

— Vocês precisam de alguma ajuda aí?

— Não, mãe — responde Jones. E raspa os pratos do jantar.

— Que partes dessa história toda você vai contar para o papai e a mamãe? — pergunta Penny.

— Hmm — Jones diz —, vamos só dizer que eu comprei uns ternos novos.

Segundo o *Sistema ômega de gestão*, toda reorganização corporativa passa por três estágios. O primeiro é o planejamento: um estado de alegria, euforia até, pelo qual a Diretoria passa ao contemplar como a empresa poderia ficar mais forte fazendo um realinhamento estratégico de suas unidades de negócios; e também, por uma estranha coincidência, quanta responsabilidade a mais cada membro da Diretoria iria ganhar. É um momento de êxtase, mas só para a Diretoria; para os demais, em geral é difícil ver como os benefícios prometidos por essa reorganização diferem dos benefícios prometidos pela última, nove meses atrás.

Depois vem a Implementação, que é como a dança das cadeiras: o caos reina e as pessoas estão interessadas apenas em saber se vão se sentar. É um misto de triunfo e tragédia para os empregados — triunfo para o funcionário que se afastou de um colega odiado, tragédia para aquele cuja tela do computador é agora visível para todos que entram no departamento —, mas um período tenebroso de desilusão para a Diretoria, pois agora suas visões imaculadas encalham nos rochedos da realidade. Seus paradigmas invertidos se rompem, deixando vazar paradigmas normais, de cabeça para cima; seu raciocínio lateralizado fica longitudinalizado e novamente enquadrado. Eles haviam sonhado com um superdepartamento coeso e agora têm três ex-departamentos forçados a se sentar juntos e travar uma guerra civil. *Por que as pessoas não conseguem simplesmente se dar bem umas com as outras?*, pergunta-se a Diretoria. É de dilacerar o coração.

Por fim vem o que o *Sistema ômega de gestão* oficialmente chama de Realinhamento, mas intimamente os agentes do Projeto Alfa chamam de "Evacuação". É quando os funcionários que estão insatisfeitos com as suas novas funções começam a caprichar nos currículos e a buscar emprego noutro canto. Quando conseguem, vão embora; caso contrário, ficam, junto com aqueles que estão perto da Diretoria o suficiente para receber rebarbas políticas. Em suma, a empresa é rapidamente reduzida aos incompetentes e aos corruptos. Mas continua lutando, esforçando-se o máximo possível na ilusão de que está apenas sofrendo os efeitos na nova dentição e não de uma sodomia sistêmica e profunda de toda a estrutura corporativa, até que isso fica impossível e a Diretoria faz a única coisa que pode fazer: anunciar uma reorganização.

O Projeto Alfa sonha com um futuro sem reorganizações. Não que tenha alguma coisa contra elas por si só; pelo contrário, o Projeto reconhece que as condições de negócios mudam e as empresas precisam reagir. Sua objeção é que essas condições não mudam a cada 14 meses, que é o tempo médio entre reestruturações segundo as 500 maiores empresas de acordo com a revista Fortune 500. O Alfa descobriu que em geral uma reorganização típica custa três semanas de produtividade, e 82% delas não trazem benefícios mensuráveis. Ou seja, em vez de se reorganizarem, as empresas poderiam dar a cada funcionário algumas semanas de férias de bonificação — e ainda sairiam na frente. Ou, mais acertadamente, poderiam *não* dar aos funcionários essas férias extras e ganhar mais dinheiro.

O principal problema, suspeita o Alfa, é que as reorganizações são divertidas. Para a Diretoria, claro. Obviamente, não para os demais. Podendo escolher entre uma investigação para saber por que se está perdendo meio ponto percentual de receita devido a um controle ineficiente de estoque e uma nova e audaciosa visão de estrutura que a empresa possa ter no futuro, a Diretoria invariavelmente descamba para esta última. Se comandasse um navio, a Diretoria levaria duas vezes mais tempo para chegar ao destino e o teria reconstruído inteiro ao menos duas vezes pelo caminho. O Alfa não tem nada contra essas visões, mas quer que a Diretoria mantenha as mãos no timão e pare de esculhambar a arquitetura.

Mas enquanto esse dia não chega, o Alfa procura encontrar maneiras de fazer com que a reorganização atrapalhe menos. O Projeto já experimentou várias técnicas, inclusive a atual reorganização "surpresa", que foi idéia de Eve Jantiss para eliminar a perda de produtividade comum ao estágio um. Parece que isto foi obtido, pois a Zephyr entrou direto no meio do estágio dois, sem sombra de dúvidas. Guerras civis estão germinando por todo canto e alianças estão se formando. Vão surgindo tiranos, como Roger no Serviços de Pessoal. Na quarta-feira às 8h50 da manhã, é feita a primeira investida. Ela vem do Controle de Infra-Estrutura, na forma de um recado de voz para todos os chefes de departamento. É desagradável ter de anunciar que as cobranças feitas a cada departamento por espaço de escritório, cubículos, estacionamento e linhas telefônicas precisam aumentar. O prédio continua do mesmo tamanho, destaca o Controle de Infra-Estrutura, assim como o estacionamento, e a quantidade de linhas telefônicas também. Porém, há menos funcionários para dividir a conta. O Controle de Infra-Estrutura não tem outra opção além de aumentar os preços.

Novos gerentes superdepartamentais ouvem isso e ficam roxos. Divisórias de cubículos custando 900 dólares! Quinhentos por mês para um computador! Seis mil por ano por janela! Os gerentes fervem em suas cadeiras de couro, que agora custam três vezes mais. Isso é uma exploração descarada! As linhas telefônicas entre departamentos (200 dólares por tomada mais faturamento pelo uso) esquentam, à medida que os gerentes compartilham sua ira. Fazem-se votos de envolver a Diretoria — embora não sejam cumpridos, pelo menos até agora. A Diretoria parece um pouco ranheta acerca da consolidação no momento; tem sido assim, desde que duzentos funcionários zangados acamparam diante do prédio e começaram a jogar coisas. Convoca-se uma reunião da crise. No saguão, Gretel fica assombrada de ver os elevadores cuspindo gerente após gerente, todos marchando em direção à sala de reuniões com passo firme e semblante pesado.

Logo todos eles estão reunidos, até Roger. A única exceção é o Recursos Humanos (ou melhor, Recursos Humanos e Proteção Patrimonial, conforme é conhecido o departamento depois da fusão), que ninguém chamou. Até os gerentes acham o Recursos Humanos nojento. O departamento é chefiado por um homem baixinho de lábios úmidos e cabelo pastoso dividido no meio com as pontas enroladinhas; só saber que ele tem todo o seu arquivo pessoal na ponta dos dedos já basta para deixar qualquer um nervoso. Então, são todos menos ele, e quando o Controle de Infra-Estrutura chega, o ambiente da sala fica pesado de raiva.

O gerente de Controle de Infra-Estrutura é um homem pequeno, musculoso, de barba escura. É uma raridade na Zephyr Holdings: alguém que começou no térreo e foi promovido por trabalho árduo. Isso deixa os outros gerentes pouco à vontade. A idéia de que se pode progredir por meio da mera competência e não da politicagem, da traição, de abandonar o barco ante o desastre iminente e subir a bordo ante o sucesso iminente, solapa tudo que eles sabem. O Controle de Infra-Estrutura caminha até a frente do salão e cruza os braços fortes.

— Muito bem. Qual é o problema?

O Controle de Infra-Estrutura é atingido por uma saraivada de perdigotos invectivos enquanto os gerentes o informam exatamente qual é. Mas ele não se abala. Sua expressão não muda. Quando o poço de raiva seca, ele dá de ombros.

— Não posso fazer nada quanto a isso.

Epa! Uma nova saraivada cruza o salão. Já que o Controle de Infra-Estrutura não reagiu bem a fúria, o segundo assalto vem com laivos de queixumes. Certamente, declaram os gerentes, ele não os vai roubar para encher os próprios cofres. Certamente ele pode ver a posição em que se encontram. E deve compreender que eles não podem operar com tais aumentos de custos.

O Controle de Infra-Estrutura dá de ombros novamente.

— Só sei dos nossos custos totais e da quantidade de gente com quem dividir.

Caramba! A terceira saraivada é ainda mais violenta. Não estão conseguindo chegar a lugar algum, percebem os gerentes, de modo que apenas desabafam. Os ataques passam para o campo pessoal, com alusões à carreira de colarinho azul do Controle de Infra-Estrutura e à sua falta de uma educação formal. O Controle de Infra-Estrutura fita cada um dos olhares ferrenhos ali presentes. Finalmente esta saraivada também acaba.

— Se vocês querem que a Zephyr baixe seus custos fixos totais — diz ele —, por que não levam o assunto para a Diretoria? — e vai embora.

Os gerentes *vão* levar o assunto para a Diretoria. Nada seria melhor, pois já que o Controle de Infra-Estrutura sugeriu que eles fizessem isso, os gerentes agora têm em quem colocar a culpa caso a

Diretoria fique furiosa por ser incomodada. Os gerentes se agrupam em torno de um aparelho de teleconferência.

A Diretoria fica apoplética. Que diabo o Controle de Infra-Estrutura pensa que está fazendo? A idéia básica da consolidação é reduzir os custos, não aumentar. É gente como o Controle de Infra-Estrutura, no entender da Diretoria, que destrói seus planos belíssimos. Quando ele chega à sua mesa no nível 15, há um recado de voz à sua espera, pedindo que compareça ao nível 2 imediatamente.

É a primeira visita do Controle de Infra-Estrutura ao nível 2 e ele tem uma agradável surpresa. Os espaços são abertos, repletos de madeira de lei, há flores frescas por todo canto e sofisticadas telas a óleo espalhadas pelas paredes. A infra-estrutura é boa por aqui, sem dúvida. Ele é encaminhado para a sala dos Diretores, onde todos estão reunidos. Indicam-lhe um assento numa das extremidades de uma mesa enorme e, depois de uma pausa adequadamente intimidante, pedem-lhe que se explique.

— Ora, é bem simples. Os nossos custos fixos não mudaram, só que agora não há tantos departamentos. De forma que eu tenho de cobrar mais de cada um.

A Diretoria aguarda, mas parece que é só isso. Eles ficam estupefatos. Onde estão as apresentações em PowerPoint? As explicações itemizadas? As referências às mudanças de paradigmas de negócios e às oportunidades que surgem no mercado?

— Mas os departamentos estão *menores* — diz uma mulher. — Eles estão usando *menos* infra-estrutura. No mínimo, deveriam pagar menos.

— E de quem que eu vou cobrar os andares vazios?

— E para que você tem de cobrar por eles?

— Porque eles ainda estão lá.

A Diretoria não gosta do tom dele. E também não gosta das alusões que faz. Os Diretores trocam olhares entre si. Prefeririam uma explicação alternativa: que o Controle de Infra-Estrutura é um safado regateador de preços.

— Bem — diz a Diretoria, dando-lhe uma última chance —, então o que nós podemos fazer para manter as despesas dos departamentos iguais ao que eram antes?

— Ué, podem encher os andares. Contratar mais funcionários.

Há uma tomada de fôlego coletiva. *Contratar mais funcionários.* Mas que heresia! A Diretoria se entreolha, estupefata. O Controle de Infra-Estrutura é dispensado da sala.

Durante bons instantes, a sala fica em profundo silêncio, exceto pelo ruído da geladeira do bar. Então, uma mulher se inclina para a frente.

— Essa idéia de cobrar dos departamentos por recursos fixos... é só um truque de contabilidade, não é? A infra-Estrutura já está montada. Não vai a lugar algum se pararmos de cobrar dos departamentos. Então, poderíamos dar um jeito nisso num segundo eliminando o departamento de Controle de Infra-Estrutura.

Sorrisos começam a surgir paulatinamente em torno da mesa na sala dos Diretores. Finalmente, uma solução! Um pavoroso protesto é feito por um homem cuja principal conquista na consolidação foi conseguir responsabilidade para o departamento de Controle de Infra-Estrutura, mas ele é logo silenciado. É feito o anúncio; Recursos Humanos é notificado; quando Controle de Infra-Estrutura chega de volta à sua mesa, dois guardas da Segurança o esperam.

Sydney, diminuta ex-gerente de Vendas de Treinamentos, está num elevador com as portas abertas para o saguão, correndo os olhos pelo painel com os números dos andares de alto a baixo. Está num dilema: não sabe qual botão apertar.

Para o nível 11 ela não vai de jeito algum. Trabalhar para o Roger, até esta semana seu subordinado, seria humilhante demais para agüentar. Há quem leve uma facada pelas costas e continue sorrindo; mas não a Sydney. Desde o despejo, vem visitando departamento após departamento atrás dos velhos amigos. Ou gente que considerava amigos; parece que só expressavam simpatia porque ela era gerente. Que surpresa desagradável! Mas, também, todos sempre foram contra Sydney; é o que ela vem dizendo.

Pois então, eis o seu problema: acabaram-se as alternativas. De todos os números neste painel de botões (e não são muitos), os únicos que ela não experimentou são os dos escalões superiores: Recursos Humanos e Diretoria.

A idéia é sedutora. Sydney não pertence aos departamentos inferiores; deveria estar no topo. Que outro lugar resta para alguém com sua visão hostil e arrebatadora, com seu arraigado desprezo pelas pessoas, com sua disponibilidade para fazer os outros fazerem sacrifícios? Diretoria, Diretoria, Diretoria!

Só que não se chega assim simplesmente andando a um cargo na Diretoria. É preciso ir pavimentando o caminho durante uns bem-servidos jantares e umas agradáveis partidas de golfe. Sydney não fez isso. E mesmo nesta situação desesperadora, não teria como começar. Ela é boa demais para isso.

Chega uma menina toda sardenta.

— Sobe? — diz ela, alegremente. Sydney olha-a fixamente até que ela se retira.

A Diretoria, infelizmente, está fora. Sobra apenas o número 3: Recursos Humanos.

Sydney identifica-se com o departamento de Recursos Humanos. Gosta do nome, da alusão não tão oculta de que os empregados são um recurso explorável, como ações ou imóveis. E não um recurso tão valioso assim, apesar do velho adágio que diz que os empregados são o maior patrimônio de uma empresa. Sydney conhece a verdade: basta dar à empresa recursos monetários, parcerias estratégicas, estoques; basta dar à empresa qualquer coisa menos seres humanos chatos e idiossincráticos em quem não se pode confiar. Eles são o mal pior: não se pode armazená-los ou realocá-los (com facilidade), nem se pode simplesmente deixá-los parados para que acumulem valor. É por isso que uma empresa precisa do RH: um departamento que transforma gente em recursos.

Sydney fica na ponta dos pés para tocar no 3. As portas se fecham. Enquanto o elevador sobe, ela vai cantarolando baixinho. Está nervosa, mas otimista. Acha que vai se encaixar direitinho.

Freddy entra no conjunto de cubículos do nível 11 e pára na frente do cabideiro. O paletó que ocupara seu gancho na segunda-feira hoje está dois ganchos adiante. Freddy sorri. Pendura o paletó no seu devido lugar e parte para o seu cubículo com o coração aliviado e o passo enérgico.

Está começando a conhecer os demais funcionários do Serviços de Pessoal. Os que trabalham no Desenho de Cartões da Empresa são altos, pálidos e estranhos. Os do antigo departamento de Serviços de Realocação são pequenos, atarracados e não têm senso de humor; e também têm a melhor metragem quadrada por funcionário. Os grandões, barulhentos e sarados são da Gestão da Academia. Os do Clube Social têm olhar aguçado e penetrante e se dirigem a você para puxar conversa. E há o departamento de Vendas de Treinamentos. Esses, no seu entender, são os velhacos. Os assassinos bem vestidos! Todos desconfiam um pouco do Vendas de Treinamentos. Então, este é o novíssimo departamento de Serviços de Pessoal: um conglomerado meio indefinido de criaturas endiabradas, gigantes, pavões, gnomos e criminosos organizados.

Freddy chega ao seu cubículo e se senta. O que não está incluído ali, percebe ele abruptamente, é o departamento de *Realização* de Treinamentos. Ele gela. Será que o Realização de Treinamentos se perdeu na consolidação? E, se assim foi, o que o Vendas de Treinamentos vai vender agora?

É possível que haja uma resposta razoável. Quem sabe a Diretoria resolveu alavancar as habilidades do Vendas de Treinamentos para um setor de maior valor agregado, um setor que não envolva treinamentos, por exemplo? Mas Freddy já trabalha na Zephyr há muito tempo. Tem quase certeza de que é um erro.

Holly chega à sua mesa e encontra uma mensagem de voz do Roger, convocando-a a comparecer ao seu (novo) escritório o mais rápido possível. A mulher do correio de voz diz: "Recebida... hoje!... às cinco... e... cinqüenta... e... quatro", de forma que o mais rápido possível para Roger é muito antes do dela. Ela acha um pouco nojenta a idéia de que Roger esteja trabalhando há quase três horas. Por um lado, não consegue imaginar como Roger poderia ser pior chefe que Sydney. Por outro, receia que ele possa demonstrar como.

A caminho do escritório de Roger, ela se pega olhando para o monitor de TV. Está pregado ao teto, mas é tão grande que fica no meio do corredor entre os cubículos, forçando os funcionários mais altos a se abaixarem para que possam passar. A tela não está mostrando nada. Ao lado dele há uma caixa de proteção contra vandalismo com uma lâmpada grande dentro. Nem a luz nem o monitor parecem atender a qualquer propósito. Alguns funcionários, sentados, olham nervosamente para cima, mas Holly se ajeita e passa. Ela não perde mais tempo querendo saber das coisas inexplicáveis que acontecem na Zephyr.

Há um AP na mesinha do lado de fora da sala de Roger, da mesma forma que Sydney tinha Megan no nível 14. O AP de Roger é um rapaz magro, que usa óculos arrebentados e uma gravata cheia de enormes rostos felizes amarelos que Holly considera um tanto afrontosa às 9 horas da manhã.

— Oi, eu quero falar com o Roger.

— Você é Holly Vale?

— Sou.

— Ele está esperando você. Vou acompanhá-la.

O AP caminha até a porta, abre-a e faz sinal para Holly entrar. Mas Holly fica ali parada, em choque. Se você tem um escritório, você fecha a porta e faz as pessoas baterem antes de entrar; não é esse o motivo? Quando os gerentes dizem que têm uma política de portas abertas, isso significa que você pode pedir para falar com eles sem hora marcada, mas não que a porta fique de fato *aberta*. Não quer dizer que não se *bata* antes de entrar.

Ela se dá conta de que o AP a está olhando, à espera, e se apressa. Se consegue lidar com um emprego cuja função não é identificável e um ambiente de trabalho propenso à criação de roteiros para filmes de mistério, também será capaz de se acostumar com um gerente que deixa a porta literalmente aberta.

O escritório de Roger está encharcado de raios do sol matinal; lá fora se avista um inigualável céu azul. Roger está sentado à sua ampla mesa, brilhante e limpa, com as mãos cruzadas à frente.

— Olá, Holly. Queira se sentar.

O escritório já está bem mobiliado. Ela se deixa afundar numa confortável poltrona e apóia os braços nos descansos. Segue-se uma pausa, durante a qual Roger continua sorrindo. O sorriso de Holly começa a se fragmentar. Ela se ajeita na cadeira e estica a saia.

— Tenho boas notícias — diz Roger.

— Oh! — diz Holly, mais por alívio pelo início do diálogo.

— Tenho pensado em como botar este departamento para funcionar. Quero que o Serviços de Pessoal seja o departamento mais eficiente, produtivo e lucrativo na Zephyr. — Ele faz uma pausa. Holly concorda com gestos de cabeça, entusiasticamente. — E resolvi que, para isso, vamos precisar redefinir as funções que muitos cargos desempenham. A bem da verdade... as funções de todo mundo aqui.

Silêncio. Desta vez Holly não consegue esperar até o fim.

— Acabo de ver o Freddy, e ele disse que não tem ninguém aqui de Realização de Treinamentos. Foram parar em outro departamento ou...

— Foram embora. Não sobreviveram à consolidação.

— Oh. — Ela espera, mas Roger não parece inclinado a preencher a óbvia lacuna. — Então... o que teremos de fazer?

— Boa pergunta. Mas não é uma pergunta que você, Holly, precise considerar. Como eu disse, estou redefinindo as funções dos cargos. A sua agora é na academia. Alguém precisa colocar ordem naquele lugar. E essa pessoa é você.

Os dedos de Holly cravam-se nos descansos. Ela se sente como se acabasse de sair cambaleante da esteira. As endorfinas! As endorfinas!

— Satisfeita?

— Oh, *Roger*! — durante um momento de arrebatamento, Holly se vê prestes a se jogar por cima da mesa para abraçá-lo. — Obrigada! Obrigada *mesmo*. Eu vou fazer um ótimo trabalho por lá, prometo. A academia sempre foi boa, mas há coisas para se fazer, coisas simples, para aumentar o alcance e levar mais gente para lá, como aulas de...

— Ótimo — diz Roger. — Parece que vai ser maravilhoso. — Ele sorri. Segue-se outra pausa.

— Muitíssimo obrigada — diz Holly mais uma vez.

— Achei que você se encaixaria bem.

— Fico muito agradecida.

— Porque se não funcionar, é fácil transferir você de novo.

— Vai dar certo. Prometo. *Definitivamente.*

— Bom. Bom. — Roger inclina-se para a frente, apoiando os cotovelos na mesa. — Agora que estamos mais à vontade... quero lhe perguntar uma coisa.

Holly pressente o que está por acontecer antes de ele abrir a boca.

— Holly — diz ele —, quem pegou minha rosquinha?

Jones atravessa o atulhado conjunto de cubículos do Serviços de Pessoal, mordendo o lábio. A manhã está sendo perturbadora para ele. Primeiro, Eve não estava na reunião do Alfa. A princípio, ele pensou que ela ia se atrasar, depois que ia se atrasar muito, depois Klausman se sentou e falou: "Eve pegou um vírus e não vem hoje, pelo visto", e Mona fez *ahhhn* e Blake soltou ar pelo nariz como se isso fosse divertido. Jones pensou: *É melhor ela arranjar um atestado médico*, mas a idéia de um dia sem Eve, surpreendentemente, o deixou chocado e decepcionado, e isso era ruim; Jones não deveria estar sentindo esse tipo de coisa por alguém que profissionalmente só pensa em destruir. Percebeu que Eve é como os jogos de azar: sabe que ela é um vício, que lhe faz mal, e que se não desistir dela vai sofrer as conseqüências, mas ainda assim quer mais. Talvez Jones deva procurar alguém. Deve haver um grupo de apoio que ele possa procurar: Eveólicos Anônimos. Talvez isso venha a terminar com ele num bar por aí com Blake Seddon, brindando com copos de cerveja enquanto alternam tons de apreço e amargura rememorando Eve Jantiss, a vagabunda que magoou a ambos e estragou todos os seus planos.

Ele caiu fora dessa fantasia e percebeu que estava recebendo uma nova incumbência: restaurar a rede da empresa. E disse:

— Sério? Parece que as pessoas estão mais felizes sem a rede. Agora elas andam por aí, conversam... tenho a impressão de que isso pode ser bom para a empresa.

— É claro que o *pessoal* gosta — disse Blake, desdenhosamente. — Significa que não podem trabalhar tanto. Não há dúvida de que o *pessoal* acha ótimo. Mas nós não estamos aqui para entreter o povo, Jones.

— Não estou sugerindo nada diferente — disse Jones, no tom tranqüilo e comedido de um homem que está resistindo ao impulso de acertar Blake com a caneca de café. — Só estou interessado em saber se isso não *aumentaria* a produtividade. Você já ouviu falar em equilíbrio entre trabalho e vida? É a idéia maluca de que os empregados podem trabalhar e render mais quando estão satisfeitos e motivados.

Blake inclinou-se para trás e cruzou os braços, olhando para Jones como se tivesse acabado de ouvir uma estupidez. Da cabeceira da mesa, Klausman falou:

— Ah, Jones, nós não somos grandes fãs dessa coisa de equilíbrio entre vida e trabalho. Não é que não seja um grande conceito. É, sim. Em tese.

— Como o comunismo — disse Blake, arrancando risadinhas dos demais.

Não vai haver bebedeira de recordações, decidiu Jones.

— O problema é que isso é um mito. Nós já fizemos os cálculos; não confere. O que se ganha com menores abstenções e menores taxas de erros acaba compensado com o que se perde num expediente mais curto e no comportamento alheio às tarefas. Em termos simples, empregados satisfeitos não são mais produtivos. Na verdade, são menos.

— Na maioria das situações — interveio Mona. — Lembram-se?

Klausman concordou.

— Ah, sim. Quando é caro substituir um empregado, pode valer mais a pena gastar dinheiro para mantê-lo satisfeito. Mas isso é uma exceção.

— Então, o que vocês estão dizendo — disse Jones — é que não vale gastar dinheiro com o bem-estar dos empregados, a menos que eles estejam na Diretoria.

— Ó Céus, ele entendeu — disse Blake.

— O que estou dizendo — disse Klausman — é que nesse equilíbrio entre vida e trabalho, nós lutamos pelo lado do *trabalho* na equação. *Capisce*?

— Claro — disse Jones.

— Bom garoto. Trata-se de uma daquelas ocasiões em que não quero esperar que a Zephyr dê um jeito em si mesma. A maioria dos Diretores não tem computador; podem se passar meses até que eles se dêem conta de que há algo errado. Não, a empresa precisa de uma rede, Jones, e você vai lhes dar uma.

Jones abriu a boca para dizer *Como?*, mas não seria um gesto muito dinâmico nem condizente com o estilo Alfa. Então, acabou dizendo:

— Tudo bem — e todos ficaram mais felizes.

A terceira perturbação ocorreu quando a reunião estava sendo encerrada. Blake anunciou:

— E fiquem de olho no Serviços de Pessoal. O novo gerente de lá, Roger Jefferson, está cheio de idéias novas. — Isso veio a propósito de alguma coisa, mas Jones estava fechando a pasta e pensando na rede, de forma que não pegou exatamente o que foi. Mas quando ergueu os olhos, Blake o estava olhando com um sorrisinho condescendente, e Jones se deu conta de que, por razões das quais ainda não estava ciente, o dia de hoje ia ser uma porcaria.

E descobre por que quando chega ao cubículo. Freddy e Elizabeth estão numa animada discussão, sentados com os joelhos quase se esbarrando no espaço apertado. Freddy está balançando a cabeça enfaticamente.

— Não, não, não. Jones! Venha cá, preciso do seu apoio.

— Freddy, eu entendo o que você está dizendo — diz Elizabeth. — Só que não há nada que nós possamos fazer. Não há outra opção.

— O que está acontecendo?

Freddy sacode no ar uma circular impressa.

— Veja isto. Roger chama de "Programa de Prestação de Contas". De agora em diante, temos de pagar por tudo. Nossas mesas, nossos computadores... ele vai nos *cobrar* por essas coisas. Ele nos tornou pessoalmente responsáveis pelos gastos do departamento!

— Vai haver uma corrida atrás das cadeiras do escritório — cisma Elizabeth. — Nós deveríamos fazer um estoque. Talvez pudéssemos vendê-las para outros funcionários e tirar um lucro.

— Quando os nossos Serviços de Pessoal estiverem disponíveis, vamos ter de abrir concorrência. O menor lance fica com o serviço. E somos nós que vamos pagar por nossas despesas. Ele nos transformou em subcontratados.

— Oh — diz Jones. — Isso não soa nada bem.

Freddy esfrega a testa com a palma da mão.

— E eu que só queria um empreguinho num canto qualquer sem nenhuma prestação de contas! Um lugar onde eu pudesse fazer o que me mandassem, mais ou menos, e não tivesse de me preocupar todo dia se aquele seria o meu último! Será que é pedir muito? Será?

— O que está acontecendo? — pergunta Holly, aparecendo ao lado de Jones.

— Holly, me dá uma força aqui. Esse Programa de Prestação de Contas não é a pior coisa que você já viu na vida?

— Hmm... não, acho que está certo.

Freddy fica boquiaberto.

— Está certo? *Certo*?

— Por que não deveríamos ser responsáveis por nossas próprias despesas? Vocês conhecem a Lianne? Ela sempre tira uma dúzia de fotocópias até acertar. E aquele cara de Compras, que passava o dia inteiro mandando piadinha por e-mail para todo mundo? Por que eu tenho de subsidiar gente assim?

— *Subsidiar*? Desde quando você começou a falar como uma gerente?

Holly muda o apoio de um pé para o outro.

— Ah, não — diz Freddy.

— Eu sou a responsável pela academia agora. — Ela lambe os lábios. — Não sei se vou continuar sentando aqui, ou não, mas... sou a responsável pela academia.

Freddy se deixa afundar na cadeira.

— Que desastre!

— Caramba! — diz Holly, sentindo-se provocada. — Obrigada pelos parabéns. Lembrem-me de ficar feliz quando vocês vierem me contar as *suas* novas atribuições.

— Ninguém está recebendo atribuições novas — diz Elizabeth, com desânimo. — Ninguém. Só você.

— Oh — diz Holly.

— Oh — diz Freddy. — Ah, é! Nossa, eu gostaria de saber por que Roger está favorecendo a Holly. Deixe-me pensar. Hmm.

Holly arregala os olhos.

— É? Por quê?

— Não seria por que você contou a ele sobre uma certa *rosquinha*, seria?

Os olhos de Elizabeth saltam na direção de Holly. O rosto de Holly fica ruborizado.

— Oh, Céus! — diz Elizabeth.

— Ele ia acabar descobrindo mesmo — diz Holly, subindo o tom de voz. — Ai, Elizabeth, desculpe, mas ele ia acabar descobrindo. Está obcecado.

De repente soa uma sirene na sala. A lâmpada dentro do gradeado no teto se acende, jogando raios giratórios de luz laranja sobre os cubículos. Num instante, o nível 11 fica parecendo o cenário de uma daquelas obras monumentais nas estradas. Jones dá um salto.

— Que diabo é isso?

Todos olham por cima das divisórias dos cubículos. Entre um ofuscante raio cor de laranja e outro, conseguem enxergar a tela da TV:

LICITAÇÃO

PEDIDO nº 0000001

TAREFA

Realocação e leilão de espaço de cubículos

(nível 11)

EDITAL COM O AP DO SERVIÇOS DE PESSOAL

— É trabalho. — A voz de Freddy estremece. — *Trabalho.*

Com uma certa precaução, os funcionários vão saindo de seus cubículos para olhar para o monitor. Em seguida, um por um, entreolhando-se desconfiados, dirigem-se ao AP de Roger.

— Olhe só essa gente! — Freddy fica olhando, desgostoso. — Todo mundo disposto a sair batendo um no outro em troca de um pacote de pagamento. Quer saber de uma coisa, eu não vou entrar na concorrência. O que aconteceu com aquele negócio de nos mantermos juntos? O que aconteceu com o trabalho em equipe? — Ele lança um olhar enojado para Holly.

— Ei — diz Holly —, sabe o que o Roger me contou? Disse que isso de trabalho em equipe não existe. É um engodo. A empresa não promove equipes. Se alguém quiser progredir, tem de pisar na cabeça de todo mundo e cuidar de si próprio. Os colegas são concorrentes. Roger me contou a verdade: não existe *eu* numa equipe, mas também não existe *você*! — Faz-se um silêncio. O peito de Holly sobe e desce. Seu rosto se inflama. — Mas... eu sinto muito, mesmo, Elizabeth.

— Talvez, agora que sabe, ele acabe se esquecendo. — Ela afasta o olhar.

— Aposto que sim — diz Holly. — Para ser sincera, sabe, eu não ficaria surpresa.

Freddy crava os olhos nela.

— Tenho certeza de que tudo vai ficar bem — diz Holly. Sua voz é tão lamuriosa que Jones precisa olhar para longe.

No saguão, Gretel está com enxaqueca por causa das luzes piscantes do painel de controle. Ela não deveria nem estar aqui, a bem da verdade: hoje de manhã ligou para dizer que estava se sentindo mal, mas uma mulher do Recursos Humanos e Proteção Patrimonial sugou ar por entre os dentes e falou:

— Oh, querida...

— O que foi? — disse Gretel, mas de repente estava ouvindo notícias do trânsito na rodovia federal. Ela fechou os olhos, sentada na beira de sua cama, ainda de pijama. Seu namorado, meio adormecido ali ao lado, colocou a mão na perna dela. Depois a voz voltou:

— Gretel, vou transferir a sua ligação, está bem?

— Eu... — disse Gretel, mas voltou a estação de rádio. Ela esperou.

— Gretel? — disse uma voz de homem, alta e dolorosamente alegre. — Aqui é o Jim Davidson. Que história é essa de você estar doente?

Jim era o gerente de pessoal do RH.

— Pois é, Jim, eu sinto muito. Estou me sentindo muito mal.

— Que chato ouvir isso! — disse ele, mas o seu tom de voz não mudou em nada; fez parecer que era uma piadinha que os dois estavam trocando. — Infelizmente, isso nos coloca numa enrascada.

Gretel apertou o telefone.

— Tenho certeza de que a Eve não vai se importar de me cobrir por um dia. — Mentira: ela sabia, com certeza, que Eve *se importaria*. Mas isso não iria *matá-la*. Além do mais, depois dos horrores de segunda-feira, quando Gretel ficou sitiada e Eve não deu as caras, seria até *bem merecido* para Eve.

— Claro, mas isso se a Eve não tivesse ligado há dez minutos dizendo que está doente.

E agora Gretel está apertando botões no painel de controle enquanto sua cabeça explode e a umidade aumenta sob seus braços. A razão exata para que os Recursos Humanos não contratem uma temporária não está muito clara para ela, assim como por que este é um problema *dela*. Jim até que explicou; falou até bastante, no seu tom alegre e desprendido, sobre o levante que ocorreu depois da consolidação e sobre as dificuldades de lidar com uma nova crise especialmente agora, que todas as pessoas que poderiam substituí-la, haviam sido demitidas. Depois de dois minutos desse tipo de conversa, Gretel concordou em vir só para que ele parasse de falar.

Ela deveria ter fincado pé. Assim como ontem, e anteontem, o painel de controle está completamente tomado, porque metade da empresa acaba de mudar de cargo e ninguém sabe o número novo de ninguém. O departamento de Recursos Humanos e Proteção Patrimonial prometeu preparar uma nova lista de telefones, mas só em duas ou três semanas, que Gretel sabe muito bem só virá em cinco ou seis, contendo inúmeros erros fundamentais e não será distribuída em quantidade suficiente. Além disso, não há departamento de TI para atualizar os telefones, de forma que o identificador de chamadas de todo mundo está errado. É preciso discar mais um número para falar com funcionários fora do seu departamento, de modo que Gretel não consegue conectar ninguém sem saber de onde veio a chamada. Ninguém entende isso, e só esta manhã Gretel já teve mais de duzentas conversas do tipo:

— Bom dia, recepção.

— Oi, será que você me arranja o número novo de Kevin Dawson? Ele era do Marketing Corporativo... não sei direito como é o nome agora!

— Pode me dizer o seu nome e departamento, por favor?

— Ahn... Kevin Dawson? No Marketing Corporativo?

— Não, não o nome da pessoa a ser chamada. O seu nome.

— Ah, é Geoff Silvio.

— No...?

— Pois é, acho que se chama Tesouraria agora.

— Só um momentinho, Geoff.

Durante tudo isso, o painel de controle acende uma malha de luzes amarelas na frente dela, informando que há mais 12 conversas idênticas esperando na fila. Às 11 horas, ela está tão desesperada para ir ao banheiro que sai literalmente correndo pelo meio do saguão. Quando volta, um homem da Diretoria que está passando pela mesa da recepção e vê todas aquelas luzes piscando franze o cenho para ela.

Por volta de 12h30 Gretel percebe que, mais uma vez, não há esperança de poder parar para almoçar: as ligações não param de entrar. Ela entra num estado robótico, entorpecido, no qual sua boca e seus dedos agem primeiro e seu cérebro alcança um segundo depois. E vai apertando *transferir* seguidamente, vez após outra, para encerrar uma chamada e ativar a seguinte.

— Boa tarde, recepção.

— Sou eu.

— Sei, alô! — retruca prontamente. — Eu preciso saber quem você é e de onde está ligando antes de conseguir fazer a conexão.

Há uma pausa de surpresa.

— Gretel, sou eu, Sam.

Sam é o seu namorado. Ela fica boquiaberta. Cobre o rosto com as mãos e começa a chorar.

Roger é uma má pessoa? Pergunta difícil. Isso agora está na ribalta dos pensamentos de Elizabeth. Ele é mesquinho, sim. Vive armando. É arrogante *e* inseguro, uma combinação terrível. Ele nunca mostrou afeto nenhum por ela, exceto físico, e ainda assim de forma breve e impessoal. Às vezes, quando olha para ele, ela sente vontade de arrancar aqueles belos cabelos castanhos que ele tem e enfiá-los na boca dele.

Já ouviu falar de mulheres que sentem necessidade de comer comidas esquisitas durante a gravidez, combinações nojentas como sorvete com picles. Bem, Elizabeth está com necessidade de Roger. Anseia por seus braços envolvendo-a. Só de pensar nisso, seus lábios começam a tremer. Elizabeth já se apaixonou mais vezes do que é capaz de se lembrar, mas até agora não tinha sentido o desejo como uma força física. Neste exato momento, se Roger pedisse, Elizabeth tiraria toda a roupa e faria amor com ele ali no carpete laranja e preto.

Sentada à sua mesa com os punhos cerrados, ela tenta conter o próprio corpo. Há muitas razões lógicas para que não deseje Roger, e ela silenciosamente pondera cada uma delas. Mas nenhuma vinga; todas são suplantadas pela rica vazão hormonal interna. Sua parte racional, aquela que vende pacotes de treinamento, sacoleja à deriva num mar de emoções. *O que você sabe das coisas?*, diz o mar. *Veja só o seu emprego. Veja só as suas prioridades. Obrigada pela contribuição, mas daqui para frente eu levo sozinha.*

Ela precisa admitir que seu corpo sabe argumentar. Mas o *Roger*! Por que, por que, por que o Roger? Será que o seu corpo vê dimensões profundas nele? Ela não vê. Ela implora ao próprio corpo para conseguir mudar de idéia.

Colocar a rede para funcionar novamente acaba sendo mais fácil que Jones esperava. Ele começa pensando em qual departamento deveria, pela lógica, controlar a Tecnologia da Informação e resolve que é o dele: Serviços de Pessoal. Então vai bater à porta de Roger e apresenta a idéia. Roger escuta em silêncio, depois vira a cadeira de frente para a janela por um tempo. Jones não sabe se Roger está aprofundando seus pensamentos ou se está simplesmente fazendo pose, mas não se importa em esperar. Passado um minuto, Roger gira a cadeira de volta.

— Você está pedindo um investimento de capital significativo por parte deste departamento.

— Acho que sim.

— Você sabe que estou tentando fazer com que cada empregado seja *mais* responsável pelos gastos. Isso vai de encontro a esse paradigma. — Ele aperta os dedos uns contra os outros. — Basicamente eu teria de emprestar esse dinheiro a você.

Jones pestaneja.

— E como eu pagaria isso de volta? O que foi, você acha que eu deveria cobrar dos outros departamentos pelo uso da rede?

Roger sorri.

— Não se empolgue tanto. Estou terceirizando as despesas, não a receita.

— Então...

— Mas estou disposto a lhe pagar royalties sobre o faturamento da rede, até um certo teto.

— De forma que... eu fico responsável por todos os custos, mas ganho apenas uma porcentagem da receita?

— Podemos negociar os números exatos — diz Roger. — Mas, sinceramente, se você não gostar, tenho um departamento cheio de funcionários que estariam dispostos a matar alguém por um emprego desses.

— Ei — diz Jones, encrespando-se —, montar a rede é uma idéia *minha*.

— E é por isso que estou lhe dando a primeira tacada.

Jones abre a boca para argumentar, mas se dá conta de que não está aqui para ganhar um salário de Roger. Está aqui porque o Alfa quer uma rede.

— Tudo bem, tudo bem.

— Você vai precisar de ajuda. Um trabalho desses! É bom subcontratar outros funcionários do departamento de Serviços de Pessoal.

— Vou fazer isso. — Jones não tem a menor intenção de se meter com fiações e computadores.

— Não dê o trabalho para os seus amigos — alerta Roger. — Terá maior valor se você fizer com que eles dêem os próprios lances. Só um pequeno conselho!

— Obrigado, Roger — diz Jones.

Ele dá ao Freddy a tarefa de vasculhar o departamento de Serviços de Pessoal atrás de alguém que entenda de computadores e vai até sua mesa telefonar para as casas de consultores de TI. Depois de cada telefonema, ele risca o nome daqueles que tentaram vender alguma coisa que ele não pediu ou usaram a palavra "soluções" mais de três vezes. Uma hora depois, encontra um sujeito chamado Alex Domini que, pelo visto, tem uma loja onde trabalha sozinho, e marca uma hora para ir vê-lo no dia seguinte.

A luz do seu correio de voz está piscando, então ele disca e encontra um recado de Sydney. "Ah, Jones? Será que você... *Está bem, falo com você num minuto. Espere só um pouquinho, tudo bem?* Jones, venha até a recepção, há um pacote aqui para você. *Agora, veja bem...*" A ligação faz *clique*.

Jones coloca o fone de volta na base. Decerto Sydney não está operando os telefones na recepção, não é mesmo? Mas depois de um passeio de elevador, ele descobre que está: quase perdida atrás da imensa mesa cor de laranja, ela está se esquivando de meia dúzia de empregados à espera e rosnando ao telefone. A visão é tão impressionante que Jones pára e fica olhando, boquiaberto.

— Gretel saiu — diz uma voz. Ele se vira e encontra Klausman, ali parado com um escovão na mão. Jones pestaneja. Precisa admitir: naquele disfarce de zelador, Klausman é praticamente invisível. É uma coisa psicológica: você enxerga o macacão cinza com a visão periférica e não se dá ao trabalho de olhar mais detalhadamente. — Acabou de sair. O Recursos Humanos precisou mandar alguém para ficar no lugar dela.

— Gretel se *demitiu*?

Klausman dá de ombros.

— Não disse. Mas não se impressione, Jones, não se impressione. Estamos tentando tocar isso aqui de uma forma eficiente. Não temos espaço para funcionários ineficientes. Isso arrebenta com todo o sistema.

Jones olha de relance para Sydney. Não parece que ele vai se apressar para chegar perto daquela mesa.

— Acho que é isso que acontece quando não há folgas no sistema.

Klausman considera.

— Talvez. Hmm. Vale até a pena mensurar isso. Seria uma grande ironia se, depois de todo esse tempo, ficasse provado que a hipereficiência é contraproducente.

— Certamente — diz Jones.

Klausman fica olhando Sydney se engalfinhar com os telefones.

— Fico com o coração partido de ver o sistema falhar assim. Chega a doer. Você conhece o propósito de toda empresa, Jones? Externalizar. Uma empresa eficiente deveria ser como um corpo humano saudável: extraindo nutrientes do meio ambiente e excretando rejeitos nele. Fontes de renda são os nossos nutrientes, e fontes de custos são os nossos rejeitos.

— Então... — diz Jones — a Zephyr come dinheiro e caga custos?

Klausman ri.

— Você provavelmente é jovem demais para se lembrar, Jones, mas houve uma época em que um homem enchia o tanque de combustível do seu carro para você. Um menino carregava as suas compras até o seu carro. Houve uma época em que praticamente não se ficava em filas, especialmente num serviço público. Mas a mão-de-obra é uma fonte de custo, de forma que as empresas a terceirizam. Como você disse, eles cagaram os custos. E esses custos caíram exatamente onde deveriam: nos clientes.

— E no resto do pessoal.

— Isso mesmo. Isso mesmo. Donde: "Fazer mais com menos." Sabe, Jones, eu gostaria de ter mais empregados como você. Na verdade, gostaria de ter menos empregados *diferentes* de você. Você sabe o que eu quero dizer. Você é uma exceção: os recém-formados costumam ser uns idiotas. Uns idiotas entusiásticos, sim, mas uma coisa não compensa a outra. De fato isso até exacerba o problema. — Ele coça o nariz. — Estou pensando em cortar o programa dos recém-formados. Há quem diga que ele atrai novas idéias, mas em geral são idéias *burras*. O cérebro do homem só é bom para uma empresa quando atinge os 40 anos, na minha opinião. Ou o da mulher. Não se pode ser tendencioso em termos de gênero hoje em dia. É claro que o problema, então, é que quando têm boas idéias, não conseguem fazer nada quanto a elas. — Klausman deixa-se ficar em silêncio, cismando. — Enfim, o que eu quero dizer é que você tem futuro aqui, Jones. Vejo você dirigindo este lugar um dia. Mais à frente. — Ele pisca. — Mas um dia.

— Jones? *Jones*? — chama Sydney.

Klausman já está de costas e esfregando o chão. Jones cai em si imediatamente.

— Oi.

— Tive de assinar isto aqui. — Sydney empurra-lhe uma sacola de entregas por cima do balcão com um olhar resplandecente; se é por causa da encomenda, das suas novas atribuições ou apenas uma atitude geral, Jones não sabe dizer.

— Desculpe. Obrigado. — Ele abre o pacote. Lá dentro há uma caixa que diz NOKIA 6225 e um cartão SIM lacrado dentro de um plástico. Não há bilhete algum.

— Ei, celular novo — diz um homem ao seu lado. — De onde você mandou vir esse aí? — Jones não faz idéia. O homem olha para Sydney com um ar espantado. — Não tem um para mim também, não?

— *O quê?* — retruca Sydney de maneira brusca, sem ter entendido. Jones aproveita a oportunidade e leva o pacote para a área de visitas e senta-se. Quando finalmente consegue desembrulhar tudo e montar o aparelho, é recompensado com uma pequena animação, uma musiquinha simpática e: VOCÊ TEM UMA NOVA MENSAGEM DE TEXTO.

Alguns botões apertados e, de repente, ele vê: ESTOU DOENTE E CHATEADA — ME LIGUE.

Enquanto ele se encaminha novamente para o elevador, Klausman e seu esfregão se desviam em sua direção. O coração de Jones acelera. Acomete-lhe a certeza de que Klausman vai indagar sobre o celular, que, por alguma razão, ele não deveria ter. Seus dedos apertam o pacote. Seu cérebro vomita uma massa de conselhos inexplicáveis, como: *Não lhe diga que foi a Eve quem deu.* Mas aí as portas do elevador se abrem e sai uma multidão barulhenta de engravatados, enquanto Klausman fica de olhos grudados no chão. Jones entra no carro vazio. Quando as portas se fecham, ele se lembra de respirar. E ri de se sacudir todo por causa da reação que acaba de ter. Na certa está ficando paranóico ou mais perceptivo. Só gostaria de saber qual.

— Alô?

— Sou eu.

— Ah, Jo... um segundo... *tchiiiim*! Nossa Senhora! Desculpe. Que bom ouvir sua voz!

— Você está com voz de quem morreu.

— Ainda não. Estou só... encatarrada.

— Quer que eu vá aí? — Ele espera. Não acredita que foi capaz de dizer isso.

— Desculpe. O quê? — Há um barulho farfalhante. — Ah, meu Deus! Foi meu último lenço de papel.

— Eu vou visitá-la — diz Jones — e levo lenços de papel.

— Oh... Jones. Que legal, mas... eu não estou lá muito apresentável.

— Não me importo.

— Meus olhos estão inchados, minha pele está oleosa, meu nariz está vermelho... sem mencionar a coriza...

— Ora, é por isso que você precisa de lenços de papel.

Uma pausa.

— É sério que você quer vir aqui?

— É.

— Mesmo eu estando com cara de que acabaram de me desenterrar?

— Claro.

Ela começa a rir, o que se transforma numa crise de tosse.

— Jones, você é incrível.

— Ande logo, me dê o seu endereço.

— Bem — diz ela —, contanto que você saiba onde está se metendo.

Ele não fica tremendamente impressionado com o fato de Eve morar num prédio moderno de frente para a baía, nem com o fato do apartamento dela ser o mais alto do prédio e ter elevador privativo. Ele aperta o botão do interfone enquanto uma leve brisa sacode sua camisa e aproveita a oportunidade para pensar no que está fazendo.

Ele precisa é de algumas regrinhas básicas. Sim, está visitando Eve. E, sim, está atraído por ela. Tudo bem, contanto que saiba lidar direito com isso. Não vai haver paquera. Nem contato físico. Ele não vai discutir incidentes do seu passado, particularmente os de natureza romântica. Vai manter a conversa em torno do assunto em pauta, ou seja, vai fazer com que Eve fale sobre o Alfa de forma que ele possa aprender como derrubá-lo.

— Alô? — estala o interfone.

— Sou eu.

A porta à sua frente faz *claque*. Ele a empurra e pega o elevador até o andar C, que Jones supõe ser de cobertura. E chega a um corredor de dois metros de largura com uma única porta no fim, e à medida que ele vai se aproximando ela também faz *claque*. Ele gira a maçaneta e entra no apartamento de Eve.

Está esperando um ambiente imenso, muito claro, cheio de móveis ultramodernos em cores combinando. Só acertou em parte; o ambiente é imenso. E o sol se reflete na baía e entra pelas janelas que vão do piso ao teto. Mas também está praticamente vazio. O único móvel é uma mesa solitária no meio do cômodo sobre o carpete e algumas cadeiras de madeira. Há uma TV gigantesca, mas está no chão. Diante dela não há um sofá, mas sim um acolchoado esponjoso.

Ele faz uma rápida suposição e sobe uma escada em espiral, logo depois de uma gigantesca pintura estilizada do contorno da cidade de Seattle — que, se o cálculo geográfico de Jones estiver correto, inclui este prédio. Então, o reflexo de alguma coisa colorida atinge seu olho e ele se vira, dando de cara com um imenso closet cheio de roupas e sapatos.

O closet é tranqüilamente do tamanho do quarto de Jones. Em cada lado há cabideiros repletos de calças, saias, vestidos e blazers. Pelo menos metade ainda tem a etiqueta pendurada, exibindo nomes como Balenciaga, Chloë, Prada e Rodriguez — que significam muito pouco para Jones, além de caros. A extremidade oposta do closet é uma parede toda de caixas; ao se aproximar, Jones vê em cada uma delas uma fotografia Polaroid de um par de sapatos. Ele fica abobado. Aqui há roupas em quantidade suficiente para Eve usar uma diferente a cada dia durante dois anos.

— Jones?

Ele sai do closet e acha o quarto na porta seguinte. Lá dentro, Eve está prostrada numa cama king-size, pálida e abatida, vestida num baby-doll fininho. As cortinas estão fechadas e as luzes acesas, luzes estas que, já que o cômodo tem móveis, se encontram em cima de mesinhas-de-cabeceira. Há um espelho de corpo inteiro na parede dos fundos do quarto, ao lado de duas grandes cômodas de madeira. Há mais armários. Num dos cantos do quarto, sobre o carpete, há um bolo de lenços de papel amassados, sugerindo que Eve saiu da cama há pouco tempo para varrê-los todos para lá.

— Desculpe — resmunga ela. — Está nojento demais?

— No meu trabalho, vejo coisa pior. — Ele lhe entrega os lenços de papel... equivalente a oito caixas, pois Eve foi muito específica quanto à marca, que por acaso só é vendida em pacotinhos lindinhos, mas minúsculos. Fica um pouco aliviado ao ver que ela está realmente doente, porque assim fica mais fácil se ater às suas regrinhas básicas, e um pouco decepcionado, pela mesma razão.

— Adorei você ter vindo. — O sorriso dela está solto, fora do seu normal, quase bobo.

— Você está bêbada?

— Eu tomei umas pílulas contra gripe quando fiquei sabendo que você vinha.

— Tomou muitas?

— Eu queria ficar mais apresentável para você. — O sorriso de repente oscila pelo rosto outra vez. Suas pupilas estão dilatadas; a princípio ele havia achado que era pela pouca luz. Ela escorrega um pouco pelos travesseiros e junta as mãos acima da cabeça numa posição que Jones acha um pouco confrontadora. — Venha se sentar aqui comigo.

— Ahm... não, tudo bem.

— Você não vai ficar aí em pé.

— Quanto é que valem todas aquelas roupas? — pergunta ele.

— Não sei. Nunca fiz a conta.

— Deve ser... — Ele começa a calcular de cabeça, de repente se dá conta de que o número será ridículo. — Como é que você vai usar tudo isso?

— Não é só a coisa de usar. É a de comprar e a de ter, também. Venha, sente-se.

Ele permanece de pé.

— Não me entenda mal, mas você já considerou a possibilidade de fazer terapia para ver isso?

— Eu já faço terapia. Mas não posso contar para você o que a gente conversa.

— Ah. Tudo bem. Espere aí, você não pode *me* contar especificamente?

— É.

— Por que não?

— Não posso lhe contar.

Jones respira fundo.

— Ele disse que você não entenderia.

— Estou tentando entender por que você está discutindo sobre mim com seu terapeuta.

— Porque você é importante para mim, Jones. — Ela assoa o nariz. — Nossa, muito obrigada mesmo por estes lenços de papel.

Ele fica olhando para ela.

— Se você não quer me contar, é...

— Ele diz que você é uma figura materna para mim.

Jones se senta na cama.

— Eu sei o que você está pensando — diz Eve. — Figura *materna*? Mas isso não tem nada a ver com sexo. São os papéis. — Ela deixa uma pausa, caso Jones queira dizer alguma coisa. — Meu pai é um fracassado, não se parece em nada com você. Mamãe é que era rígida.

— Você acha que eu sou rígido?

— O Dr. Franks, que é o meu terapeuta, diz que você preenche uma necessidade de orientação moral que me falta desde que eu saí de casa.

— Isso é meio desconcertante.

— Na verdade, é um elogio. Fala do quanto eu aprecio você.

— Eu achava que você nem gostava da sua mãe.

— E não gosto.

— Agora eu estou confuso.

— Talvez seja bom ir se consultar com o Dr. Franks — diz Eve. — Ele é muito bom.

Jones fica em pé de novo.

— Você me deu aquele telefone porque está doente e queria que sua mãe viesse cuidar de você?

Eve ri, depois espirra, depois ri novamente.

— Que engraçado! Preciso contar isso para o Dr. Franks. Jones, ei, venha se sentar. Sente-se aqui. — Ela espera até que ele venha. Então, seus lábios se curvam. — Venha, me beije.

— *O quê?*

— Está preocupado com o vírus? Deixe de frescura.

— Eve, eu não vou dar beijo algum em você.

— Por que não?

— Porque... não seria uma boa idéia.

— Quero que você saiba que não penso em você como minha mãe.

— Tudo bem. Aceito isso. Mas não.

— É porque estou doente e feia. — Não foi uma pergunta. Seu rosto se contrai.

— Eve, você é muito atraente Mesmo com um pedaço de lenço de papel preso no nariz.

Ela esfrega o nariz e verifica o dedo.

— Que vergonha!

— Você não está feia — diz Jones com firmeza. — Pode confiar em mim.

— Como é que eu posso confiar se você é o novo espertinho do Projeto Alfa? Era *eu* quem estava nessa posição alguns anos atrás. — Ela leva uma das mãos ao peito. — Era eu. E *você* não quer nem me *beijar*. Como é que eu vou saber que você não vai me magoar?

Jones pestaneja.

— Eu não vou magoar você. — E, ao dizê-lo, Jones se dá conta de que está realmente sendo sincero. Exatamente como isso se encaixa com o seu intuito de sabotar o Alfa é algo que ainda não está claro para ele.

— Prove.

— Não.

Ela espirra.

— Afinal de contas — diz Jones, remando a conversa em direção a águas mais calmas —, as doenças são uma das principais causas de perda de produtividade empresarial. Como agente do Alfa, você deveria saber disso.

Ela assoa o nariz.

— Você sabe que somente os pavões machos têm cauda colorida? O gene que causa isso também baixa o sistema imunológico deles. É por isso que as fêmeas a acham sexy, não só porque as cores são bonitas, mas também porque prova que o macho é forte o suficiente para combater infecções mesmo com o sistema imunológico mais fraco.

— Por que todo mundo por aqui usa analogias com animais?

Ela abre um amplo sorriso.

— Porque é um zoológico. Um grande zoológico corporativo.

— Bem, eu não tenho penas saindo da minha bunda. E não vou beijá-la só porque você tem uma lista imensa de razões práticas para tal.

— Eu sou uma garota prática. — Ela faz que sim com a cabeça. — Uma garota prática, prática.

— Percebi.

— Mas isso não significa que eu não tenha sentimentos, Jones. Também tenho uma razão não prática.

— Tem, é?

— Tenho, sim. Quer saber qual é?

— Não sei bem.

— Quer ou não quer?

Jones hesita. A resposta correta aqui obviamente é não. Provavelmente também é levantar-se e ir embora do apartamento. Mas o que ele diz é:

— Quero.

Ela sorri.

— Muito bem. Eu... — Ela olha para baixo e ri. — Agora, fiquei encabulada.

— Então, esqueça — diz ele, já se arrependendo da decisão.

Ela coloca a mão na dele.

— Eu quero ser sincera com você. Mas... isso é território novo para mim. — Ela se ergue um pouco sobre os travesseiros e os ajeita às costas. Quando ela recurva o tronco, os olhos de Jones vagueiam inevitavelmente para onde os seios dela se destacam sob o baby-doll. Ele afasta o olhar, mas não sem antes perceber que está numa séria enrascada, mas séria mesmo.

— Então — diz ele —, você dormiu com Blake.

Eve congela.

— O quê?

De uma certa maneira, isso é um êxito magnífico: contém os sentimentos mais alarmantes de Jones e coloca-o de novo no prumo da tarefa. Mas ele não consegue acreditar que tenha usado uma tirada de *Days of Our Lives*. É a natureza nociva de Blake, Jones percebe: ele o faz cair até o nível dele.

— Você acha que eu dormi com Blake?

— Dormiu?

Ela fica estupefata.

— Oh, Céus, quem *dera*!

— Preciso ir agora — diz Jones.

— Jones! Não, sabe, anos atrás eu tive uma coisinha por ele, mas não deu certo. Não quero dormir com ele agora. E nem poderia; seria competitivo demais. Nós somos os dois maiores do Alfa depois de Klausman. Não se pode sair com alguém do mesmo nível que você. Tem de ser mais para cima ou mais para baixo.

— Tenho quase certeza de que é o inverso.

Ela franze o cenho:

— Mas aí, para ser promovido, um dos dois precisa subir no outro. Não, não, é muito mais legal quando você sabe quem é o chefe desde o início.

Isso faz um certo sentido. Jones se pergunta se não estaria perdendo o foco da realidade. E logo se dá conta de que está sendo seduzido por uma mulher com uma infecção na garganta numa cama apinhada de lenços de papel usados, de forma que a resposta provavelmente é sim.

— Há um certo tempo, a Zephyr fez todo mundo assinar um negócio chamado Contrato de Amor. Era para indenizar a empresa contra questões surgidas a partir de gente que transava com chefes ou secretárias. Eu deveria dizer, questões surgidas quando os chefes paravam de transar com as secretárias. Mas não foi o suficiente. Tivemos uma reclamação de assédio sexual feita por uma funcionária que não foi assediada. Ela disse que sofreu discriminação porque seus colegas, que estavam namorando, davam tratamento preferencial um ao outro. — Eve revira os olhos. — Sabe, provavelmente era verdade, mas não é o caso da empresa ter proibido que *ela* saísse com colegas. Se você quer saber, o culpado de fato era a condição da pele dela. Mas, enfim, na Zephyr ninguém mais tem permissão para sair com ninguém. — Ela morde o lábio. — O Alfa, claro, está fora dessas regras.

— Tenho certeza de que é ilegal uma empresa dizer com quem seu pessoal pode ou não pode formar relacionamentos.

— É verdade. Mas a política da Zephyr não proíbe relacionamentos, proíbe assédio sexual. E o assédio é definido como fazer uma abordagem sem a solicitação da outra parte. Veja só, não se pode convidar o outro para sair sem que ele tenha pedido, o que ele não pode fazer, porque seria assédio sexual. — Ela sorri. — Não foi o Alfa que inventou isso. Foi a Zephyr que criou isso sozinha. Essa é a magia do Alfa, bem aí.

Jones não diz nada. Isso ajuda, pois lhe traz à lembrança por que precisa sabotar o Alfa. Também explica por que tantos funcionários da Zephyr roem as unhas.

— Enfim — Eve diz —, o que mais Blake disse?

— Não teceu muitos elogios a você.

— Ah, com certeza. Mas esqueça isso. Eu não ligo para o Blake. Não quero falar dele. Quero falar de você.

— Tudo bem, você não...

Eve inclina-se para a frente e pega as mãos dele. A frase de Jones termina com um som tipo *uck*.

— Jones — diz ela. À luz das lâmpadas nas mesinhas-de-cabeceira, os olhos dela parecem enormes: imensos e escuros e impenetráveis. — Eu vi logo de início que você era inteligente. O jeito como você ficou sabendo tão rápido sobre o Alfa... isso me impressionou. Depois nós saímos para um passeio no meu carro e eu achei que você fosse um idiota. E tinha de ser, porque sempre que as pessoas levantam a ética, é uma proteção. Elas ficam preocupadas com o que os outros vão pensar, ou se é legal, ou estão apenas amedrontadas demais para tomar uma decisão. Mas você foi *hors-concours*. E sabe o que eu descobri? Que você é um homem bom. — Jones sente suas sobrancelhas darem um sobressalto. — Provavelmente você não sabe que isso é raro. Mas é. É para mim. Todo homem que eu conheço é inteligente e egoísta ou generoso e burro. E eu não gosto dessa gente, Jones. Sujeitos como Blake e Klausman, eu os respeito, mas não gosto deles. Agora, você... você é diferente. O que eu vou dizer agora pode parecer idiotice, mas eu juro por Deus, eu nem sabia que podia existir gente como você. Não achava que fosse possível. — Para espanto de Jones, os olhos dela começam a brilhar. — Você me faz sentir como se uma parte de mim estivesse faltando. — Ela tira um lenço de papel da caixa e assoa o nariz. — Não estou dizendo que eu queira ser exatamente como você. Isso provavelmente é impossível. Mas também não quero que você fique igual a eles. Você é admirável, Jones. Eu sinto no coração. Você é bom. Eu acho... que nós poderíamos aprender um com o outro. Acho que precisamos um do outro. Acho... — Ela pára. — Eu *sei*. Eu sei que preciso de você. Preciso mesmo de você.

— Ai, meu Deus! — diz Jones. Em sua mente, há alarmes soando por todo lado. Suas mãos estão suando. Seu peito, contraído. Idéias violentamente diferentes acerca do que fazer em seguida se esbarram dentro da sua cabeça.

— Se você rir — diz ela —, eu mato você.

— Eu não vou rir.

— Eu nunca fiz isso antes.

— O quê?

— Sabe, dizer esse tipo de coisa.

— Oh — diz Jones, aliviado.

— Não estou dizendo que eu seja virgem.

— Certo. Desculpe.

— Desde os 13 anos. Mas não foi exatamente voluntário, e não houve ninguém mais até os 20. Então, dá para dizer que eu comecei tarde. — Ela sorri da expressão dele. — Ah, Jones, você é tão bonitinho quando está espantado.

— Oh, meu Deus! — E é tudo o que ele consegue dizer.

— Por favor, me beije.

Ele a beija.

Os lábios dela estão secos e rachados; ainda assim, quando tocam os dele, algo quente e brilhante lampeja entre os olhos de Jones. Talvez sejam suas regrinhas básicas. Ele já imaginou este momento inúmeras vezes, ora à toa, ora nem tão à toa assim, e em nenhuma das hipóteses Eve estava doente. Talvez, então, esta fosse uma daquelas ocasiões em que a bolha de fantasia é estourada pelo espinho mundano da realidade. Só que não foi. Beijá-la parece a melhor coisa que ele já fez na vida.

Ela enfia as mãos sob a camisa dele e tenta abri-la de dentro para fora, mas a camisa é nova e os botões não despregam. Os lábios dela se curvam sob os dele; os dois riem. Eve não tira o baby-doll, mas Jones acaba percebendo que ele é quem deve fazê-lo, o que inicialmente parece um desafio, mas acaba se tornando uma impressionante viagem de descobrimento. Ele a beija do umbigo ao ombro, e quando chega, ela agarra o seu rosto e fala, ofegante:

— Eu te amo.

— Eu também te amo — diz Jones, e o terrível disso é que é verdade.

Ele quase consegue voltar para a cama, mas esbarra no espelho no meio da escuridão. A parte de cima da seção giratória do espelho vai para trás e bate na parede enquanto a de baixo o atinge na canela.

— *Ouwrrgg*!

— Jo-o-o-ones?

— Desculpe.

— O que você está fazendo?

— Banheiro. — Ele entra debaixo das cobertas.

— Oh. Hmm. — O braço dela sobe pelo peito dele qual uma serpente. Sua cabeça se aninha no ombro. — Achei... que você estivesse tentando fugir daqui.

— Não.

— Hmm. — Som de felicidade. Os dedos dela apertam o bíceps dele e depois relaxam. Para Jones, que está solteiro há um ano, isso é belíssimo. Neste momento, não há Zephyr. Não há Projeto Alfa. Não há desconsideração corporativa, nem maximização da produtividade. Só há ele e Eve. Não há um resquício de crueldade nos traços do rosto dela à meia-luz. Nenhum vestígio de egoísmo no afago dos cabelos dela. O mundo é perfeito.

O Capítulo 12 do livro *Sistema ômega de gestão* ("Reuniões: O Bom, o Mau e o Desnecessário") dedica várias páginas às vantagens das reuniões de café-da-manhã. *Quanto mais cedo, melhor!*, é o sumário executivo, porque as pessoas estão no seu maior alerta mental do comecinho do dia. É um momento especialmente bom para atacar problemas que não parecem ter solução: você vai se impressionar, diz o livro, com a freqüência com que essas reuniões matutinas resultam em soluções inovadoras. Jones ficou cético na primeira leitura, mas agora percebe que o Ômega está certo. Porque são 5h30 da manhã e ele acaba de se dar conta de como pode derrotar o Alfa.

T 4 / 3: DEZEMBRO

PENNY DESABA na cadeira do café e fica olhando para ele.

— O que você está fazendo?

— O quê? — diz Jones. — Nada.

— Você está sorrindo.

— Estou?

— Você derrubou o Alfa?

— Não. Bem, eu tive uma idéia. Mas não fiz nada ainda.

— Oh. Então, você foi pelo *outro* lado.

— Que outro lado? — diz ele, mas agora até ele percebe o sorriso.

— Patético — diz Penny. — Estou decepcionada com você, Stephen.

— Mesmo assim — fala Jones —, não estou nem aí. — Ele ri.

Às 10 horas de terça-feira um cheiro esquisito percorre o Serviços de Pessoal. Um aroma cálido, como o de massa de forno, com um toque açucarado. As pessoas se levantam em seus cubículos e espiam para todos os cantos. Entrando pela porta, surge um... carrinho! As pessoas esfregam os olhos e... e ele está cheio de rosquinhas bem quentinhas!

Irrompem funcionários de todos os cubículos. Por um instante, parece que vai haver uma carnificina: massa esfarelada aos borbotões e divisórias de cubículos imundas de geléia quente. Mas Roger está ali com o seu AP e mais dois funcionários do Serviços de Pessoal — vencedores da licitação —, e eles ficam firmes.

— Esperem nos seus cubículos — ordena o AP. — Não cheguem perto das rosquinhas. As rosquinhas chegarão até vocês.

Os funcionários voltam correndo para suas mesas. Sentam-se com o estômago se retorcendo e os ouvidos atentos ao rangido das rodas do carrinho se aproximando.

Freddy, Jones, Holly e Elizabeth ficam sentados em seu cubículo sem falar nada. Sabem o que vem por aí. Ficam escutando o barulho cada vez maior de mastigação e deglutição, até que o carrinho chega à entrada do seu cubículo e se encaixa. Roger tem uma rosquinha na mão. Seus lábios estão salpicados de açúcar. O AP e os dois funcionários estão terminando de comer uma cada um. No carrinho há três rosquinhas.

— Último cubículo — diz Roger. — Vamos, peguem. Freddy, Jones.

Eles esticam a mão e pegam cuidadosamente uma cada um. Nenhum dos dois tem coragem de mordê-la.

— Holly.

— Tudo bem. Não vou querer.

— É claro que vai. Ande.

— Sério. Não estou com fome. E se não houver o suficiente para completar...

— Pegue a rosquinha.

Holly reluta, mas acaba esticando a mão e pegando. Ela a coloca no colo e baixa a cabeça, de forma que seu cabelo fique pendendo sobre o rosto, formando uma cortina loura.

— Hmm — diz Roger. — Sabe de uma coisa, Holly, você tem razão. Faltou uma.

Elizabeth dá de ombros.

— Tudo bem. Eu não me importo.

— Eu poderia jurar que tínhamos a quantidade certa. — Roger coloca as mãos na cintura. — Eu estava certo de que tínhamos exatamente uma para cada funcionário.

Elizabeth levanta-se abruptamente. Seu casaco cinza fino, que nestes últimos dias ela não tem tirado, rola e cai no chão. Ela olha para o teto e começa a respirar forte.

— Só posso supor — diz Roger — que alguém tenha pegado duas. — Ele balança a cabeça, atrapalhado. — Mas quem faria uma coisa dessas? Que tipo de pessoa pegaria uma rosquinha a mais sabendo que estaria roubando de um colega? — Ele olha para o seu AP.

— Eu não sei, Roger.

— Jones? Freddy? Holly? Alguma idéia? Não? Nenhum pensamento a respeito? E você, Elizabeth?

A cabeça dela baixa de supetão. Seu rosto está profundamente ruborizado de raiva.

— *Fui eu que peguei a sua rosquinha.* É isso que você queria ouvir? Pronto. *Eu peguei a sua rosquinha.* Estava com fome; comi. Meu Deus! Você é tão mesquinho. Tão *mesquinho*!

Roger cruza os braços.

— Então, você pegou a minha rosquinha.

— Peguei.

— O *Wendell* — diz ele — foi *demitido* por causa daquela rosquinha. Você percebe isso?

Elizabeth coloca as mãos no rosto.

— Ah, meu Deus!

— Por um lado, Elizabeth, fico feliz por você ter finalmente confessado. Mas você precisa compreender a gravidade da situação. Não se trata de uma rosquinha. Trata-se de trabalho em equipe. Trata-se de respeitar seus colegas. O que uma pessoa pode pensar quando você rouba a rosquinha dela? O que isso diz sobre o respeito que você tem por ela?

— Eu não resisto a você — diz Elizabeth.

— É um triste estado de... — Roger pára. — O quê?

— Penso em você o tempo todo. Eu não quero. Mas não consigo evitar. Isso está me deixando maluca. Eu... eu... — Sua voz se retrai, e de repente ela solta: — *Eu quero você.*

Holly bate com a mão na boca. A boca de Freddy se escancara. Os olhos de Jones se arregalam até ocuparem o rosto inteiro.

— Entendi. — A voz de Roger soa como um rosnado. — Está bancando a engraçadinha.

— Estou desesperada — sussurra Elizabeth — por... *você.*

Os lábios de Roger comprimem-se até ficarem praticamente invisíveis. Os músculos do seu maxilar se contraem. Jones, Freddy e Holly afastam suas cadeiras simultaneamente para trás, saindo da linha de fogo. Então, Roger dá meia-volta e vai embora. Seus três surpresos lacaios são deixados para trás, a fim de manobrarem o carrinho e seguirem atrás dele. A equipe do departamento de Vendas de Treinamentos fica escutando os rangidos das rodinhas enquanto o carrinho se afasta devagar.

— Oh, meu Deus! — diz Freddy.

— Elizabeth, você mandou *bem* — diz Holly.

O rosto de Elizabeth está desprovido de cor.

— Eu preciso me sentar.

Holly se levanta de um salto. Elizabeth pega sua mão até que consiga agarrar o braço da cadeira. Ela olha para o rosto pasmo dos assistentes de vendas, um depois do outro. — Ufa... eu estava só brincando, vocês sabem.

— Oh, Deus! É *claro* — diz Holly. — Foi por isso que ficou tão *engraçado*!

— Isso. — Ela começa a tremer. — Exatamente.

Roger bate a porta do seu escritório com tanta força que os vidros estremecem e as venezianas verticais balançam. Chega até a mesa e pega violentamente o telefone. Chega a teclar os três primeiros dígitos do Recursos Humanos... mas aí vacila. Se completar o telefonema, Elizabeth estará fora das dependências em dez minutos. Mas isso acabará com tudo: assim, ela estará fora do seu alcance. A história dessa humilhação, no entanto, sobreviverá na memória corporativa. Será o sentido e a graça de toda a carreira de Roger.

Com um rosnado estrangulado, ele arremessa o fone de volta na base, joga-se na sua cadeira de couro e coloca a cabeça nas mãos.

Sobre a mesa à sua frente está um grande envelope amarelo do tipo usado para correspondência interna; deve ter sido entregue enquanto ele estava fora. Uma das extremidades está estranhamente estufada. Roger se apruma na cadeira, abre o envelope e despeja o conteúdo sobre a mesa. Um copinho de plástico fechado com uma tampa amarela começa a rolar; ele o pega. Está vazio. Uma etiqueta na frente diz NOME e ID. FUNC., com espaços para escrever ao lado.

Ele estuda o envelope e encontra uma circular presa por dentro. É do Recursos Humanos e Proteção Patrimonial, para todos os chefes de departamento. No interesse da produtividade da empresa, diz, a Zephyr Holdings está implementando uma política de exame antidrogas. Toda semana, um funcionário será aleatoriamente selecionado em cada departamento para fornecer uma amostra de urina. Aqueles que não passarem no teste — ou se recusarem a fazê-lo — serão afastados da empresa. O assunto está coberto na Seção

38.2 do acordo padrão de contratação de funcionários, uma cláusula que Roger se lembra de ter questionado assim que entrou na Zephyr. Se ele bem se lembra, o Recursos Humanos lhe disse para não se preocupar com isso porque a cláusula era só uma prática comum no ramo e a Zephyr não fazia exames antidrogas.

A circular contém uma lista de todos os funcionários aleatoriamente selecionados para a primeira rodada de exames e aconselha que os chefes de departamento mantenham o assunto em relativo silêncio. Não há necessidade de fazer um grande alarde sobre a questão, diz a circular. Os funcionários não devem ter a impressão de que estão sendo escolhidos.

Roger tem um conhecimento enciclopédico dos funcionários da Zephyr, de forma que percebe que todos os aleatoriamente selecionados são mulheres na faixa dos 20 aos 30 anos. Percebe ainda que a funcionária escolhida do departamento de Serviços de Pessoal é Elizabeth.

Outro dia Eve e Jones estavam no estacionamento do subsolo e ela estava ajeitando a gravata dele e rindo enquanto ele fazia piadinhas sobre as camisas que Tom Mandrake gosta de usar quando o Porsche de Blake passou. As janelas têm vidro escuro demais para que Jones conseguisse ver se ele e Eve foram avistados ou não, mas desde então Blake tem se mostrado mais desgostoso em relação a ele do que antes. Jones tem tentado ser mais discreto, porém são 11 horas, Holly e Freddy estão fora do departamento e ele não consegue pensar em outra coisa que não seja Eve. *Que se dane*, pensa ele. Resolve que vai visitá-la.

Levanta-se de uma vez da cadeira e vai até os elevadores. Sabe onde ela vai estar porque ontem à tarde o Recursos Humanos anunciou que a recepção pode ser adequadamente guarnecida por uma única pessoa, de forma que não havia necessidade de mandar ninguém para ajudar Eve enquanto Gretel Monadnock usufruía de uma licença para se recuperar de estresse. Isso fez todo mundo rir quando foi relatado na reunião de hoje de manhã do Alfa, todo mundo menos Eve (e, por razões diplomáticas, Jones), e culminou numa aposta feita por Blake de que ela não chegaria ao fim da semana. "Você está dizendo que eu não costumo trabalhar nos telefones?", questionou Eve, e Blake disse: "É exatamente o que estou dizendo." Eve balançou a cabeça e disse: "Você não tem noção", embora Jones tenha ficado com a impressão de que Blake tinha era muita noção, sim. Eve vai precisar de apoio moral nos próximos dias, ele suspeita.

O elevador abre as portas no saguão e Jones passa pela mesa de recepção com passo acelerado. Eve está debruçada sobre a mesa, com traços de tensão no rosto. Não olha para ele.

— Meu Deus! — diz ao telefone. — Será que é tão difícil para você entender? *Eu preciso saber o seu nome antes de poder fazer a conexão.* — Então ela avista Jones e arranca o fone da cabeça. — É uma loucura. Não param de ligar.

— Ah — diz Jones.

— Se a Gretel não voltar amanhã, vou dar um jeito de ela não voltar mais, juro por Deus. Há quanto tempo ela está de licença, duas semanas? Isso é ridículo. — Ela balança a cabeça. — Quer ir almoçar?

Ele pisca.

— Você não tem de ficar aqui?

— Para mim chega. — Ela se levanta. — A empresa não vai desmoronar se ninguém atender os telefonemas durante uma hora ou duas.

— Você espera que todos os outros empregados façam seu trabalho — ressalta Jones. Ele percebe Freddy parado do lado de lá do vidro fumê do saguão. Freddy o está fitando com um cigarro na mão, e há algo errado com o seu olhar.

— É, ué! — Ela pega a bolsa. — Você e eu não somos como todos os outros empregados, somos?

— Eve, tem alguma coisa errada com o Freddy? — Ela não diz nada. Jones se vira de volta para ela. — Eve?

Ela coloca as mãos nos lábios.

— Ai, eu falei para ele.

Durante um segundo, ele fica estupefato demais para falar. Simplesmente não consegue conceber que ela tenha feito isso.

— Sobre *nós*?

— Sabe, ele veio e começou a me importunar. Eu não tinha tempo para lidar com ele. Então, falei. — Ela contorna a mesa. — Ele tinha de acabar sabendo, Jones. Era uma crueldade esconder dele assim.

— Você não se importava antes! Jesus Cristo, você soube levar durante seis meses até hoje.

— Bom, antes de hoje, ele teve sua chance. — Ela sorri e inclina a cabeça de um jeito que Jones gosta. — Mas agora... — ela estica a mão e pega a gravata dele.

Jones empurra a mão dela. É como acionar um botão: o rosto de Eve vira pedra. Passa-se um segundo, depois outro. Eles se fitam intensamente, sentindo a mudança de ambiente por dentro.

Eve fala baixinho:

— Nunca encoste a mão em mim desse jeito.

Jones olha para a direita. Freddy ainda os está olhando através do vidro, mas quando o olhar de Jones se encontra com o seu, ele se vira para outro lado.

— Peça desculpas — diz Jones.

— Pelo quê? Por não guardar segredo de que a gente está trepando? — Jones se retrai. Está bastante ciente das câmeras de segurança, dos microfones ocultos, do emaranhado de fios que os conecta ao nível 13. — Por contar ao Freddy que o seu melhor amigo dentro da Zephyr está mentindo para ele?

— Não ouse me dizer que isto é uma lição.

Eve ergue as sobrancelhas.

— Por quê? Você está precisando de uma?

— Vá se foder.

— Já fui — diz ela.

Freddy já foi embora quando Jones sai pelas portas do saguão. Ele força a vista sob o sol forte e avista as costas de Freddy sumindo na esquina do prédio. Jones desata a correr. Freddy está andando em passo acelerado, mas Jones o alcança perto do novo Curral dos Fumantes, embaixo da pintura imensa das vacas.

— Freddy!

Freddy se vira. Há um sorriso no seu rosto, ou melhor, uma desagradável tentativa distorcida de sorriso.

— Ei, Jones.

— Freddy, eu sinto muito...

— Não, não, tudo bem. Sério. Você não precisa dizer nada. Sabe, ela não ia mesmo entrar numa comigo. Holly tinha razão. Eu não sou o tipo de cara que arranja uma garota como a Eve. Eu sou o tipo de cara que não é promovido há cinco anos. — Ele solta uma risada curta, mais parecida com um latido. — Então, está tudo bem. Você acaba de me economizar 40 pratas por semana em flores.

— Freddy, você não é esse tipo de cara. Você é muito melhor. Você é melhor do que este lugar merece. — Isso sai carregado de veneno, mas ele percebe pela expressão do Freddy que ele acha que Jones só está sendo educado, o que o deixa ainda mais exaltado. — Freddy, está tudo errado por aqui. Este lugar tem de mudar. *Precisa* mudar. — E de repente as palavras simplesmente transbordam de sua boca: — E se os Diretores não mudam isso, nós precisamos derrubá-los.

Freddy diz:

— O quê?

— Precisamos de uma rebelião. Uma revolução. Uma resistência. Para fazer com que a Zephyr Holdings volte a ser um lugar bom de trabalhar. — Jones hesita um pouco, sem saber ao certo se algum dia a Zephyr foi um bom lugar de trabalhar. — Por que a empresa não pode se preocupar com você? Por que ela está cagando e andando? Você não é um recurso, é uma *pessoa*. Esta empresa está se esvaziando por dentro. Já está minada até o âmago dos funcionários. Precisamos de uma mudança não só porque é o que merecemos, mas também porque é a única coisa que vai salvar a Zephyr de devorar a si mesma.

— Jones, parece que você está meio maluco!

— Por que a empresa não pode ser melhor? Só porque a Diretoria não quer que ela seja. Aí é que está a chave: controle da Diretoria. Se os funcionários agirem juntos, isso se consegue. Eles não teriam como nos impedir. Nós somos a companhia. Só precisamos nos unir. Precisamos formar um sindicato.

Freddy pestaneja.

— Ou vamos voltar à *resistance* — diz Jones.

— *Resistance* é melhor.

— Então, você está nessa?

Freddy levanta as mãos.

— Jones, entendi o que você está dizendo. E, sim, seria legal se as coisas fossem melhores. Mas isso não vai acontecer. Primeiro porque é necessário dar um aviso com três semanas de antecedência neste lugar para organizar uma reunião. Segundo, porque assim que o Recursos Humanos descobrir o que você está fazendo, eles vão jogar você para fora do prédio.

— Eu sei. — Jones lambe os lábios. — Mas eu tenho um plano.

O olhar de Freddy se dirige para o Curral dos Fumantes. Duas pessoas se encaminham para lá agora; entram e sentam-se nos bancos de madeira, tateando os bolsos atrás dos cigarros.

— Esse plano vai me arranjar uma demissão?

— Não.

Ele olha de volta para Jones.

— Promete?

— Eu juro. — E neste momento ele jura de verdade, com todo o seu coração.

— Tudo bem — diz Freddy. — Qual é o plano?

Holly está sozinha, sentada numa salinha de reuniões que dá para o saguão. Há uma pasta aberta e algumas folhas espalhadas sobre a mesa à sua frente, mas são apenas cenário para o caso de alguém espiar pela janelinha da porta por trás dela. Na verdade, ela não está reunida com ninguém.

Não esperava fazer isso de novo. Não depois que Roger lhe confiou a academia — a academia! —, o único lugar na Zephyr Holdings que faz algum sentido para ela! Quarenta e cinco minutos atrás, ela viu a luzinha vermelha do seu correio de voz piscando e discou para ver quem tinha ligado: Roger.

"Holly. Depois de algumas investigações, descobri que não vamos poder manter a academia. Porque não é custo-eficiente. Essa notícia vai decepcioná-la, mas você sabe como são essas coisas. Espero que entenda que não tem nada a ver com você; sei que teria feito um trabalho magnífico. Venha falar comigo se alguma coisa não ficou clara."

Ele não chegou a dizer: *Você é uma idiota e eu me aproveitei da sua idiotice para descobrir quem pegou a minha rosquinha*, mas Holly escutou a mensagem com toda a clareza. Quando depositou o aparelho de volta na base, tudo fervia; olhos, orelhas, coração. Elizabeth estava sentada atrás dela no cubículo, e Holly não ousou se virar com medo de que Elizabeth a visse e lhe perguntasse o que havia de errado. Em vez disso ela se manteve rígida, na mesma posição, engolindo em seco várias vezes. Mas havia alguma coisa espessa e amarga subindo pela sua garganta, que, ela logo se deu conta, ia explodir de dentro dela numa choradeira completamente humilhante, de forma que ela pegou uma pasta qualquer sobre sua mesa, abraçou-a contra o peito e levantou-se. Elizabeth olhou de relance para o seu rosto — seu rosto vermelho, suado e inflado — e seus lábios se entreabriram de surpresa, e por trás deles, Holly viu, havia uma pergunta que ela não poderia enfrentar, de forma que saiu correndo do cubículo. As três primeiras saletas de reunião no saguão estavam ocupadas e ela começou a entrar em pânico, pois estava prestes a irromper numa choradeira convulsiva bem no meio do saguão, sob os olhares curiosos dos colegas que porventura estivessem passando. Mas a última estava vazia, graças a Deus, e ela empurrou a porta e entrou num átimo. Sentou-se de costas para a porta, de forma que ninguém lhe pudesse ver o rosto, e se soltou.

Ficou se achando uma perfeita idiota. Aquele é o tipo de coisa que Freddy teria previsto desde o início. Provavelmente previu e por isso foi tão duro. Ela não consegue nem imaginar qual vai ser a reação dele. Não quer ver a decepção nos olhos de Freddy.

Há uma batida à porta.

— *Ocupada*! — grita ela, estridente, mas a porta se abre. — *Ocupada!* Poderia por favor...

— Sou eu.

Ela congela.

— Freddy, estou no meio de uma coisa aqui.

— Eu sinto muito. — Há uma pausa.

— Então, você ficou sabendo.

— Pois é, Holly. Eu sinto muito. Roger é um canalha.

— Eu vou começar uma reunião agora. — Ela ajeita a pasta. — O pessoal vai chegar daqui a um minutinho.

Ela ouve os passos dele no mesmo lugar.

— Holly, Jones e eu estamos fazendo um negócio... não posso explicar aqui. Mas será que você poderia sair daí um segundo? É importante.

— Claro. Assim que eu terminar a reunião. Tudo bem?

Faz-se um silêncio. Então, Freddy faz uma coisa completamente chocante, uma coisa que ela jamais esperaria e que poderia resultar na demissão dele: ele se abaixa e lhe dá um beijinho no rosto.

Às 16h10, aparecem questionários de uma página em todo o prédio da Zephyr. Estão impressos em papel timbrado da Zephyr Holdings, com o título PESQUISA SOBRE A SATISFAÇÃO DO PESSOAL. A maioria das pessoas não percebe de onde eles vêm. Outros percebem uma figura, dentre as três que há: uma criança vestida com um belíssimo terno cinza, um homem baixinho de cabelo escuro e óculos e uma moça loura com as panturrilhas das pernas extremamente saradas. Ninguém sabe dar o nome de nenhuma delas, mas parecem-lhes vagamente familiares, do jeito que praticamente todo mundo é dentro do prédio da Zephyr Holdings. Os funcionários pegam o questionário e começam a ler.

Obrigado por participar da Pesquisa Sobre a Satisfação do Pessoal em todo o âmbito da Zephyr Holdings. Sua contribuição será usada para medir se a empresa está propiciando um local de trabalho produtivo e gratificante e para melhorar as condições de trabalho para todos os funcionários.

Por favor, não escreva neste questionário nenhuma informação que possa identificá-lo(a). Suas respostas são anônimas.

Isso arranca algumas risadinhas sarcásticas de descrédito. Os funcionários estão acostumados com a versão Zephyr de contribuições "anônimas". Já deram contribuições anônimas que só levaram seus gerentes a contatá-los mais adiante atrás de maiores esclarecimentos. Participaram de discussões confidenciais que acabaram fazendo parte dos seus cadastros na empresa. Assim, esquadrinham os questionários para ver se encontram alguma marca d'água ou minúsculos números de identificação.

P1: Você acha que a Zephyr Holdings é um bom lugar para trabalhar?

Pipocam risadas de descrédito por todo o prédio. "Olhem só a primeira pergunta", comentam uns com os outros. A única coisa mais impressionante do que o catálogo de métodos brutais que a companhia usa para tanger seus funcionários é eles acharem que isso ajuda. Não que os funcionários vão dizer isso. O feedback positivo é levado muito a sério e termina ficando nos relatórios anuais, mas o feedback negativo leva o RH a realizar inquéritos para investigar os problemas de atitude dos funcionários. Então o pessoal, ou pelo menos aqueles que já estão na empresa há mais de cinco minutos, escreve as respostas esperadas, permeadas de frases do tipo "ambiente voltado para o trabalho em equipe" e "oportunidades" e "produtivo". Quando os mais experientes vêem estagiários registrando opiniões sinceras, do tipo "Eu já trabalho aqui há seis meses e ainda não vi ninguém da Diretoria", ou "Ninguém explicou ainda o propósito nem a razão da consolidação", ou "Esta pesquisa é a primeira indicação que eu tenho de que a Zephyr Holdings tem noção do que é satisfação do pessoal", eles gentilmente os interrompem e os fazem sentar para lhes passar logo a lição.

P2: O que poderia ser feito, na sua opinião, para melhorar as condições de trabalho na Zephyr Holdings?

Isso levanta muitas sobrancelhas. Homens e mulheres se agrupam. É uma pergunta capciosa, certo? Será que a empresa realmente quer que eles digam "Nada"? Seria um pouco demais, até mesmo para a Zephyr Holdings. Levaria o servilismo a um novo nível. O debate se acirra. Os da antiga, os ossos duros que já entraram no modo sobrevivência há muito tempo, dizem que não há como prever até que ponto vai o descaramento da Diretoria. Eles escrevem "Nada" com a mão firme, sem hesitar. Os idealistas — recém-formados, em geral — consideram a pergunta pelo que ela diz. Há muito espaço e eles o usam todo, transbordando idéias. Os demais respondem com uma certa precaução. Começam dizendo: "Se eu TIVER de sugerir alguma coisa" ou "Talvez seja caro demais, porém...", e então eles também começam a devanear. E se em lugar de broncas por sair cedo e nada por sair tarde uma coisa pudesse compensar a outra? E se não fôssemos obrigados a preencher formulários por atrasos de dez minutos, mas sim confiassem que procuraríamos as maneiras de sermos os mais produtivos? E se a Zephyr reconhecesse que os seus empregados têm uma vida fora da empresa, e que não começa no momento em que chegam de manhã e termina quando vão embora? Pensamentos assim são malucos, tresloucados, mas surgem, um depois do outro.

P3: Você acha que você e seus colegas merecem essas melhorias nas condições de trabalho?

Epa! Epa! Dá para ver o rosto de todos alarmado. Os grupos ficam ainda mais apinhados. Eles sabem por experiência que a Diretoria não acha que eles mereçam nada melhor, porque se achasse, as coisas *seriam* melhores. Mas, pelo menos, sempre fingiu que sim.

Nas reuniões gerais, os executivos em seus ternos bem cortados alardeiam que os funcionários são o maior patrimônio da empresa — e embora seja difícil conciliar isso com as eternas rodadas de demissões e terceirizações, é bom de ouvir. Esta pergunta da pesquisa sugere que um limite está sendo demarcado: se a Diretoria acha que os funcionários vão responder que "Não", ela já não está mais se preocupando em esconder o seu descaso.

P4: Você acredita que a Diretoria da Zephyr Holdings vai executar as melhorias das condições gerais como resultado desta pesquisa?

Todos ficam em silêncio. Está claro que a resposta é "Não"; seria preciso ser idiota, ou estagiário, para acreditar que sim. Mas é por isso que a empresa jamais deveria fazer uma pergunta dessas. O propósito de uma pesquisa sobre a satisfação do pessoal, qual uma caixa de sugestões, é dar aos funcionários a impressão de que a empresa se importa sem que ela necessariamente se importe. Então, das duas uma: ou a Diretoria criou um coração ou a pesquisa não é da Diretoria.

P5: Se você merece melhores condições de trabalho, mas não acredita que a Diretoria vá realizá-las, então você concorda que a única maneira de se conseguir um ambiente de trabalho gratificante é depor a Diretoria e instaurar uma nova liderança, substituindo o regime atual de incompetência, ganância e corrupção?

Ding! No nível 2, o barulho é de uma revolução. As portas do elevador se abrem e Jones, Freddy e Holly saem. Por todo o andar, cabeças de APs se erguem devagar.

Nível 2! Que lugar! São escritórios e mais escritórios, até onde a vista alcança, sem um cubículo sequer. A luz do sol penetra através das imensas janelas que vão do teto ao piso. As plantas ornamentais vicejam saudáveis naquele ambiente. O carpete! O carpete! É tão grosso que dá para se enrolar nele — não há trilhas desgastadas vindas de todos os cantos até a máquina do café e o banheiro. Aquilo é um chafariz? Oh. Não. É só um bebedouro. Mas um chafariz não seria descabido, não nesta terra de fartura e bem-estar. É exatamente o que eles esperavam: um luxuoso Paraíso, onde os poderosos relaxam com as uvas que lhes trazem os APs — bem, uvas não, mas cafés —, enquanto os trabalhadores se exaurem num ambiente precariamente condicionado de labuta lá embaixo. Eles viram relances desta terra prometida nos relatórios anuais da Zephyr Holdings, pano de fundo para muitas fotos de sorridentes executivos chefes, mas a realidade é muito mais figadal. Onde estão os cortes por aqui? Onde é que se aperta o cinto?

— Pois não? — diz uma AP. Freddy a reconhece como a garota que desapareceu da Realização de Treinamentos cerca de um ano atrás. Achava que tinha sido demitida. — Como foi que você chegou aqui?

A resposta é *Jones tem acesso liberado*, mas Jones não está dizendo isso para a AP. Não está nem dizendo a Freddy e Holly; eles estão achando que ele conseguiu que um dos geniozinhos da informática burlasse o sistema.

— Estamos aqui para ver a Diretoria. Todos os diretores, por favor.

Os APs se entreolham.

— É preciso ter hora marcada. Mesmo assim, vocês não devem vir aqui. Há salas de reunião no nível...

— Traga-os aqui agora — diz Jones. — Agora!

Os APs novamente se entreolham. Parece que desenvolveram algum tipo de linguagem telepática, porque mais uma vez chegam a uma decisão silenciosa.

— Vou chamar o Sr. Smithson. Querem sentar?

— Não — diz Holly.

Stanley Smithson, vice-presidente de Serviços de Pessoal, está pilotando uma poltrona de couro no cockpit do seu escritório no nível 2 quando seu telefone toca. *Vanessa P*, diz o visor. Vanessa é a AP de Stanley, e menos de uma hora atrás ele lhe disse de maneira que achou ser clara e objetiva que não queria ser incomodado. Stanley sopra ar por entre os dentes. Ele não exige esforços extraordinários dela. Vanessa precisa lhe trazer um cafezinho de vez em quando. Precisa digitar os textos gravados no ditafone, onde ele registra suas idéias, vislumbres e linhas gerais para as circulares (o texto em si será esboçado por ela, já que é quem tem o diploma de Letras). E, o que é mais importante, ela precisa cuidar para que ele seja deixado em paz sempre que precisa de tempo para pensar. Não é um grande desafio, é? Para o vice-presidente de uma empresa de grande porte, não é pedir demais, é? Parece que sim, pois eis que ela está ao telefone.

Ele larga na mesa o folheto das suas milhagens. É fundamental que os executivos se mantenham sempre renovados, e é por isso que Stanley, toda vez que se sente oprimido pelas pressões do mundo corporativo, separa um tempo para meditar: manda Vanessa não lhe passar nenhum telefonema, tira o folheto e estuda todos os lugares para os quais pode voar de graça. É profundamente reconfortante. Às vezes Stanley tem a atormentadora sensação de que pode ser desmascarado como impostor no meio da carreira — que subiu os escalões corporativos devido à subserviência e sorte, e que bem poderia estar ali, digamos, o Jim da Segurança (desculpem, Recursos Humanos e Proteção Patrimonial), decidindo se compõe uma força-tarefa para Melhoria de Processo, enquanto Stanley perambula pelo estacionamento para não deixar ninguém sair do prédio com uma impressora a laser. Mas o folheto lhe dá a certeza do contrário, massageando para longe suas dúvidas e reforçando sua confiança. Stanley deve ser muito talentoso e perspicaz, pois consegue voar para Berlim de graça, enquanto Jim (aparentemente) não consegue comprar um carro fabricado neste século.

Stanley deixa o telefone tocar mais algumas vezes — porque Vanessa já foi avisada — e depois toca no viva-voz:

— Pronto?

— Sinto muito incomodá-lo, mas há umas pessoas aqui que desejam vê-lo.

— Você não me disse que eu tinha um compromisso marcado.

— Ahn, e não tem. Mas eu... acho que deveria vir aqui.

As sobrancelhas de Stanley se contraem. Isso é muito irregular. Ele solta um suspiro alto o suficiente para que o viva-voz capte.

— Muito bem, estou indo.

Quando surge, Stanley traz um leve sorriso no rosto. Mas o sorriso logo se esvai ao ver Jones, Freddy e Holly, que obviamente não são seus colegas executivos, nem investidores importantes nem qualquer pessoa influente. Seus olhos percorrem os crachás. O próprio Stanley não os usa; acha que eles diminuem sua pessoa.

— O que vocês querem?

O jovem fala:

— Estamos aqui em nome dos funcionários da Zephyr Holdings. Temos um conjunto de demandas.

Stanley começa a sorrir. Mas nenhum dos seus três interlocutores o acompanha, de forma que ele passa a franzir o cenho.

— Vocês estão de brincadeira?

— Não estamos, não. O que temos é muito importante. Precisamos ver toda a Diretoria.

— Ora, mas não podem. Como foi que chegaram aqui em cima?

O outro homem, o baixinho, diz:

— Achamos que as condições de trabalho na Zephyr Holdings precisam melhorar. E queremos falar com a Diretoria sobre o assunto.

— A empresa *tem* uma caixa de sugestões — rebate Stanley. Ele não faz idéia de quem são essas pessoas, mas ninguém com os sapatos arranhados diz a Stanley Smithson o que fazer. Você precisa de sapatos muito mais caros do que esses para dar ordens a Stanley. — Eu realmente não sei o que vocês querem conseguir vindo a este lugar sem serem chamados...

— Você não está escutando. Não são sugestões.

— Já chega. Vocês três vão embora, agora. — Stanley dá um passo à frente, com a intenção de empurrar Jones, Freddy e Holly para o elevador. Mas se esquece de que as pessoas fazem o que ele manda porque são pagas para isso, não porque ele seja um dínamo de masculinidade carismática. Nenhum dos três se mexe, e quando se dá conta disso, ele renuncia. Sente o rosto enrubescer. — Vou chamar o Recursos Humanos e Proteção Patrimonial. A culpa é toda de vocês mesmos. Espero que percebam isso.

Ele caminha até a mesa do AP mais próximo e pega o telefone. Sua mão está tremendo. Da última vez em que esteve envolvido num confronto físico assim, Stanley tinha 17 anos. Então, o aparelho faz *clique* no seu ouvido. Ele se vira. A moça o seguira até a mesa e tirou o fio do telefone. Stanley olha para ela sem conseguir acreditar.

— Ninguém vai chamar o Recursos Humanos — diz ela.

Daniel Klausman está passeando pela Tesouraria, esvaziando as cestas de lixo de olho numa rusga política entre três contadores, quando seu bolso começa a vibrar. É o celular. Ele o traz no modo vibratório, pois a idéia de um zelador com um celular pode chamar a atenção dos trabalhadores da Zephyr, pode fazê-los pensar em suas próprias carreiras e na relação entre o trabalho que fazem e as recompensas que auferem. Esta idéia Klausman já tentou passar para outros agentes Alfa, e na maioria dos casos conseguiu. A exceção é Eve Jantiss, que estaciona um carro esporte azul bem na frente do prédio. O seu argumento é que se Blake vem de carro esporte para o trabalho, então por que ela também não pode vir, e o fato de Blake estar na Diretoria e ela atendendo telefones não a demoveu da idéia. Klausman tem muito respeito e admiração por Eve, mas sabe que ela é movida por pura ganância. Já faz algum tempo que ele vem tendo a incômoda sensação de que um dia ela irá, pelo menos no sentido político, derrubá-lo e passar por cima do seu cadáver.

Ele vai até o closet de serviço, deixando para trás o conjunto de cubículos da Tesouraria e sua nova dinâmica política. Além de ficar fora do alcance dos empregados da Zephyr, os closets de serviço têm a vantagem de ser dos poucos ambientes do prédio que não estão sob vigilância eletrônica. Nem sempre foi assim, mas Klausman passou por um incidente embaraçoso uma vez em que teceu comentários desabonadores acerca de um agente Alfa enquanto o próprio estava na sala de monitoramento. E também viviam pegando os funcionários transando dentro desses closets, e apesar de todo mundo gostar de exibir as fitas na festa de Natal do Projeto Alfa, ele tinha a preocupação de que, se um dia o terrível segredo da Zephyr fosse desmascarado, aquilo pegaria muito mal. Uma coisa é estimular toda uma companhia a estudar em segredo os seus funcionários — se isso algum dia se tornar público, Klausman ainda andará de cabeça erguida em qualquer clube de cavalheiros do país —, mas outra é fazer uma coleção de fitas de sexo gravadas por câmeras ocultas. As pessoas acabariam tendo a idéia errada.

Ele fecha a porta do closet e pesca o celular no fundo do bolso.

— Pronto!

— Sr. Klausman. — É Mona. Mas sua voz está estranhamente tensa. — Posso perguntar... Jones foi incumbido de algum projeto com a Diretoria?

— Não, claro que não. Essa é a área do Blake.

— Então, acho que o senhor deveria vir para o 13 imediatamente.

— O que está acontecendo?

— Ahm... não sei.

Stanley Smithson se retira, mas só para angariar reforços. Ele volta com Fênix. Freddy e Holly arregalam os olhos quando o reconhecem. Para a maioria dos funcionários da Zephyr, a Diretoria é uma galeria de júri com rostos anônimos, mas todos conhecem Fênix. É um homem de pescoço grosso e rosto vermelho, camisa azul e cabelos ficando grisalhos. As mangas de sua camisa estão enroladas até os bíceps, que, embora não sejam mais aqueles exemplares de tirar o fôlego que eram quando ele trabalhava no almoxarifado, ainda são bastante impressionantes se comparados aos músculos atrofiados de seus colegas executivos.

Existe um princípio de negócios bastante conhecido: o nível de incompetência; ou seja, todo empregado que é bom no que faz vai sendo promovido até chegar a uma função na qual não é, e ali fica. Fênix é uma exceção: sempre foi incompetente em todos os cargos que ocupou, mas continua sendo promovido. Quando a sua função era carregar caixas de um lugar para outro na empresa, elas ficavam na recepção horas a fio até que, várias chamadas de advertência depois, ele chegava para pegá-las. Então, por meios que ninguém até hoje conseguiu descobrir, chegavam a sumir durante dois dias antes de aparecerem no seu ponto de destino, a alguns andares de distância. Além disso, os funcionários descobriram que não dava para passar por Fênix num corredor sem serem pegos para uma conversa. Não havia como escapar: quem gostava de esportes estava fadado a uma palestra de meia hora sobre os salários dos jogadores e quem não gostava passava por uma sessão de iniciação. Se alguém vacilasse e expressasse uma opinião diferente da dele, a voz do Fênix aumentava de volume, e ele insistia cada vez mais, enquanto suas grossas sobrancelhas se arqueavam. Se ainda assim a pessoa não cedesse, ele começava a espetar o dedo nela. As pessoas começaram a fingir problemas de audição, ou esperavam até que alguma outra pobre alma fosse enredada antes de passar correndo, prendendo o fôlego, de cabeça baixa.

Até que um dia o almoxarifado foi terceirizado. Houve um certo júbilo silencioso: afinal, os funcionários podiam se deslocar de um andar para o outro sem um sermão sobre o declínio das habilidades dos jogadores! Mas, para horror e assombro de todos, Fênix sobreviveu, sendo transferido para o Controle de Estoque. Dois anos mais tarde, enfrentando uma rotatividade de pessoal assustadora, aquele departamento foi fundido com o de Logística. Doze funcionários foram demitidos, mas Fênix, não. Uma década e incontáveis desastres mais tarde, ele foi incumbido de chefiar uma força-tarefa Sigma Seis, que foi missão-crítica durante dez meses, depois desmoronou, sumiu e ninguém voltou a falar sobre o assunto. Todos os integrantes da força-tarefa foram liberados ou transferidos para rincões distantes da empresa, exceto Fênix, que ao longo dos anos tinha acumulado tantas licenças que se tornara caro demais para ser demitido. O RH forçou-o a voltar para a Logística, apesar das objeções pela parte de lá, até que o vice-presidente ficou tão frustrado que baixou um ultimato ele-ou-eu. O momento não poderia ter sido menos propício, pois as disputas internas na Diretoria o haviam jogado para a raia externa de um grupo de corretores de peso, que viram nisso uma ótima oportunidade para substituí-lo por alguém mais propenso a compartilhar das mesmas idéias. E assim Fênix tornou-se o novo vice-presidente de Logística. Está claro para os funcionários da Zephyr que ele é imortal.

Freddy e Jones entreolham-se nervosamente, enquanto Fênix se aproxima. Holly crava os olhos na montanha de músculos que se destacam por baixo da manga da camisa dele.

— Que diabo vocês estão querendo fazer? — vocifera Fênix. E vem na direção deles como um urso mal-humorado. — Isso aqui é a Diretoria, não a porcaria da cantina. Vão logo embora.

— Temos um conjunto de demandas... — diz Holly.

— Não estou nem aí se vocês tiverem uma medalha de ouro. — Fênix sempre vem com tiradas desse tipo, que devem dar a impressão de ser espirituosas, mas que se você pensar bem não fazem muito sentido. — Desapareçam logo daqui do nível 2.

Os três se encolhem ante o avanço dele. Então, de detrás deles vem o barulhinho: *ding*!

O elevador despeja um lote inteiro de funcionários da Zephyr no nível 2. Eles demoraram um pouco para chegar porque houve uma discussão sobre a capacidade de carga máxima do elevador; uma plaquinha de metal declarava um limite de peso e seguiu-se uma desconfortável discussão, durante a qual as pessoas ficaram falando da barriga e da bunda umas das outras. Além disso, para convencer o elevador a ir até o nível 2, precisaram passar o crachá de Jones e depois jogá-lo para os outros do lado de fora antes que as portas se fechassem, e na primeira tentativa uma mulher que trabalhava antes no Desenho de Cartões da Empresa — adestrada no uso do mouse, mas com uma coordenação motora surpreendentemente pouco desenvolvida — não conseguiu liberar a porta e todos tiveram de descer no nível 5 para tentar novamente.

Mas agora chegaram! São mais de duas dúzias deles: escriturários, gnomos, duendes, contadores, engenheiros — uma salada mista Zephyr. Desembestam para fora do elevador qual palhaços saindo de um fusca: quando você já está achando que não pode caber mais ninguém ali dentro, saem mais dois. Stanley arregala os olhos. Fênix dá um passo para trás.

— Não queríamos fazer isto deste jeito — diz Jones. — Mas estamos preparados.

Os ataques costumam ser desferidos de madrugada, pois é quando o inimigo está mais desorientado. E é igual no nível 2 da Zephyr Holdings, só que são 16h30. Os Diretores estão cansados de um dia intenso de aumento do valor acionário, a alegria do vinho na hora do almoço já se dissipou e faz mais de meia hora que tomaram café pela última vez. Quando os empregados da Zephyr adentram seus escritórios e arrancam os telefones das suas mãos, eles ficam perplexos demais para reagir. Todos eles, Blake Seddon inclusive, são arrancados das poltronas de couro de seus escritórios, levados para a sala da Diretoria e enfiados em um assento à volta da grande mesa de madeira de lei. Eles ficam ali sentados e chocados, enquanto uma horda de gente zangada e mal-ajambrada se aperta ao seu redor. De poucos em poucos minutos, mais alto que a barulheira reinante, eles ouvem o *ding*, e mais gente vem atulhar ainda mais a sala. Em pouco tempo estão tão espremidos que ficam como se fossem um único animal, o empregadozephyr, uma fera enorme, normalmente dócil e facilmente amestrada, mas (aparentemente) agressiva e imprevisível quando provocada. A sala da Diretoria se enche da sua algaravia, do caleidoscópio das suas camisas, blusas e gravatas, do odor cálido e suarento de seus corpos.

Os Diretores tentam protestar, mas os funcionários zangados sacodem as cadeiras. Tentam se comunicar uns com os outros por meio de expressões faciais. Nenhum deles faz idéia do que está acontecendo, mas quando um jovem sobe na mesa de reuniões da empresa e levanta a mão para que se faça silêncio, eles todos têm a mesma impressão nauseabunda: a fortaleza da caixa de sugestões caiu.

O barulho se desfaz. Jones pigarreia. É muito importante que não deixe passar qualquer sinal de fraqueza neste momento, mas saber e realizar são duas coisas diferentes. Ele sente os joelhos fraquejarem. Seus olhos cruzam com os de Blake Seddon, e ele enxerga ódio ali. Jones engole em seco; e vê ódio mais uma vez. Sua garganta vai se contraindo cada vez mais.

Os Diretores — não Blake, mas um senhor de mais idade cujas sobrancelhas são uma verdadeira afronta — ficam cansados de esperar.

— Mas o que vocês pensam...

— Eu tenho uma coisa para ler — grita Jones. O homem se cala. Ele engole mais uma vez. — É um discurso antigo, mas nós o adaptamos para os tempos modernos. O importante é que ele ainda vale nos dias de hoje. Então *vocês* — diz Jones, aumentando o tom de voz quando a Diretoria começa com nova interjeição — vão ficar *sentados, escutando.*

Ele toma fôlego.

— *Consideramos estas verdades como evidentes por si mesmas*: que todos os empregados foram criados iguais, que foram dotados de certos direitos inalienáveis, dentre os quais estão a dignidade, o respeito e a busca de uma vida fora do trabalho.

"Que sempre que qualquer empresa se torne destrutiva de tais fins, cabe aos funcionários o direito de alterá-la ou aboli-la e instituir nova diretoria, baseando-a em tais princípios de forma a garantir sua segurança e felicidade.

"A prudência recomenda que não se mude a diretoria por motivos levianos e passageiros; e, de acordo com o que a experiência tem mostrado, os funcionários estão mais dispostos a sofrer, enquanto os males são suportáveis, do que a se desagradar, abolindo a diretoria à qual se acostumaram. Mas quando uma longa série de abusos e usurpações, perseguindo invariavelmente o mesmo objetivo de cortar custos, indica o desígnio de reduzi-los ao despotismo absoluto, eles têm o direito, bem como o dever, de abolir tais diretorias.

"Nós, por conseguinte, empregados da Zephyr Holdings, declaramos solenemente que somos e temos o direito de ser livres e independentes; que estamos desonerados de qualquer vassalagem para com a Diretoria, e que toda autoridade da Diretoria sobre nós está totalmente dissolvida." Há muitos gritos e executivos tentando falar mais alto que ele a esta altura, de forma que Jones resolve repetir gritando: *Totalmente dissolvida*!

Forma-se uma algazarra. A Diretoria luta para se livrar das mãos dos funcionários que os prendem. Fala dos meios apropriados. Os funcionários retrucam aos berros. Sentimentos hostis se espalham por todo o salão. A raiva contida durante anos a fio se despeja ali.

— Nós não somos recursos humanos — grita Freddy, com o rosto vermelho. — Nós somos *gente*. Entenderam agora? Vocês estão entendendo bem?

Durante um tempo, ninguém na sala de monitoramento no nível 13 fala. Finalmente, Mona interrompe o silêncio, com a voz fraca e hesitante.

— O que ele está fazendo?

Klausman não responde. Não se sente ultrajado, nem chocado nem sequer surpreso; ainda não. Ele observa Jones nos monitores e fica... aborrecido.

— Será que ele não entende que esta empresa não é de *verdade*? — diz Mona, em tom de queixume. — Não é a Diretoria que toca a Zephyr. *Nós* fazemos isso. O que ele está tentando conseguir? — Ela adquire mais confiança a partir do silêncio dele; sua voz se eleva. — Podemos demitir metade das pessoas naquela sala se quisermos.

— Não, Mona — diz ele. — Só podemos demitir todas elas. — Ele olha de relance para ela e percebe confusão no seu olhar, que se espelha no olhar da outra meia dúzia de agentes na sala. Eles estão muito acostumados a estar do lado de dentro, percebe Klausman. Não se lembram de mais nada. Ele torna a olhar para os monitores. — Se fizermos qualquer intervenção, revelamos o Alfa. E a Zephyr acaba.

— Não há praticamente ninguém do departamento de Recursos Humanos e Proteção Patrimonial naquele grupo. Contanto que os controlemos... — diz tom Mandrake.

— Jones sabe como trabalhamos — interrompe Klausman, irritado. Gostaria que Eve estivesse aqui; não precisaria esclarecer as implicações para ela. — Se ele conseguir o controle da Diretoria, podemos ter a certeza de que outros departamentos o seguirão.

Faz-se silêncio por alguns instantes. Mona fala corajosamente:

— Não vejo como uma coisa dessas possa funcionar. Não é possível *abolir* a Diretoria. A Zephyr não é uma *democracia*. É uma corporação.

— Eu acredito — diz Klausman — que Jones esteja avançando a teoria de que esses dois conceitos não são mutuamente excludentes.

— Blake não vai deixar que isso aconteça — diz Mona, obstinadamente. — Ele vai dar um basta nisso.

— Vamos torcer para que sim — diz Klausman. — Estou com 63 anos. Não tenho a menor vontade de começar de novo.

Jones está começando a achar que conseguiu, que a Diretoria se desintegrou, quando a voz de Blake abre espaço em meio ao tumulto. Ele não grita; simplesmente ergue o queixo, fala com clareza e, de repente, todos escutam. Jones tem de admitir: Blake tem presença.

— Vocês querem que a empresa desmorone? Porque é isso que eu estou ouvindo. Querem que a Zephyr vá à falência? — Levanta-se da cadeira e ninguém tenta impedi-lo. Ajeita os punhos do paletó. Seus olhos azuis varrem a multidão. — Estão insatisfeitos com as condições do pessoal. Acham que não nos preocupamos com o seu bem-estar. Muito bem, estão certos. A Zephyr não está aqui para cuidar de vocês. É uma empresa. Se queriam um parque de diversões, demitam-se. Se querem fazer o seu trabalho, fiquem. Mas não exijam que nós cuidemos de vocês. A Zephyr não pode arcar com isso.

Os trabalhadores demonstram alguma hesitação. Não sabem direito como funcionam as finanças corporativas — do seu ponto de vista, é fácil enxergar a Zephyr como uma fonte infindável de dinheiro, sem ter sua existência ameaçada pela maneira mais ou menos inteligente de gastar esse dinheiro — mas as palavras de Blake obviamente contêm um certo tipo de verdade.

— Nós não os contratamos para encher-lhes a vida de alegria. O *seu* bem-estar não é o objetivo aqui: o da Zephyr é. Vocês querem reverter isso; colocar os seus interesses acima dos da empresa. Bem, vou lhes falar sem rodeios: isso mataria a Zephyr rapidamente. Tiraria o emprego de todos nós.

Os ombros dos funcionários se deixam cair. Alguém diz:

— Mesmo assim, as coisas poderiam ser um *pouquinho* melhores...

O medo se apodera do corpo de Jones. Ele não está aqui para fazer com que as coisas fiquem "um pouquinho melhores". Está aqui para assumir o controle da Diretoria. Qualquer coisa menos que isso o anulará.

Blake pressente a vitória. Seu tom se abranda; ele estica a mão de forma a aplacar os ânimos, as palmas voltadas para cima:

— Vejam bem, o dia foi árduo. — Ele é o epítome da racionalidade, especialmente se comparado ao suarento Jones, de olhos esbugalhados, em pé em cima da mesa de reuniões da Diretoria. Blake está calmo, liderança firme num terno de cinco mil dólares. É exatamente o tipo de pessoa que você gostaria de ver tomando decisões que afetam a sua capacidade de ganhar a vida. — É claro que vocês estão todos um pouco emocionados. Talvez tenhamos dito coisas que não queríamos. É claro que a Zephyr se preocupa com vocês. Os funcionários são o nosso maior patrimônio. Vocês estão certos de nos chamarem a atenção para isso. Estamos *mesmo* precisando fazer algumas mudanças. Não abolindo a Diretoria, não levando a empresa à falência, mas mudanças, sim. — Ele faz que sim com a cabeça, pensativo. — E para provar isso, prometo-lhes o seguinte: a primeira coisa que a Diretoria vai fazer amanhã vai ser pegar tudo o que estiver nas caixas de sugestões e ler com *toda a atenção.*

Os empregados murmuram, erguendo as sobrancelhas e dando de ombros. Jones escuta frases do tipo: "Bem, já é uma melhoria" e "Pelo menos agora eles estão escutando", e sabe que está tudo acabado. Porque todo mundo prefere ter um emprego ruim do que não ter emprego.

— Não — grita Jones. Brande o punho, o que não ajuda em nada o seu argumento, mas ele não pôde se conter. — Você quer dizer para essas pessoas o que é melhor para a empresa, Blake? Você nem sabe o que é a Zephyr! Não é o logotipo, nem são os resultados, nem os investidores, nem os *clientes*... — Jones está transbordando de sarcasmo a esta altura. — Pois a empresa somos *nós*! Olhe à sua volta, você nos vê? Nós somos a empresa. *Nós somos a Zephyr*. Passamos aqui metade da vida quando não estamos dormindo. Conhecemos a empresa melhor que ninguém. E nos preocupamos com ela mais que ninguém. É isso que as pessoas fazem, Blake, quando você as coloca num ambiente de trabalho: elas se envolvem emocionalmente. Nós não somos insumos. Não somos máquinas. Vocês não podem terceirizar alguns de nós e esperar que tudo continue igual. Talvez até quisessem que fôssemos mais fáceis de gerir, mas que azar: somos humanos e difíceis. E temos nossa vida fora da empresa, caramba, e vocês não podem continuar roubando pedacinhos dela! Não podem continuar alimentando os resultados conosco! Se fizerem isso, se isso for tudo o que vocês sabem fazer, então, caramba, esta empresa *merece* morrer!

Os trabalhadores bradam sua aprovação. Jones fica atônito. Achava que fazia um último discurso bombástico e inútil. Mas acabou conseguindo inverter o quadro. E olha para o rosto alegre dos demais, comemorando.

Não está claro quem dá início aos gritos de palavra de ordem. Não é Jones. Deveria ser, mas ele está pasmo demais para aproveitar a vantagem. O importante é que eles começam — e encobrem os esforços que Blake está fazendo para responder.

— *Renúncia! Renúncia! Renúncia!*

Ela percorre todo o salão como uma rocha. Os Diretores todos tentam, em vão, levantar a voz para interromper a gritaria de palavras de ordem. Blake Seddon ergue as mãos para silenciar as pessoas e é completamente ignorado. Fênix se debate contra os trabalhadores que o mantêm imobilizado.

Blake desiste de tentar manter a dignidade. Com as veias lhe saltando do pescoço, ele grita:

— Nós *não* vamos renunciar! E vocês não têm a autoridade para isso.

Quase ninguém o ouve. Mas Jones ouve.

— Você tem razão. Não podemos forçá-los a renunciar. Mas vocês não podem nos forçar a lhes dar ouvidos. Fiquem aqui em cima. Chamem-se de Diretoria. Mas nós não vamos fazer as coisas à sua maneira. Vamos assumir o comando de agora em diante.

Os outros Diretores se entreolham. Jones sabe o pensamento que fervilha na cabeça deles: *Será que essa rebelião é de verdade?* A Zephyr já está cambaleando desde a última reorganização catastrófica. Se um bando de APs, escriturários e assistentes de vendas tentarem tocar a empresa... bem, não há dúvida de que o fim se aproxima. Todos os diretores detêm uma cota acionária substancial e uma generosa cláusula de desligamento: o tipo de coisa que pode ser difícil extrair de uma empresa morta. E não é só isso: se a Zephyr afundar enquanto estiverem nos seus cargos, eles ficarão desempregados com um CV ruim.

Por outro lado, um executivo que renuncia antes do colapso da empresa — e Jones percebe a constatação surgindo em vários rostos da Diretoria ao mesmo tempo — está numa posição diferente. Ele recebe sua distribuição. Troca suas ações. Seu CV se destaca, pois fica claro que ele discordou do direcionamento da empresa — uma decisão justificada de forma estonteante pelo colapso subseqüente. Essa pessoa tem um futuro. Essa pessoa é um gênio corporativo.

Stanley Smithson pia primeiro.

— Pois bem... por mais que me entristeça, eu renuncio. Eu gostaria de dizer que...

— Eu também renuncio.

— E eu também.

Os empregados da Zephyr vibram. Jones olha para Blake, mas seria esperar muito. Blake fica simplesmente parado, de braços cruzados, balançando a cabeça. À medida que os executivos vão atravessando a massa em direção aos seus escritório para recolher seus pertences e despedaçar documentos incriminadores, Holly abraça Freddy e o beija numa gritante afronta à Norma da Empresa para a Conduta dos Empregados e Contra o Assédio Sexual. A informação extravasa o salão e chega àqueles espremidos do lado de fora, por total falta de espaço. Chega aos APs, que se levantam de suas cadeiras sem conseguir acreditar e pegam os telefones para divulgar a notícia para todo o prédio. Empregados na fila dos elevadores, ainda esperando para chegar ao nível 2, ouvem a verdade inacreditável: *A Diretoria foi demitida*!

Fora do prédio, uns poucos fumantes olham para o alto e vêem as luzes de meia dúzia de andares piscando de alegria. Mais alto ainda, conseguem distinguir dúzias de figuras minúsculas espremidas contra as vidraças do salão no nível 2 — mas precisam apertar a vista, pois o sol está se pondo. Pela maneira como os raios alaranjados se curvam nos vidros, chega a parecer que um grupo de pára-quedas dourados desce flutuando devagarinho até chegar ao chão.

A festa esquenta até que Freddy descobre que o salão contém um equipamento estéreo e uma geladeira de bar cheia de champanhe de primeira; depois disso, reina a anarquia. Há dança no nível 2. No saguão, os empregados se congregam para repassar animadamente os eventos do dia — não há nada espantoso aí, exceto que é a primeira vez em anos que um grupo de funcionários de diferentes departamentos conversa entre si sem uma pauta escrita numa sala de reunião previamente reservada. No nível 12, um marqueteiro amassa uma circular sobre cortes orçamentários e a chuta para o outro lado da sala, o que acaba se transformando numa pelada e se expande, alcançando ao todo três andares, com pontuação extra no placar para cada chute que acerta determinadas mesas.

Ninguém faz idéia do que vai acontecer depois. A maioria nem pensa nisso — hoje é só comemoração, não planejamento estratégico. Mas alguns estão preocupados. Voltam para seus cubículos e ficam ali sentados, nervosos. Sentem o medo tomando-lhes os ossos. Para eles, isso não é uma festa, mas sim o colapso da ordem natural. A Diretoria pode ter sido incompetente; pode ter sido corrupta; estava sem dúvida cheia de idiotas — mas eram os *seus* idiotas incompetentes. A Diretoria eram os pais da Zephyr, e embora fossem distantes, não ligassem e costumassem deixar seus filhos trancados no carro enquanto iam dar umas tacadas de golfe, sua ausência faz com que esses empregados se sintam órfãos. Eles pegam papéis nas suas bandejas e, indiferentes ao que se passa à sua volta, fazem a verificação das suas tarefas, numa vã tentativa de um retorno à normalidade.

No nível 11, Serviços de Pessoal, a bola de papel bate na parede do escritório de Roger. Ele afasta as venezianas verticais para espiar, soltando-as logo em seguida. Assim como a maioria dos gerentes da Zephyr Holdings, ele está se escondendo. Quando houve a rebelião na França, eles decapitaram duques, não foi? Decapitaram os primos dos primos da realeza.

Há uma lacuna de poder na Zephyr Holdings agora, uma lacuna grande o suficiente para fazer as glândulas salivares de Roger latejarem. Ele chega a sentir a empresa se esforçando para sugar lá para cima gerentes como ele que possam preenchê-la. Mas é arriscado demais. Os trabalhadores são voláteis, suas paixões estão inflamadas. Ele se arrepende daquela coisa da licitação para trabalhar. Arrepende-se também da luz giratória. Por causa disso, ele sabe que, se abandonar o santuário do seu escritório, seus funcionários o enforcarão pela gravata.

Às 21h30, Jones está jogando *strip poker* na mesa do salão da Diretoria. Está só de sapato, meia, cueca samba-canção e gravata, sendo bastante apreciado por uma moça da Tesouraria. Freddy está se saindo muito pior: só lhe sobrou a cueca; e Holly, sentada a seu lado, não pára de esticar a mão e puxar o elástico. Freddy resmunga, mas Jones tem a impressão de que ele não se importa muito com isso.

Todos trocam, e Jones acaba com três damas.

— Ho, ho! — diz Elizabeth, na cabeceira da mesa. — Agora vocês vão ver. Estou com tudo!

O contador baixa dois pares com um olhar esperançoso na direção de Jones, mas Holly arrasa todo mundo com um *flush*.

— Essa, não! — diz Freddy, e Holly dá um sorrisinho malévolo. Jones se surpreende, e logo percebe por que: ele quase só viu Holly dar sorrisos pequenos. Nunca a tinha visto realmente feliz.

Freddy ergue as mãos, rendido, finge que vai subir na mesa, depois sai correndo para a porta. As pessoas soltam uivos quando vêem a cueca branca dele desfilar correndo pela sala. Pulam da mesa, espalhando as cartas. Holly levanta-se de sua cadeira num segundo e dispara atrás dele qual um leopardo. Jones não acha que Freddy vai chegar muito longe.

De repente, sente vontade de ir para casa. O dia foi impressionante, mas, para Jones, ainda não acabou. Há um raciocínio a ser conduzido com o Projeto Alfa; talvez não hoje à noite, mas Jones não pode relaxar enquanto não enfrentar isso. Enquanto não romper seu vínculo com o Alfa, não fará parte realmente da Zephyr.

Ele leva meia hora para sair do prédio, pois quando as pessoas o vêem indo embora, todas querem falar alguma coisa. Mas acaba conseguindo e está andando pelo piso de concreto do estacionamento no segundo pavimento subterrâneo, procurando a chave do carro, quando seu ouvido capta uma voz que ele imediatamente reconhece como sendo de Eve. Ele pára e olha ao redor. Alguém responde a ela, depois vem uma terceira voz. Parecem estar atrás do poço dos elevadores, então Jones se dirige cuidadosamente para lá. Contorna uma pilastra grande e pára, pois estão todos ali: toda a equipe do Projeto Alfa.

Ninguém fala. Jones hesita, depois decide que é melhor terminar logo com aquilo. Dá um passo, e Klausman fala:

— Não... ouse. — Ele fala baixinho, mas há ira em sua voz, e algo mais também: algo como pesar. Jones pára. Ele olha para o rosto de todos os agentes Alfa e vê um misto de raiva, confusão e choque. O rosto de Eve está inexpressivo, como se ele nem estivesse ali.

Ele concorda e se vira. A princípio, sente-se acovardado, até encabulado. Mas a cada passo, seu estado de espírito se eleva. Quando chega ao carro, praticamente já se esqueceu de Daniel Klausman e do Projeto Alfa. Está pensando na cueca branca de Freddy e na corrida que Holly deu nele.

Está quase chegando em casa quando seu celular toca. Ele o pega no bolso e olha para a tela. Então, diminui a velocidade do carro e estaciona diante de uma loja de roupas.

— Onde você está? — pergunta ela.

— No meu carro. — Isso não parece ter respondido à pergunta dela, de forma que ele acrescenta: — Sozinho.

— Tudo bem. Não posso falar durante muito tempo, mas eu só queria dizer uma coisa: você é *inacreditável*.

Jones pensa: *Linha cruzada*?

— Alô?

— Estou aqui.

— Passei o dia irada com você, sabia? Mas quando vi o que você estava fazendo... *caramba*, Jones! Você matou a Diretoria. Isso é incrível!

— Achei que você fosse ficar... menos entusiasmada.

— Bem, acabou com o Projeto Alfa. Vão se passar alguns meses até conseguirmos sair desta. Mas não importa. Você assumiu a empresa e mandou ver. Olhe, vou ter de me distanciar de você no Alfa... dizer que estou espantada com o seu comportamento, que você traiu a nossa confiança, blablablá, mas Jones, eu também estou me sentindo atraída por você agora, você não faz idéia. Alô? Você ainda está aí?

— Estou. É que minha boca não está conseguindo fechar.

— A sua e a de todo mundo. Meu Deus, quando vi o Klausman, achei que ele estava tendo um enfarte. Nenhum de nós vai ter fim de semana agora. Você deveria ficar com pena de mim; estou indo para uma reunião que vai durar 20 horas.

— E parece empolgada.

— Bem... não com a reunião. Estou só empolgada. — Há uma certa falsidade no seu tom. Jones acha que Eve acaba de mentir para ele.

— Você ainda está aí?

— O que vai acontecer na reunião?

— Vamos ver que diabo podemos fazer. — Ela ri no ouvido dele. — Blake já está dizendo que deveríamos fechar a Zephyr e começar de novo. Klausman não quer nem ouvir falar disso. Não vai deixar seu bebê morrer. O que você já sabia, certo? Você é tão genial! Encontrou uma maneira de mudar a Zephyr. E eu não acho que haja nada que possamos fazer para reverter isso.

— É isso que você vai dizer para eles?

— Não sei direito ainda. Há muita política envolvida. O momento é de cataclismo para o Alfa. Alguns vão ficar abalados logo de cara, mas outros...bem, vão se sair melhor.

Jones começa a sentir um certo enjôo no estômago.

— Você está empolgada porque acha que eu fiz uma coisa boa para a Zephyr?

— Claro.

— Ou porque fiz uma coisa boa para *você*?

Segue-se uma pausa, depois ela diz:

— Por que você diz isso?

Ele sente um frio por todo o corpo.

— Jones? Alô? Jo-o-ones?

— Oi — resmunga ele.

— A conexão está ruim. Espere. Vou ligar de volta.

Na segunda-feira seguinte, Jones acorda às 6h14 da manhã. Ele sabe disso sem mesmo abrir os olhos, porque é uma dessas pessoas que sempre acordam pouco antes do despertador tocar. E o despertador de Jones está marcado para tocar às 6h15 todo dia nos últimos três meses.

Mas hoje não. Hoje de manhã, o relógio interno de Jones foi enganado. Ele rola para o lado e puxa as cobertas. Sorri sem abrir os olhos. Hoje de manhã, Jones pode dormir mais um pouco, pois não tem reunião do Projeto Alfa.

Elizabeth chega à empresa às 8h55, quase uma hora atrasada. Sente-se culpada por se aproveitar da falta de Diretoria para conseguir um soninho extra — até que, cruzando o estacionamento, passa por uma vaga vazia atrás da outra. Aparentemente, não está nem um pouco atrasada. Relativamente falando, está adiantada.

Pega o elevador para o Serviços de Pessoal e caminha entre uma infinidade de cubículos vazios. Um vozerio alto e súbito a leva a se virar e observar por cima das divisórias: há três pessoas perto da máquina do café, contando piada. Ela continua andando. Pouco antes do seu cubículo, finalmente avista alguém numa mesa: um rapaz com cabelo espetado. Ele levanta a cabeça, surpreso, e ela lhe sorri. Ele rapidamente muda a tela do computador. Mais tarde, ela se dá conta de que ele estava trabalhando no seu CV.

No segundo em que se inclina para enfiar a bolsa embaixo da mesa, seu telefone toca. Ela atende. Isso é um grande erro.

— Elizabeth — diz Roger, com a voz profunda e um áspero tom de comando —, precisamos conversar.

Espere!, grita uma parte dela, mas o sangue já está lhe subindo à cabeça num turbilhão. Ela sente pontadas e agulhadas nos dedos das mãos, enquanto os dos pés congelam. Seu corpo se inunda do desejo insano, indizível, insaciável: *Roger, Roger, Roger*.

Horrorizada, ela vê seus pés dando meia-volta e saírem pisando ruidosamente o carpete. Quando chega à porta de Roger, sua mão (*traidora!*) se levanta e bate. Quando Roger a manda entrar, seu corpo estremece em resposta.

Roger está sentado com as mãos cruzadas direitinho em cima da mesa. Seu cabelo castanho está bem dividido. O paletó do seu terno lhe cai perfeitamente como uma escultura, os ombros cobertos pelo manto dourado do sol matinal. Durante um segundo, Elizabeth sente vontade de vomitar.

— Então? — para seu alívio, a voz lhe sai firme e sardônica. — O que você manda?

— Sente-se.

Ela dá de ombros, como se não fizesse diferença sentar ou deixar de sentar — como se seu coração não estivesse tentando saltar do seu peito e seu cérebro não voltasse num bramido de luxúria. E segura fortemente os descansos de braço, com ambas as mãos, para que tenham menos possibilidades de fazer alguma besteira.

— Não sei direito como dizer. — Ele não parou de fitá-la nem por um segundo desde que ela entrou na sala. — Na semana anterior, no seu cubículo... você se divertiu um bocado à minha custa.

Sim! Elizabeth está pronta para morrer em defesa dessa ficção.

— Acho que sim — diz ela, despretensiosamente. Suas mãos, espantadas com a mentira, tentam fugir dela; ela as aperta ainda mais nos descansos.

— Pois foi o que pensei. — Roger abre uma gaveta e tira um copinho de plástico, do tipo que os médicos pedem para você fazer xixi dentro. Elizabeth não faz a menor idéia do motivo pelo qual Roger teria uma coisa dessas, e por um segundo seu cérebro imbecil e obliterado gira com milhares de possibilidades. — O RH baixou uma nova política de exames antidrogas. Do nosso departamento, você foi a escolhida, aleatoriamente.

Elizabeth pode ser mais hormônios que sinapses, mas consegue enxergar através disso: O RH está querendo saber se ela está grávida. Seu rosto mostra quão ultrajada ela está se sentindo. Então, ela percebe que Roger está observando sua reação.

— Foi isso que eu pensei também — diz ele.

Oh, Céus!

— O quê?

— Não é por causa de drogas.

— Então, por que é?

— Quer saber minha opinião? — Ele contrai os lábios. — Acho que você está grávida.

Mate-me agora. Por favor.

— Muito grávida, a bem da verdade. Talvez já de cinco meses.

Suas mãos sofrem um espasmo.

— O que nos dá uma data de concepção em torno de... bem.

Os olhos de Roger a mantêm presa. Não é justo; ele está revivendo a lembrança do acasalamento que os dois tiveram! O suor irrompe nas proximidades do seu couro cabeludo. Ela enfia os dedos nos descansos da cadeira com toda a força.

— Dado isto, estou analisando alguns eventos recentes sob esta nova luz. Tais como o que você me disse.

Ele se levanta.

Oh, não.

— Isso me faz pensar...

Ele dá a volta na mesa e se agacha ao lado dela.

Não! Não!

— ... se foi de brincadeira...

Não não não não não não...

— ... ou não.

O sol bate forte atrás dele, formando um halo. Ela contém, a muito custo, um soluço. Neste momento, ele é o idiota mais lindo, mais desejável do mundo.

— Pode me parar agora mesmo se eu estiver enganado — diz Roger baixinho —, mas fico pensando se aquilo não foi de verdade.

Ela se contém durante um segundo inteiro. Considerando a onda de desejo físico que está se abatendo sobre ela, pode-se dizer que foi uma vitória. *Eu tentei*!, pensa ela. Então, agarra o rosto de Roger com as duas mãos e amassa os lábios dele com os seus.

Jones já percorreu metade do saguão quando a mão de alguém toca seu braço. Ele se vira e olha bem dentro dos olhos azul-claros de um guarda de segurança uniformizado do departamento de Recursos Humanos e Proteção Patrimonial.

— Sr. Jones?

Jones supõe que esta seja a parte em que ele é escoltado à força para fora das dependências.

— Muito bem. Quem lhe mandou fazer isso? RH? Porque eles não têm a autoridade para despedir ninguém.

O guarda fica espantado.

— Eu só tenho um recado para o senhor.

— Oh — diz Jones.

— O que o senhor fez na sexta-feira foi maravilhoso, Sr. Jones. Contei até para os meus filhos. — Ele consulta um pedaço de papel. — O recado é que a equipe Alfa quer vê-lo. Assim que possível. No lugar de sempre. — Seus olhos saltam do papel para o rosto de Jones. — Faz sentido? Eu anotei exatamente o que me disseram.

— Faz, sim. Obrigado.

Jones dá um tapinha de reconhecimento no braço do guarda e prossegue. Quando está dentro do elevador, aperta o 12 e o 14 juntos, embora tenha certeza de que nada vai acontecer — decerto a primeira coisa que Klausman fez depois que ele arrasou sua empresa foi revogar sua liberação de acesso Alfa. Mas não: o elevador responde. Jones morde o lábio. No momento exato ele aperta *Abrir porta* e o carro pára no 13, como sempre.

Jones hesita. Não são muitas as razões para o Alfa querer vê-lo, e menos ainda as chances de ser divertido. Uma possibilidade é a de quererem repreendê-lo severamente; outra é a de quererem se vingar de alguma forma horrível, de uma forma que decerto passaram o fim de semana inteiro concatenando.

Mas ele não pode evitá-los para sempre. Sai do elevador e caminha em direção à sala de reuniões, sem que seus sapatos de trabalho façam barulho algum no tapete macio. Desconfiado, ele se sente nervoso. Chega até a porta, pára e esfrega as mãos na calça.

Então, abre a porta. Um agente, Tom Mandrake, pára de respirar tão abruptamente que Jones chega a ouvir seus dentes batendo.

— Oi! — diz Jones. — Como vão todos?

Klausman, sentado em sua gigantesca poltrona de couro, fita-o com olheiras profundas. O homem parece dez anos mais velho do que na sexta-feira. Também parece estar com vontade de dar um murro na barriga de Jones.

— Sente-se, Jones.

Ele dá alguns passos para dentro da sala.

— Estou bem. Obrigado.

Klausman fica olhando para ele por um instante, depois dá de ombros. Foi a pior tentativa de fingir despretensão que Jones já viu. Em seguida, os olhos de Klausman passeiam pela sala, e Eve diz:

— Jones.

Ela não está sentada em sua posição habitual, mas sim ao pé da mesa grande, do lado oposto ao da grande poltrona de couro de Klausman. Está com uma expressão pétrea no rosto — que é o que ela lhe disse para esperar, pelo menos diante do Projeto Alfa. Mas a esta altura Jones não está deixando passar nada que diga respeito a Eve.

— Acho que seria redundante dizer o quanto estamos decepcionados com você.

— Provavelmente.

— Dez anos. É o tempo que esta versão da Zephyr Holdings está em andamento. É o tanto de suor e sangue que foi investido aí. Você destruiu uma década.

Jones olha de relance para Klausman, que o está fitando o tempo todo de braços cruzados. Não parece querer entrar na conversa, de forma que Jones deduz ser Eve a pessoa designada para o ataque hoje. Ora, que pena! Ele direciona a pergunta para Klausman:

— Está falando sério? Você realmente acha que a Zephyr era a utopia das corporações? Pois não era. Era um lugar de merda para se trabalhar, e um gabarito de merda para um empresa de sucesso. Vocês arrasaram o pessoal diversas vezes, e isso ia voltar contra vocês. Querem saber de uma coisa: *vocês* mataram a Zephyr. Eu só fiz mostrar a vocês que ela estava morta.

— Mas, ora, seu babaquinha arrogante! — diz Blake.

— Blake — diz Klausman baixo.

Eve cruza as mãos e inclina-se para a frente, atraindo de volta a atenção de Jones. Parece bastante determinada, e mesmo agora, quando Jones está razoavelmente seguro de que ela se concentra em nada além de extrair o máximo benefício pessoal possível desta situação, ele sente uma pontada de desejo por ela.

— Jones, nós não o chamamos aqui para dar vazão à nossa frustração. Queremos determinar o melhor caminho a seguir. Se vazar a informação de que a empresa teste do sistema ômega de gestão implodiu... bem, daí não haverá recuperação possível. Portanto, o nosso objetivo é colocar a Zephyr novamente nos trilhos o mais rápido possível. Nós... — ela olha para Klausman de relance. — Nós queremos pedir a sua cooperação.

Jones solta uma risada antes que consiga se conter.

— Você está brincando.

— Não há ninguém mais capaz de convencer o pessoal que você.

Ele olha para todos ao redor da mesa. Estão tão solenes quanto se estivessem num enterro.

— A Zephyr não vai voltar. A Zephyr está tocando um novo projeto agora: descobrir se uma empresa pode ter sucesso sem devorar seus próprios empregados. Vocês todos precisam aceitar isso. E parar de assumir que isto é um desastre! Peço desculpas se eu estiver virando de cabeça para baixo a idéia de mundo de qualquer um aqui, mas e se a Zephyr puder ser um sucesso e um bom lugar de se trabalhar?

— Oh, Céus! — diz Blake, desgostoso.

— Jones, nós não somos amadores — diz Eve. — O Alfa não *assumiu* que cortar benefícios de funcionários aumenta a produtividade. Nós estudamos isso. Experimentamos as duas alternativas. Experimentamos alternativas que você ainda nem imagina, e é por isso que sabemos: deixar que os empregados toquem a empresa é uma *má idéia*. A Zephyr tem alta rotatividade e uma moral baixa? Sim. Teria mais sucesso se tratasse dessas questões? Não, porque nesse nível, funcionários felizes não são mais produtivos. As pessoas não se tornam recepcionistas e assistentes de vendas porque adorem atender telefonemas, e se você lhes der a oportunidade de ganhar o mesmo salário trabalhando menos, quer saber o que acontece? Elas aproveitam. Isso não é um princípio que o Alfa tenha inventado por sacanagem; isso é um fato. Talvez você não goste disso, talvez *nós* não gostemos disso, mas nós compreendemos e lidamos com isso. Você, Jones, não entende isso. Você pegou um nível elevado mas tratável de insatisfação de funcionários e o transformou numa rebelião porque acredita numa porcaria de uma *fantasia*.

— Já chega — diz Klausman. — Jones, só vou lhe perguntar uma vez. Você me ajuda a trazer a Zephyr de volta?

Ele está abalado com o ataque de Eve, mas se há uma coisa da qual tenha certeza, é que não vai ajudar o Alfa. Está surpreso por eles terem se dado ao trabalho de chamá-lo aqui para perguntar, já que Eve, pelo menos, deve saber que não há como ele concordar. Talvez seja um sinal do grau de desespero de Klausman para salvar seu bebê-corporação. Ou talvez...

Oh, pensa ele.

Ele entendeu. Olha para Eve, e isso quase lhe parte o coração. Ela o olha com firmeza, aguardando sua resposta.

— Não — diz.

Então, tudo ocorre mais ou menos como ele espera.

Eve se vira para Klausman, abrindo as mãos espalmadas para cima.

— Daniel, não posso deixar de dizer. Foi exatamente o que eu previ.

— Jones, pense no que você está fazendo, pelo amor de D... — diz Blake.

— E eu vou falar francamente — diz Eve por cima dele —, porque as circunstâncias assim o exigem. A culpa desta derrocada, Daniel, é sua. Você deu liberdade demais para o pessoal da Zephyr, apesar do que sabíamos sobre os níveis de insatisfação deles. Você escolheu Jones para o Alfa. E agora nós passamos três dias *falando*. A mim me dói muito dizer isso, Daniel, mas você está perdendo a Zephyr. Nós precisamos recuperar a empresa. Precisamos demitir os líderes da oposição. Isso precisa ser feito agora. E, Daniel, você tem de se afastar.

Klausman ergue as sobrancelhas, em choque.

— Não estou dizendo que seja para sempre. Mas isto é uma crise. Não há tempo para tratar do ego. Você abriu esta companhia, Daniel, mas vai ter de deixar que outra pessoa a salve. Você sabe que é verdade. Se isso acontecesse sob a guarda de qualquer outra pessoa, você a demitiria no ato. Não por desprezo, nem como castigo, mas simplesmente porque é o melhor para a empresa. É o que os investidores vão exigir; é o que nossos clientes vão exigir. Se ficarem sabendo disso, e se não tomarmos nenhuma medida drástica, uma providência maior, em resposta... não preciso lhe falar do prejuízo que vai ser. O Alfa não sobreviveria, Daniel. Não poderia. É por isso que você precisa entregá-la para mim.

— Epa! Epa! — diz Blake.

— Daniel. Você sabe que estou certa. — diz Eve.

— Esse não é o tipo de coisa que se resolva no calor da b...

— Blake, você teve a sua chance. Foi na sexta-feira, às 17 horas.

— Ah, espere aí, o que aquilo tem a ver com... tudo bem, talvez houvesse uma maneira melhor de resolver aquilo, mas eles nos pegaram de surpresa. Foi...

— Se não fizermos nada, vamos ficar aqui sentados até amanhã dizendo que poderíamos ter feito o dia de hoje melhor. Daniel, você sabe que eu o amo. Amo esta empresa também. E é por isso que estou fazendo tanta força. Sinto dizer, mas se você não consegue enxergar que isto é uma crise, eu apresento a minha demissão.

— Que truque barato! — diz Blake.

— Estou sendo absolutamente séria.

— Sua vagabunda...

— Tudo bem — interrompe Klausman. Sua voz soa baixinho, quase inaudível. Ele não cruza com o olhar de ninguém. Jones quase chega a sentir pena dele.

Jones vai embora e ninguém se importa: estão arrebatados pelo abalo sísmico no poder entre Daniel Klausman e Eve Jantiss. Ele atravessa o corredor e, num impulso, entra na sala de monitoramento. Há dois técnicos ali, mas depois da primeira olhadela curiosa, eles o ignoram. Jones puxa uma cadeira para o meio da sala e fica olhando para os monitores durante um tempo.

— Não sei o que lhe dizer.

É Blake, parado com uma das mãos na maçaneta da porta. Jones se vira para trás. Escuta Blake largar a maçaneta e se aproximar, até quase sentir ondas de hostilidade silenciosa se quebrando contra suas costas.

— Você sabe, a Eve é a Eve. Ela viu uma oportunidade e pegou. Espero que o carro dela abrace um poste no caminho de casa, mas eu entendo: ela ganhou de mim. Mas *você*, eu o avisei. Disse-lhe como ela era. Mas mesmo assim você foi em frente e deixou que ela o ferrasse. Seu merdinha de miolo mole, aposto que ainda acha que ela está do seu lado. Aposto que mal pode esperar para que ela saia daquela sala e venha dizer-lhe que tudo vai ficar bem. É por isso que você ainda está por aqui?

— Blake? — diz Eve. Jones vê o reflexo dela na parede de vidro. — Sei que você está zangado e tudo mais, mas vamos evitar fazer coisas que nos impeçam de trabalharmos juntos, tudo bem?

Blake faz um barulho que dá a impressão de estar mordendo a própria língua.

— Vou deixar vocês dois sozinhos. — Sua voz sai carregada de despeito.

Eve fecha a porta depois que ele sai. Ela dá a volta e se agacha na frente de Jones. Quando entra no campo de visão dele, está trocando um largo e lindo sorriso com os dois técnicos.

— Muito bem — diz para Jones —, vamos tomar um café e resolver logo este assunto.

Jones começa a rir. O riso explode de dentro dele sem aviso e aumenta até se tornar algo incontrolável, que lhe traz lágrimas aos olhos e uma pontada do lado. Eve fica olhando para ele e seu sorriso vai se desfazendo.

— Você — diz ele — é incrível. Falando sério.

— Obrigada. Então, que tal se você...

— Nós não vamos tomar um café.

— Ah. — Ela desequilibra o corpo todo para trás. — Então é assim?

— O que você falou lá dentro sobre demitir gente... aquilo era só para o Alfa? Ou estava falando sério?

Ela fala baixinho.

— Jones, isso não é uma empresa. O que você fez... é bacana. É, mesmo. Mas não funciona. Você ainda acha que existem boas empresas, mas não existem. Sinto muito.

Jones fica olhando fixamente para ela.

Ela ergue as mãos.

— Tudo bem, vamos entender direito. Eu não fingi gostar de você. Não sou uma prostituta empresarial que usa o sexo para conseguir o que quer. — Jones começa a rir novamente. — Estou falando sério. Eu gosto de você. Olhe para mim. Jones, eu adoro você. O que aconteceu ali, aquilo é negócio. Não tem nada a ver com você e eu.

— Tem *tudo*... — ele se engasga na palavra. Por um segundo, chega a pensar que vai chorar.

Eve não diz nada durante alguns instantes.

— Vai ser mais fácil se você ajudar, Jones. Você pode salvar um monte de empregos.

— Se você demitir uma pessoa sequer, vou contar para todo mundo sobre o Projeto Alfa.

— Jones — diz ela, pacientemente —, isso só me forçaria a demitir todo mundo.

— Você não vai fazer isso.

— Vou. Num piscar de olhos. Já temos tudo pronto; basta um telefonema. E depois do que você fez, deve ser mais fácil começar do zero. — Ela junta as mãos, como se estivesse rezando. — Mas a melhor solução, Jones, é voltar à maneira como tudo era antes. Seus amigos poderão ficar com seus empregos. Não vou precisar deslocar o Alfa para outra cidade. Todos ficam felizes... ora, você sabe o que eu quero dizer. Por favor, pense nisso. É o melhor desfecho, sem sombra de dúvida.

— Eu deveria ter contado para todo mundo sobre o Alfa no momento em que fiquei sabendo.

Eve morde o lábio.

— Jones, você tem essa idéia fixa de que eles vão ficar felizes ao saber da verdade. Que vão lhe agradecer por lhes contar. Mas não vão. Vão é detestá-lo. Estou lhe dizendo a verdade aqui e agora, Jones, e você está se sentindo grato? Não, está zangado e chateado e provavelmente me odiando um pouquinho. Não quero ameaçá-lo, porque sei que você está emocionado e não está pensando logicamente, mas se você quiser manter a amizade com qualquer daquelas pessoas, não vai dizer uma palavra sobre o Alfa. Vai convencê-los de que eles precisam da Diretoria de volta.

— Então isso é que vai ao encontro dos meus interesses. Mentir. Continuar mentindo.

— É.

Ele olha ao redor.

— Cadê aquela fita da ética? A que você bota para os investidores nervosos assistirem?

— Amm... acho que...

— Estou brincando.

— Oh. — Ela sorri, mas seus olhos passeiam pelo rosto dele. — Ora, que bom! Você deveria estar rindo disso tudo. São só negócios.

Isso o faz ter vontade de chorar de novo. Ele se contém e diz:

— Se eu falo para os empregados sobre o Alfa, eles me odeiam. E perdem o emprego. Se eu ajudo você, ninguém é demitido.

Eve hesita.

— Na verdade, vou precisar demitir algumas pessoas-chave. — Ela observa a expressão dele. — Mas nós podemos conversar sobre isso mais tarde. Jones, eu sei que é difícil. Mas um dia você vai olhar para trás e ver que isso foi um passo imenso na sua carreira. Eu tenho tantas idéias para o Alfa... não deveria lhe contar, ainda está nos estágios iniciais, mas acho que consigo financiamento para um vilarejo na Virgínia. Podemos construir uma cidade, Jones. Uma cidade para a Zephyr. Vai ter escola e shopping center, e toda casa vai ter banda larga e uma sala de reuniões embutida, e nós vamos dar tudo para eles, tudo que eles quiserem. Tudo que eles têm de fazer é morar na cidade. Você diz que nós estamos roubando partes da vida das pessoas, e tem razão, tem toda razão. Mas na nossa cidade não vai haver *diferença* entre trabalho e casa, porque todos estarão trabalhando 24 horas por dia, sete dias por semana, e ao mesmo tempo estarão em casa. Entende? Vão trabalhar não porque nós os forçamos a isso, mas porque a cidade deles depende disso, porque é assim que eles melhoram sua qualidade de vida. Porque são patriotas orgulhosos da empresa. — Ela aperta as mãos juntas, os olhos brilhando. — Está vendo, Jones, você não pode terminar por aqui. Ainda temos tanta coisa para fazer.

— Preciso pensar sobre isso — diz Jones, afinal.

— Claro. Claro que precisa. — Ela faz que sim com a cabeça. — Vou lhe dar um tempo. O Alfa se reúne amanhã novamente. Venha, está bem?

Elizabeth se senta. Tira o cabelo do rosto. Mexe a bunda, que parece estar grudada no tampo da mesa de Roger. Ela começa a abotoar a blusa.

Roger aperta-lhe o ombro.

— Foi... incrível. — Ele se ajeita para poder olhar para ela, que capta o sorriso reluzente dele sem precisar olhá-lo nos olhos. — Não achou?

— *Arram.* — Ela olha em volta, procurando a calcinha.

— Quero pedir desculpas. Sei que tenho sido um saco para você. Só que, às vezes, Elizabeth, fico concentrado demais na política. Você sabe como isto aqui é.

Ela percebe que a calcinha está pendurada no tornozelo do seu pé esquerdo. Inclina-se para a frente, desalojando a cabeça de Roger, e puxa-a para cima.

— Sabe, para ser absolutamente honesto, é insegurança. — Ele ri. — Você provavelmente não acredita em mim. Mas é verdade. Você me deixava nervoso. Eu sempre achava que precisava me afirmar para você.

Ela se levanta e começa a ajeitar a saia.

Roger se senta.

— Acho que o que eu estou tentando dizer, Elizabeth, é que eu quero levar isso adiante.

Ela olha para ele. Balança a cabeça.

Ele pisca.

— O que foi? O que você quer dizer?

— Eu não quero.

— Você não quer o quê? Não quer sexo de novo?

— Você.

— Você não me quer?

Elizabeth balança a cabeça.

— Por que não? — O rosto dele se contrai. — Qual é o problema? Alguma coisa errada?

— Não.

— Então, qual é o problema? Pelo amor de Deus, o que você quer?

Elizabeth pensa.

— Picles.

Quando Jones chega de volta à sala do departamento de Serviços de Pessoal, acha-se no meio de um jogo de hóquei. Fica parado à porta e observa as pessoas passando por cima das mesas e derrubando cadeiras. Um homem esbarra na divisória de um cubículo e derruba um monte de arquivos de papelão pelo carpete. Seu pé acaba pisando em cima de um deles, rasgando a capa, e ele vai correndo embora sem olhar para trás.

— Jones! — Freddy aproxima-se, todo empolgado. — Estamos jogando hóquei.

— Estou vendo.

Freddy olha esquisito para ele.

— O que foi?

— Bem — diz Jones com ar malvado —, nós não derrubamos a Diretoria para ficar jogando e brincando por aqui.

— Ah, espere aí. É o primeiro dia. Estamos só nos divertindo.

— *Freddy*! — grita alguém. Jones olha ao redor quando Holly passa correndo, tocando uma bola com um bastão de papelão.

Freddy olha para Jones com ar de quem se desculpa.

— As coisas vão se acalmar. É tudo gente boa. — Depois, sai correndo atrás de Holly.

Jones vai até o cubículo de Vendas de Treinamentos. Senta-se pesadamente na cadeira e coloca a cabeça sobre os braços.

A princípio achou que seria impossível convencer o pessoal de que eles precisavam da Diretoria de volta. Agora acha que isso é inevitável. Eve tinha razão: isto não é uma companhia, é uma festa. E todos vão se dar conta disso, mais cedo ou mais tarde: vão ver que ninguém está trabalhando tanto quanto costumava — e vão compreender o que isso significa.

— Alô?

Ele ergue a cabeça. É Alex Domini, o homem que ele contratou para coordenar o serviço de reinstalação da rede na Zephyr. Alex traz uma pilha de papéis na mão. Aparentemente, é a única pessoa que está trabalhando na Zephyr hoje. É claro, ele é prestador de serviço.

— Desculpe incomodá-lo. Não sei se o momento é oportuno. Estou tendo um probleminha. — Ele entra no cubículo com jeito humilde. — O negócio é o seguinte, não consigo chegar ao nível 13. Não há botão para o nível 13 nos elevadores, e as portas da escada estão trancadas, de forma que... não sei o que fazer.

Jones fica olhando para ele.

— Por que você acha que existe um nível 13?

— A fiação. Eu conectei um laptop e tem uma rede lá, com certeza, entre o 12 e o 14. Só que eu... não consigo encontrar.

Jones engole em seco algumas vezes.

— É difícil chegar ao nível 13. Vou levá-lo lá.

— Ah, obrigado. Nossa! Achei que eu estava ficando maluco.

— Não é você. É este lugar. — Quando eles chegam aos elevadores, Jones diz: — A propósito, como vai o resto da rede?

— Está praticamente pronta. Mesmo o nível 13, não sei o que tem lá, mas está conectado a todo o resto agora. A gente só precisa mais ou menos ligar lá.

— Interessante — diz Jones.

Jones está na sala de monitoramento do nível 13 quando os agentes Alfa começam a voltar. Eve é a primeira a chegar: passa pela parede de vidro em direção à sala de reuniões; quando o vê, pára e faz sinal. Jones fecha a porta ao passar.

— Oi.

— Oi. Como é que você está?

Ele dá de ombros. Os dois caminham juntos em direção à sala de reuniões.

— Tudo bem, acho eu.

Ela faz um gesto afirmativo com a cabeça.

— Não quero forçá-lo, Jones, mas... — Este é o ponto em que ela abre a porta da sala de reuniões e revela Alex sentado à grande mesa. Eve olha para ele, depois para Jones, depois para ele novamente.

— Quem é você?

— Ele está trabalhando na rede — diz Jones.

— O que ele está fazendo aqui?

— Eu o deixei subir. Ele precisa ligar alguns cabos de dados ou algo assim. Não sei os detalhes.

— É melhor eu... ir embora? — pergunta Alex com voz incerta.

— Ah, é sim. Obrigada. Vamos precisar desta sala agora.

Alex se levanta. Dois outros agentes chegam ao nível 13 e entram depois de Eve e Jones. Eve não se mexe, e forma-se um engarrafamento: Alex esperando para sair, agentes esperando para entrar, e Eve bloqueando a passagem. Os olhos dela saltam de Alex para Jones e vice-versa.

Jones fala:

— E então?

— Nós não vamos entrar.

— Não? Por que não?

— Porque — diz ela — você está bancando o espertinho.

— O que está acontecendo? — diz Mona.

— Não sei do que você está falando — diz Jones.

— Vou realocar a reunião.

— O quê? — diz Jones, bruscamente. — Está achando que ele colocou escutas na sala?

— Isso não é um bom começo para o nosso novo relacionamento de trabalho, Jones — diz Eve.

— O que foi que eu fiz?

— Saiam todos. E alguém tire *este* sujeito do nível 13.

No caminho de volta para os elevadores, Eve agarra o braço de Jones logo acima do cotovelo e lhe sussurra:

— Você *sabia* que eu estava louca para me sentar na poltrona grande.

Eve inspeciona duas salas de reunião no nível do saguão até encontrar uma que a satisfaça. Fecha a veneziana da janelinha da porta, espia a câmera da Segurança no canto da sala e depois telefona para o nível 13 pelo celular.

— Vamos deixar bem claro — diz ela. — Enquanto eu não disser nada, ninguém deve estar na sala de monitoramento além de você. *Ninguém*.

— Isso é loucura — diz Jones. — Klausman não nos teria feito vir até aqui. E se alguém entrar sem ser chamado?

Eve hesita.

— Mona, você pode colocar uma cadeira travando aquela porta?

Mona fica assustada.

— Não sei... está bem, vou dar um jeito nisso.

— Nós temos uma sala de reuniões em perfeitas condições no nível 13.

— Jones — diz Eve —, cale a boca.

— Eve, por mais que eu deteste concordar com o Judas aqui... — diz Blake

Eve dá um tapa na mesa. Todos se assustam.

— Estamos aqui. Temos uma reunião pela frente. Vamos começar.

Freddy está passando por sua mesa quando vê alguma coisa esquisita na tela do seu computador. Faz um desvio e entra no cubículo para ver o que é. Nos últimos meses, a barra de tarefas na área de trabalho de Freddy mostrava um computadorzinho marcado com um xis vermelho. Agora, há um balão amarelo com a mensagem: A INTRANET DA ZEPHYR ESTÁ CONECTADA AGORA. VELOCIDADE: 100 MBPS.

— Ei — diz Holly, entrando. — Achei que você estava pegando um café para mim.

— Veja só isso. — Ele pega o mouse. Mas antes que possa ativar o e-mail, aparece uma nova janela. Primeiro ela diz FAZENDO ATUALIZAÇÕES, depois diz COMPLETO, depois desaparece e acontece outra coisa.

— Ihh... — diz Holly. Ela cala a boca. Os dois ficam olhando para a tela.

— Em termos de projetos regulares, bem... será que ainda precisamos passar por isso? — Tom Mandrake olha para Eve, que não reage, pois está olhando para Jones. Então ela se dá conta e confirma com um forte sinal afirmativo da cabeça. — Muito bem. O Projeto 442 é o estudo sobre como a retirada de elementos que tragam à lembrança o mundo lá de fora afeta a produtividade do trabalhador. Vocês devem lembrar que os primeiros resultados nessa área são interessantes.

Mona faz que sim com a cabeça.

— Eles ficam mais tempo no trabalho.

— Estamos percebendo também uma tendência de diminuição na quantidade de telefonemas pessoais. Infelizmente, levei alguns para um dos nossos psicólogos e ele disse que, pelo visto, tem gente desenvolvendo o distúrbio dissociativo da identidade.

— Estão ficando esquizofrênicos?

— Não é esquizofrenia. É mais como uma divisão da personalidade. Uma para o trabalho, outra para casa. Já tivemos alguns incidentes, como dizer, um tanto alarmantes. Gente recebendo telefonemas da família sem reconhecer as vozes. Esse tipo de coisa.

Faz-se um momento de silêncio. Então, um agente à esquerda de Jones fala:

— Ora, isso pode ser qualquer coisa. Essas pessoas poderiam estar predispostas.

— Não estou dizendo que devamos interromper o estudo — diz Tom. — Só acho que pode ser um problema médico sério.

Jones sente que Eve o está comendo com os olhos. E de repente precisa fazer todo esforço para não rir.

— Primeiro passo, falar com a nossa seguradora — diz Blake. — Precisamos estar cobertos, antes de mais nada, para o caso de alguém pirar por causa disso.

— Parem — diz Eve. Ela ainda está olhando para Jones. — Parem de falar.

Alguns minutos atrás, o departamento de Serviços de Pessoal estava uma algazarra só por causa do jogo de hóquei. Agora está em silêncio. Em todo o departamento, bem como nos andares de cima e de baixo, as pessoas estão aglomeradas nos cubículos, olhando fixamente para as telas dos computadores.

— O que foi? — pergunta Blake.

Eve não responde. Mas já resolveu a questão. Jones percebe isso nos olhos dela.

— Muito bem! — diz Jones. — Minha vez? — Ele ajusta a gravata. — Primeiramente, tenho o prazer de anunciar que a rede voltou.

— O que eles estão fazendo? — pergunta alguém atrás de Holly. Ela não sabe responder. Nem consegue respirar! Trabalha na Zephyr há quatro anos e, em todo esse tempo, a empresa nunca fez sentido. Estava até achando que era ela.

As palavras saem rasgando o seu peito.

— Nós somos um *estudo*.

— Uma das razões pelas quais isto é uma boa notícia — continua Jones — é que agora vocês podem acessar os arquivos do Projeto Alfa a partir de um computador do prédio. Estão na unidade R da rede. Outra é que vocês podem pegar uma transmissão ao vivo das câmeras sem que precisem visitar a sala de monitoramento no nível 13. Tem som e tudo mais. Já me disseram que a imagem está pouco nítida, mas ainda assim... — Ele só chega até aí antes de Blake arrancá-lo da sua cadeira.

Freddy sai clicando na unidade R. A princípio não chega a lugar algum, porque tudo está organizado pelos nomes dos projetos. Logo ele encontra um diretório de arquivos dos funcionários, que contém alguém chamado *Carlson-F*. Lá dentro há referências cruzadas de todos os projetos em que Freddy aparentemente já esteve envolvido. São cinco. O primeiro, Projeto 161, chama-se RETIRADA DE RECOMPENSAS E MOTIVAÇÃO. Embaixo desse, em INSTRUÇÕES, diz: BLOQUEAR TODAS AS PROMOÇÕES INDEPENDENTEMENTE DO DESEMPENHO.

É o primeiro dia de Gretel de volta ao trabalho. Ela está se sentindo muito melhor; não há uma infinidade de gente no seu painel de controle. Está, também, com a impressão de que talvez até consiga sair para um almoço decente hoje.

O painel pisca.

— Boa tarde, recepção.

— Gretel? É Holly Vale, do Serviços de Pessoal. Você pode vir aqui em cima?

— Eu estou atendendo os telefones.

— Eu sei. Mas tem uma coisa aqui que você precisa ver.

Elizabeth sai com cara de culpa de dentro do escritório de Roger. Seu corpo está tenso, pronto para a acusação: *O que você estava fazendo ali dentro?* Mas a acusação não vem. A bem da verdade, o departamento está curiosamente quieto. Ela dá uma espiadela. Não há ninguém à vista.

Ela torna a verificar quando passa pelo primeiro cubículo. Há umas cinco ou seis pessoas apertadinhas ali dentro em torno de um monitor. Ninguém faz um barulho sequer. Curiosa e um pouco cismada, ela se aproxima por trás e fica na pontinha dos pés para enxergar por cima dos ombros dos outros. E vê a tela. A princípio, não faz sentido algum. De repente, ela percebe, e leva a mão ao abdome.

Blake pega Jones pela lapela da camisa e o sacode. A cabeça de Jones bate contra o carpete.

— *O que você foi fazer?*

— Solte-o — diz Eve, já de pé.

Blake tira as mãos como se Jones fosse infeccioso.

— Nós vamos fazer o seguinte — diz Eve. — Vamos para o nível 13 agora. Vamos continuar lá.

Freddy descobre um arquivo para Megan e lá dentro encontra o número do seu telefone de casa. Abre espaço pelo meio da multidão para chegar ao seu telefone e disca.

— Alô?

— Megan? Aqui é Freddy Carlson. — Segue-se uma pausa, de forma que ele acrescenta: — Da Zephyr.

— Oh, desculpe! Claro. É só que eu não esperava receber notícias suas. Como vai?

— Bem — diz Freddy.

O elevador fica bastante apertado, mas toda a equipe do Projeto Alfa consegue entrar de uma vez só. Naquele espaço restrito, eles evitam acima de tudo o olhar de Jones, exceto Blake, que o fita com toda a hostilidade, e Tom, que o faz em tom de súplica. A meio caminho da subida, Tom fala:

— Você não fez isso; fez, Jones?

— Deixe de ser babaca, Tom — diz Blake.

— Mas por quê? Jones, por que você faria uma coisa dessas?

— Porque eles merecem coisa melhor — diz Jones. — E porque eu não.

Ninguém responde a isso. Quando chegam à sala de monitoramento, olham para as telas no mais absoluto silêncio.

Então, Eve solta um berro.

É curto e agudo: um som de pura frustração. Todos pulam, inclusive Jones. Blake, mostrando-se estremecido, diz:

— Nossa, Eve!

— Você achou que eu estava *brincando*? — grita ela para Jones. — Meu Deus, achou mesmo?

— Não, Eve.

Ela tira o celular de dentro da bolsa com um puxão.

— Fique olhando para esses monitores e não se esqueça de que a culpa é sua. Eu avisei o que aconteceria se você fizesse isso. Você é o responsável por isso.

Ninguém está zangado; estão todos estupefatos.

— É uma piada — diz um contador no nível 7, mas ninguém responde. Não parece piada. Eles olham para suas mesas. Suas caixas de entrada, apinhadas de tarefas inúteis. Parece que a Zephyr está fazendo sentido pela primeira vez.

Todas as luzes do correio de voz se acendem ao mesmo tempo. Um murmúrio se espalha pelo prédio inteiro. Mãos pegam aparelhos de telefone.

"Alô todo o pessoal do departamento de Recursos Humanos e Proteção Patrimonial!"

A voz é de mulher e tem um tom suave. Quase nenhum funcionário da Zephyr a reconhece. Mas a mão de Freddy aperta o aparelho, e Holly sente uma leve contração nas entranhas.

"Meu nome é Sydney Harper. Tenho algumas mudanças muito interessantes para anunciar na Zephyr Holdings hoje; portanto, peço a máxima atenção para este recado no seu correio de voz. Conforme vocês sabem, na semana passada quase toda a Diretoria se demitiu. Isso, obviamente, abalou a nossa estrutura organizacional, de forma que o departamento de Recursos Humanos trabalhou arduamente para encontrar uma solução eficaz. Depois de muitas consultas, tanto dentro dos Recursos Humanos quanto entre os Diretores remanescentes, chegamos a um plano que acreditamos ser capaz de maximizar os nossos recursos durante este difícil período de transição.

"Entrando em vigor imediatamente, todos os cargos estão vagos. Os funcionários podem se candidatar aos seus empregos atuais, ou, se assim preferirem, a outros cargos. Maiores detalhes se encontram no Boletim de Empregos. Até logo."

A mensagem termina. Funcionários estupefatos desligam seus telefones. Viram-se uns para os outros, mas ninguém tem resposta alguma. Lentamente, vão se levantando de suas cadeiras e fazem fila para os elevadores. Os mais jovens não entendem; ficam empolgados. "Quer dizer que eu posso me candidatar a qualquer cargo dentro da empresa? Qualquer um que eu quiser?" Os demais trocam olhares preocupados. Não foi isso que ouviram. O que ouviram foi que todos os empregados acabam de ser demitidos.

O Boletim de Empregos é um quadro de cortiça grande fixado numa das paredes da Cantina — ou do que era a Cantina antes da Copa ter sido terceirizada. É norma antiga da Zephyr Holdings que todo cargo vago deve ser anunciado nesse boletim para assegurar a transparência e abertura do processo de contratação; isso também faz com que as pessoas queiram deixar sua função atual aberta e transparente. Os funcionários que se aproximavam do quadro sentiam os olhares de quem estivesse por perto. Ouviam as fontes dos mexericos. Mas, recentemente, o Boletim de Empregos tem sido apenas uma tela vazia, um lembrete mórbido do péssimo estado em que se encontram as coisas. Então, claro, a Copa foi terceirizada, a Cantina fechou, e ninguém tinha mais muitas razões para vir espiar o quadro.

Mas agora há uma tachinha preta fixando um único pedaço de papel bem no meio. O recado é curto e direto.

NÃO HÁ VAGAS NO MOMENTO

— Departamento de Recursos Humanos e Proteção Patrimonial

Aí eles ficam zangados.

Eve senta-se pesadamente sobre o carpete: num segundo está de pé; no outro, de bunda no chão. Os outros agentes perambulam sem saber o que fazer, olhando uns para os outros.

— Bem — diz Blake —, é isso aí. Parabéns, Jones! Você conseguiu demitir todo mundo.

— Nem tente — diz Jones.

— Não posso esperar para ver você tentando explicar isso a eles. Vai ser muito engraçado. Vou ficar por perto só para ver a sua cara quando você se der conta de que eles o odeiam pelo que você fez.

Jones olha para os monitores.

— Tenho certeza de que haverá ódio para todos. — No saguão, um grupo (talvez "horda" seja a palavra correta) observa enquanto um homem se joga contra a porta da escada.

O ato suscita um burburinho de alarme entre os agentes.

— Será que não deveríamos chamar a Segurança aqui? — diz Mona.

Do chão, Eve fala com a voz embotada:

— A Segurança não vai ficar do nosso lado, Mona.

— Nós não fizemos nada ilegal — diz Tom. — Não há nada errado com o que fizemos.

Jones dá uma risadinha contida.

— Essas portas são resistentes? — pergunta Mona.

Todos prendem o fôlego.

— Não o suficiente, acho eu — diz Jones.

O sol se põe na Zephyr Holdings. O prédio reflete os raios amarelo-alaranjados, como se estivesse pegando fogo. As vidraças brilham, como se estivessem se dissolvendo.

Homens e mulheres galgam os degraus de concreto. A escada se enche das suas emoções brutas, que rebatem nas paredes e redobram de intensidade.

— Nós deveríamos matá-los! — grita alguém. — *Nós deveríamos matá-los*!

Mona começa a soltar um lamento agudo e fraquinho, que não pára nem quando Blake pega o telefone e disca para a polícia. Ele tenta fazê-la calar enquanto explica para a operadora que a assistência deles é necessária *agora*, que há gente tentando *atacá-los*. Alguns dos agentes saem correndo da sala de monitoramento — para fazerem barricadas nos escritórios ou se esconderem embaixo das mesas, supõe Jones. Ele se ajoelha ao lado de Eve. O cabelo dela está pendendo por cima do rosto. Ele o tira delicadamente do caminho e vê, surpreso, que ela está chorando.

— Não, estou dizendo que há *centenas* de pessoas — diz Blake ao telefone. — *Literalmente centenas, entendeu*?

Eve olha para Jones.

— Eles vão entrar aqui.

— Eu sei.

Ela pega a mão dele.

— Você tem de impedi-los. Por favor, Jones.

— E como é que você acha que eu posso fazer isso?

— Por favor. — O corpo dela estremece. — Jones, por favor, eles vão nos machucar.

Jones não diz nada.

Ela chora mais forte.

— *Jones, por favor, não deixe que eles me batam.*

O nível 13 não está marcado desta forma, claro. A porta diz MANUTENÇÃO. Mas fica depois do 12 e antes do 14, e quando se está procurando por ele, não é difícil encontrá-lo. Um homem com as mangas da camisa dobradas até os possantes bíceps — talvez até pouco tempo atrás um usuário freqüente da academia da Zephyr — é o primeiro a chegar. Gira a maçaneta, mas a porta está trancada. Ele dá um tapa na porta, frustrado. Do outro lado, ouve-se um grito curto e assustado. O homem se vira e grita na direção da escada abaixo:

— Eles estão aqui.

Blake caminha de um lado para o outro. Quando passa a mão no cabelo, ela está tremendo. Num gesto abrupto, agarra o tapa-olho e o joga no tapete. A pele em torno do olho está cinza e brilhante. Alguma coisa — ou alguém — colide com a porta da escada, e Blake dá um pulo.

— Precisamos fazer uma barricada — diz ele, a voz tensa. — Precisamos de alguma coisa para... — Ele se vira. — Jones. Jones. Qual é o seu plano?

Jones olha para cima.

— O quê?

— O seu plano. Vamos. Tudo bem, você nos venceu. O Alfa acabou. Parabéns! Agora, como é que você vai sair desta? Você não faria isso a menos que tivesse uma saída para você.

Jones sente uma certa simpatia por ele. Não muita, mas sente.

— Desculpe!

Blake fica olhando fixamente. Depois ri. A risada soa alta e estrepitosa e é interrompida quando há outra colisão contra a porta da escada.

Eve se encolhe, formando uma bola em cima do tapete. Jones pensa em sugerir que ela saia dali. Não seria uma boa idéia para ela ficar ali na frente da bancada dos monitores quando a horda entrasse. Só pioraria as coisas.

Ele acaricia o cabelo dela.

— Acho que a Zephyr não está mais externalizando — murmura, quando a tranca da escada se arrebenta e a porta se abre.

Ele ouve Mona gritar. E mais alguém — homem ou mulher, Jones não consegue distinguir — solta um grito alto, estrangulado, que ele nunca mais vai esquecer.

— Nós só somos pessoas de negócios! *Nós só somos pessoas de negócios*!

Elizabeth vai até o corredor e chama o elevador. Volta para o departamento de Serviços de Pessoal e dá uma última olhada para guardar de lembrança — mas não há o que olhar. As pessoas com quem ela trabalhou já não estão mais lá, foram atrás de vingança, e a decoração não é nada especial. Não é nem o nível 14, que pelo menos tinha na Divisória de Berlim uma característica diferente. Não há nada significativo para Elizabeth se lembrar.

Talvez seja por isso que ela se sente bem de ir embora. Quando o elevador chega, ela entra dando um passo com mais impulso que o normal. À medida que o elevador vai descendo, seu estado de espírito vai subindo. *Passar bem!*, pensa ela. Sente vontade de rir.

Ela vivia se apaixonando pelos clientes. Que tipo de pessoa faz isso? Elizabeth não descreveria o que sente pelo seu embrião como amor, ainda não, mas sabe que esse sentimento está crescendo. Comparando, suas paixonites no trabalho são... bem, não há comparação, há? Quando pensa na pessoa que era quatro meses atrás, ela nem sabe mais quem era.

Fica imaginando o que haveria na Zephyr Holdings que possa lhe dar saudades. Este lugar dominou sua vida durante a maior parte dos últimos dez anos. Em grande parte, definiu-a como a pessoa que ela é hoje. Mas, fazendo uma repescagem nas suas lembranças, a que se destaca é o momento em que ela se sentou no vaso dentro de um boxe no banheiro e se deu conta de que estava grávida. Então, quando as portas deslizantes do elevador se abrem para o estacionamento e para a rampa e para o sol lá fora, ela encontra a resposta: Nada de mais!

ABRIL

OS APLAUSOS SOAM FORTES, entusiasmados, e duram tempo demais: continuam mesmo depois que as luzes se acendem. O salão é grande e está lotado, de forma que os aplausos ecoam como trovão. Jones, consciente de que não é um astro do rock, sente-se encabulado. Desce do pódio e vai para a platéia, onde as pessoas se levantam e convergem em torno dele com um misto de admiração e horror estampados no rosto.

Hoje elas vêm de uma ampla gama de empresas, e seus crachás se destacam quando elas se aproximam pelos três lados. Ele ouve as perguntas de sempre — enquanto os olhares percorrem seu corpo atrás de algum sinal dos ferimentos — e apresenta suas respostas padrão, que arrancam murmúrios de simpatia e suspiros de desgosto. De repente, uma mulher lá atrás diz:

— Steve, tenho uma pergunta. Como é que você consegue dormir sabendo que prejudicou todas aquelas pessoas?

Todos os olhos se voltam para ela. Quando recobra a voz, Jones diz:

— Olá, Eve.

— Eu ia aparecer antes de você continuar — diz ela, os saltos fazendo *claque-claque* pelo corredor. Ela está carregando um casaco preto comprido e usando uma saia cinza fina tão estreita que não dá para acreditar que ela consiga caminhar, mas ainda assim não lhe é difícil acompanhar o passo dele. — Mas aí eu pensei, não, não quero que você mude nada porque eu estou aqui. Eu quero tudo que estar com Steve Jones pode propiciar.

— Achei que você tinha se mudado para Nova York — diz ele. Os dois chegam ao seu pequeno camarim e ele começa a guardar suas coisas.

— Peguei um avião só para ver isto. Você deve saber por quê. — Os olhos dela buscam os dele. Jones precisa admitir que ela está deslumbrante. O cabelo balança; a pele brilha; não dá para acreditar que quatro meses atrás ela estava fazendo fisioterapia.

— Não faço idéia.

— Estou no circuito das palestras também. Fazendo exatamente a mesma coisa que você, só que em Manhattan. — Um cantinho da sua boca se recurva. — Bem, talvez não seja *exatamente* a mesma coisa. Certamente há alguns detalhes com os quais não concordamos. Mas a mensagem que passamos para o público é a mesma: "Não irritem os seus funcionários a ponto de levá-los a invadir o seu escritório e enchê-los de porrada." — Ela ri. — Ah, além disso, eu cobro mais.

Jones pára de guardar seus apetrechos.

— *Você* está falando de *ética*?

— No final da palestra, quando falo da revolta, apagamos as luzes principais, de forma que eu fico sozinha num banquinho, iluminada por um spot. Faz-se um silêncio; ninguém nem respira. Daí eu termino, e as luzes se acendem novamente, e eu vislumbro um *mar* de rostos chocados. É como se fosse o pior dos pesadelos para aquelas pessoas. Como se fosse a pior coisa que elas já ouviram na vida.

Depois de um segundo, Jones ri.

— Não sei por que estou surpreso.

Ela o está observando atenciosamente.

— Está zangado?

Ele pondera.

— O que você está fazendo agora não é relevante para mim.

Os lábios dela se contraem.

— E o Blake, então? Virou vendedor de carros agora. Bons carros — acrescenta ela, ante a expressão de Jones. — Se você quiser comprar um bom Mercedes, ligue para ele. — Ela inclina a cabeça para o lado. — Ou talvez não. Tem o Klausman, também; ele se aposentou. Mudou-se para o norte da Califórnia, acho eu. Não tenho notícias dele desde que derrubamos a ação coletiva.

— Quanto custou, a propósito? Só por curiosidade. Ouvi dizer que vocês estavam com uma dúzia de advogados.

— Veja bem, o Alfa não fazia nada ilegal. Eu vivia tentando lhe dizer isso. A única coisa da qual tínhamos culpa era em dar emprego àquelas pessoas.

— Empregos falsos.

— Não há nenhuma exigência para que os empregos tenham significado, Jones. Se houvesse, metade do país ficaria desempregada. Foi por isso que ganhamos a causa.

Ele fecha o zíper da mochila.

— Ora, que bom saber que estão todos muito bem! Agora, se você me der permissão, vou me encontrar com o Freddy e a Holly.

As sobrancelhas de Eve se erguem.

— Não me diga que eles o *perdoaram*. Uau! Eu não teria perdoado. Mas também, acho que Freddy e Holly não acabaram num hospital. — Durante um momento, o rosto dela se contrai. Depois ela sorri. — Mas eu consegui uma plástica de nariz de graça por conta disso! O que você acha?

— Eu estava achando alguma coisa diferente. — Ele levanta a mochila. — Muito bem. Eu preciso ir.

Quando ele chega à porta, Eve fala:

— Sabe, eu tentei entrar em contato com você.

Ele olha para ela.

— Eu sei.

Faz-se um silêncio, durante o qual Eve parece esperar que Jones diga alguma coisa. Ao ver que ele não vai dizer nada, ela solta uma risada.

— Para ser sincera, eu tinha um *outro* motivo para vir aqui. Queria ver o que eu sentiria por você. — Os olhos dela passeiam pelos dele. — Para ver se teria vontade de matá-lo ou... não. — Novamente, Jones não diz nada. — Quer saber qual das duas?

— Para falar a verdade, não.

— Ah, espere aí. Eu sei que você ainda pensa em mim. Eu penso em você.

— Eve, eu não tenho o menor interesse em você.

É claro que não era isso que ela estava esperando: seu rosto registra surpresa, depois dúvida, e finalmente seus traços se enrijecem formando uma máscara. Tudo isso acontece em mais ou menos meio segundo.

— Quero dizer, quando falo que penso em você, é só que acho que está ruim para você. Eu sei que você deve ficar possesso com o fato de Blake e eu estarmos ganhando dinheiro, enquanto você... bem! Mas o que eu posso dizer? É assim que são os negócios. Ninguém dá a mínima para a ética. É por isso que gente como eu sempre vai ter sucesso.

— Você tem uma definição engraçada de "sucesso".

Ela franze o cenho.

— Ahn?

— Ainda está sozinha?

Eve bufa por entre os dentes.

— Eu nunca fiquei sozinha. Só disse aquilo para fazer você se sentir melhor.

Jones dá uma risada contida.

— Foi legal ver você de novo, Eve. Sério.

Ele sai do camarim, a mochila ao ombro. Está quase na saída, onde Freddy e Holly estarão à sua espera — ele mal pode esperar para lhes contar sobre *isto* —, quando Eve o chama.

— Ei, Jones. Não ponha a culpa em mim quando os Estados Unidos perderem seu parque corporativo para países que não são tão amarrados por *condições de trabalho*, está bem?

Ele se vira para ela:

— Eu não culpo você por nada. Só por ser você.

Eve pensa nisso por um instante. Depois abre um sorriso.

— Obrigada — diz ela.

Agradecimentos

SOU ETERNAMENTE grato às pessoas que leram os meus primeiros rascunhos disparatados e me disseram o que achavam. Sei que não é fácil ler trezentas páginas de personagens inacreditáveis e tramas inexplicáveis, e depois formular uma resposta profunda que possa ajudar em alguma coisa e não me fazer sentir vontade de pular do alto de uma ponte. Mas de alguma forma essas pessoas fizeram isso, e foi graças a ela que eu consegui rastejar e chegar a uma coisa que finalmente tem jeito de romance: Beth English, Roxanne Jones, Gregory Lister, Lindsay Lyon e Dennis Widmyer.

Charles Thiesen, meu mentor (ou eu sou dele, me esqueço), leu mais rascunhos do que eu sou capaz de lembrar; foi meu maior torcedor quando eu precisei de estímulo e meu oráculo quando precisei de conselho.

Kassy Humphreys me deu uma tonelada de grandes idéias exatamente quando eu precisei delas e, como se não bastasse, me deixou saquear trechos imensos de sua carreira para eu incluir no livro. Como ela mesma disse: "*Seria* engraçado se não fosse a minha vida."

Luke Janklow, meu agente, continua sendo o sujeito mais fantástico, que mais dá apoio e em quem mais se pode confiar no Universo.

É graças a Bill Thomas, meu editor, que a versão final deste livro lembra muito pouco o que eu vendi para ele. E isso é bom; podem confiar no que estou dizendo. Ele ajudou a transformar um livro com o qual eu estava satisfeito num que eu adorei.

E Jen, minha esposa, é perfeita. Sempre.

Este livro foi composto na tipologia Minion,
em corpo 11/15, e impresso em papel off-set 90g/m^2
no Sistema Cameron da Divisão Gráfica
da Distribuidora Record.